文春文庫

闇色《あんしよく》のソプラノ

北森 鴻

文藝春秋

目次

闇色《あんしょく》のソプラノ

【郷土史研究家・殿村三味著『私見　遠誉野市沿革』より】


東京都遠誉野《とよの》市。人口二一三、〇〇〇人。

遠誉野は東京の西の果て、山梨県と八王子市とを結ぶ線上に位置する小都市である。江戸時代から明治にかけて、八王子で生産された生糸の流通の要所、甲州街道を旅する人々にとっての宿場町として独自の発展を見たことは、享保八年（一七二三年）に刊行された「武蔵風土記」の一項に、「遠誉野は街道の要所なり。市ある日には人二千、馬二千匹も集いて、おおいに盛んなるべし」とあることからわかる。が、奇怪なことに遠誉野にはそれ以前の記録が、一切ない。まるで神が突然の気紛れでこの地に村を創り、方々から人間をもってきて営みを行なわせたように、その歴史への登場は唐突ですらある。

だが、足跡を追うすべがまるでないわけではない。

村には明治の半ばまで、「一夜祭」と呼ばれる奇祭があったことが、別の記述に見られる。これは年に一度、村の北東部に位置する千曳山《ちびきやま》に、官女の扮装をした少女が三人、日暮れを合図に登って、山の中腹にある千曳神社の社で、一晩を過ごすというものである。それ自体はさほど珍しいものではないが、その原型となっているのが、年に三人の処女を、神社の祭神である女神に人身御供《ひとみごくう》として捧げるという、風習であることがわかっているのである。風土記は祭りについてこう記す。

「村の丑寅《うしとら》、千曳の峰に社あり。祭神を『黎香姫《れいかき》』といへり。霊験あらたかなりと伝えらるれども、また厄災多し。女神、女人に妬むこと多しとか。盆の送りの頃、毎年三人の乙女を欲す」

同祭が、いつの頃に廃れてしまったかについては確実な記録がない。ただ、山に登ったまま一晩を過ごす三人の女性に対し、村の若い男が不埒《ふらち》な企みを持ったであろうことは、想像に難くない。そうしたことの繰り返しが、いつしか祭りそのものを消してしまったのであろうともいわれている。

千曳神社の縁起によれば、延暦年間に桓武天皇の詔を受けた伝教大師の命により、弟子の一人である悠海がこの地に勧進した密教寺が基礎となっていることが伝えられる。それが後に神仏混淆《こんこう》が行なわれて現在のような形になったものであろうか。

では、延暦年間、すでに遠誉野は人里たりえたのだろうか。村の成立が先か、寺院の勧進が先かという問題になると、鶏と卵の論争に似て、解決は困難である。ただし、この地に密教寺を勧進したという記録があるということは、そこに布教の意図が存在した事実をさしている。教義上の説話、縁起のたぐいを考えず、新興宗教であった密教の布教という目的のみを考えるなら、そこには先住者の集団がなければならない。

だが、千二百年の歴史をもつとするなら、なぜ、遠誉野の古代に関する公的な史料が一切残っていないのか。その期間、約九百年間。江戸期に再び歴史上に登場するまで、どのような営みを続けていたのか、研究が待たれる。

（略）

こうして一応の発展を見た遠誉野村だが、生糸産業の斜陽化、東京都市機能の近代化という時代の潮流の前には、村はその存在価値を大きく失った。明治後期から大正に至る爛熟の和洋混合文化華やかなりし頃、遠誉野村は東京市の衛星部分に位置しながら、ほとんど顧みられることのない過疎の村であった。

村は再び人々の記憶から姿を消したのである。昭和に入り、太平洋戦争の荒廃というマイナスの影響を受けることもなく、村は時代に忘れ去られて惰眠を貪《むさぼ》っていた。たしかに遠誉野村は眠っていたのである。さまざまな人が暮らし、とくに交通手段がないわけでもないのに、遠誉野という集落は、誰からも顧みられない、あってなきがごとき空間であった。そのことを誰一人として疑問に思うことはなかったし、そうした静寂を好む気質が、遠誉野という場所にはあったかもしれない。眠りと熟成、静かな変質、無変化という変化。「殻」は半永久的に護られるかと思われた。あるいはそれ以前の空白の時間を考えるなら、遠誉野にはなにかしらそのような運命が存在するのかもしれない。

遠誉野が再び時代の表層に顔を出すのは戦後の高度経済成長期である。物質的な空間の限界をはるかに超えた東京という都市の成長率は、周囲の集落をその流れに巻き込むことによってのみ、数値の右上がりの傾斜を可能にしていた。

遠誉野も例外ではなかった。昭和三十八年にいくつかの周辺集落を合併して、遠誉野村から遠誉野市となり市制が始まる。四十五年に彩京電鉄によって新宿と結ばれてからは、ベッドタウンとしての開発が進んだ。

一方、昭和六十一年東京都世田谷区にあった彩京経済大学（現彩京大学）の遠誉野移転にともなって、学園都市としての一面をもつようにもなった。二年後に彩京大学は文学部、法学部、医学部、人間科学部、短大部を開設。さらに二年後には、情報科学部を設置して、現在にいたる。

以上、ざっと紹介しただけで、遠誉野市が非常に特殊な側面を持っていることが納得されたであろうか。市井に生きる一研究家として、興味の種は尽きない。

プロローグ

赤い部屋である。

六畳一間の畳の間。生活感がないわけではないのに、無愛想といってよいほどの簡素さは、貧しさによるものだ。が、それだけではない。和室に似付かわしくない赤のイメージが、この部屋の印象を歪《ゆが》めている。

有田焼の火鉢を抱きかかえるようにして、着物姿の人が座っているのが見える。否。座っているのではなく、眠っているのだ。それも否。白いはずの足袋《たび》と、わずかに乱れた裾からのぞくか細いふくらはぎ――それにうなじのほつれ毛から女性であることがわかる――とが、思いもかけない量の血に塗《まみ》れている。部屋が赤いのではなく、女性の足元に広がる赤が視界のすべてを侵食しているのである。

――カノジョハ死ンデイル。

見れば、下半身を包む濃紺の大島さえ、すでに元の色ではないようだ。足元の畳に点々と残る黒い模様はきっと、ほんの数分前まで彼女の命をささえてきた血液が、突然の反乱を起こして体外へと噴きだしたものにちがいない。

生きるものの気配のない部屋。美しい和服姿の死体がひっそりとオブジェのようにたたずむ部屋。生きるものの気配がないばかりか、この部屋には「自分」すらいない。こうして部屋を眺め、女性の死を確認しているはずの自分が、どこにもない。

これは記憶の風景なのである。

――アレハ、イツノコトダッタロウカ。

そんなことを思ってみるが、実のところ、思い出そうとする出来事がどこで起きたのかさえも、わかってはいない。それどころか、現実のものであったかさえも、たしかではないのである。

風の向きが変わった。それを肌で感じた。

山間《やまあい》にいるようだ。かすかに落葉の発酵する匂いが混じっている。冬の訪れを告げる匂いであることを忘れてしまってから、随分と時が経ってしまったようだ。そう思って目を凝らし、意識を一点に集中すると、ようやく周囲の状況が変わったことを認識することができた。これもまた記憶の風景であり、そして、長いこと鍵を掛けて封印していたものの一つであることを。

声が聞こえる。歌声である。女性の声にも聞こえるし、また、変声期を迎える前の少年のものといっても、不思議ではない。ただそのリズムは緩やかで、どこか遣る瀬ない。

オ山ノ木々ガ色ヅク前ニ……

はたして耳を澄ませてよいものか、それによってなにかしらの不幸が部屋のドアを叩きそうな予感のする、破滅的な調子を帯びている。

――ケレド、聞カナイワケニハイカナイノダ。

理由ははっきりとしている。歌声は山間のどこかから聞こえてくるものではない。すでに自分の頭のなかにあるものだからだ。耳を塞《ふさ》ぐことができても、歌声から逃れることはできない。

オ山ノ木々ガ色ヅク前ニ
カスカナ秋ノ聲ヲ聞ク
風ノ匂イノソッケナサ？
ソレトモオ空ノ深イ蒼？
イエイエ秋ハ私ノ庭ノ片隅石ノ下
小サナ小サナ聲デ知ル
豊カナ実リヲ確カメニ
しゃぼろん、しゃぼろん、謡イマス
冷タイ冬ハ嫌イダケレド
私ハ秋ノ聲ガ好キ

優シイ秋ノ聲ガ好キ

誰が歌っているのだろうか。その答えもまた自分の頭のなかにある。先ほど見た女性である。彼女がこの歌を作り、そして繰り返し歌って聞かせたのである。

——誰ニ？

けれど彼女が歌うことはもうありえない。歌は彼女から解き放たれ、二度と元の肉体に戻ることはない。けれど、だからといって歌そのものが消滅したわけではないのだ。これから先何度でも、「秋ノ聲」と題されたこの歌は記憶の扉を叩き続けることだろう。

——イツマデ？

赤い部屋とその記憶に再び封印をするまで。もしくは自分の存在が消えてなくなるまで。

——ソウナノデショウ、母サン。

第一章　生キモノノ謡

1

——ソウナノデショウ、母サン。

頭の芯《しん》に鈍い痛みを覚えて、樹来静弥《きらいしずや》は目を覚ました。なにかいやな夢でも見たのだろうか、パジャマ代わりのトレーナーの胸のところが、しっとりと濡れている。誰かの名前を呼んでいたような気もするが、それ以上のことは記憶にない。

目を開けると1ＬＤＫの自室であることが確認される。ピローのそばには昨夜就眠するまで読んでいたであろうミステリー。サイドデスクに置いた眼鏡を取って掛けると、いつもと変わりない部屋の風景がそこにある。南向きの窓から、夏の名残りの風が吹き込んで、カーテンを揺らしている。あるかなしかの涼気が鼻孔をくすぐって、ある種の匂いのように感じられた。

——ああ、昨夜は窓を閉めて寝るのを忘れたのだな。

少年時代は、こうした匂いの変化に敏感であったことが思い出された。冬の始まりの金属的な風の匂い。人に媚《こ》びるような春の訪れを告げる風。初夏のむせ返るような青臭さ。夏の鈍重な土の匂い。そうした感覚は成年期が近付くとともに薄れ、いつのまにか完全に自分の内から消え去ったものとばかり思っていたが、ここ数か月、再び静弥は風の匂いに敏感になりつつあった。理由はよくわからない。

起き上がり、真っすぐにオーディオセットに向かった。スイッチを入れるとマーラーの「大地」がスピーカーから流れる。朝一番に聞くにはしんどい曲だとは思うが、これも何年も前からの習慣だから、いまさら変えることができないでいる。

洗面所に入って顔を洗うと、ようやく意識がしっかりと形づくられるのを感じた。熱いお湯を出し、さして濃くもない髭にシェービング・ジェルを塗ろうとして、中身がほとんどないことに気が付く。

――新しいものを買っておかなければ。

「シェービング・ジェル、シェービング・ジェル」と幾度かつぶやき、静弥は剃刀《かみそり》を喉に当てた。どこにでも売っている、二枚刃の安全剃刀ではない。理容店で使われる専門の器具を、二年前に行きつけの店に無理をいって譲ってもらったものである。困難に対《たい》峙《じ》したとき、気分が落ち着かないとき、創作に行き詰まったとき、あらゆるときにこの剃刀を研ぎにかける習慣が、静弥にはある。専用の目の詰んだ仕上げ砥石《といし》に水を含ませ、ゆっくり、ゆっくりと角度をつけて剃刀を研ぎにかける。そこには無意識の思考といったような脳細胞の働きがあるものか、ある瞬間に青空に風船が放たれるように、解決の手段が浮かぶ。決して心が安らぐというわけではないのだ。けれど剃刀の刃に向かわずにはいられない自分がいる。

だから、この剃刀が常に最上の切れ味を保っているということは、それだけ静弥のまわりに平穏が少ないということの証明でもある。

剃刀の刃は、まるで障害物がないかのように顔の表面を滑り下りていった。ほんのわずかに角度を変えるだけで、そのまま皮膚をすりぬけ、筋肉を裂き、骨にまで達するような気がしたが、手の勢いを緩めることはしなかった。しっとりと腋《わき》の下に汗がにじみ、シェービングの泡とともに髭のなくなった地肌には脂汗が噴き出す。たとえば剃刀の刃に対峙し、この鈍《にび》やかな光を愛するか否かと問われたなら、ためらいなく嫌いだというに違いない。

恐いのである。

記憶のどこかに、剃刀の刃を恐れる「傷」がある。あるいは血のイメージが恐いのかもしれない。同時に、そこから離れてはいけないという、本能の声もまたある。さらに奥深い場所には「忘れなければならない」という声もある。どちらを選択すべきなのか、静弥にはわからない。わからないのに、トラウマの代弁者のようなツールを手にしている。

リビングに戻って、オーブントースターに食パンをセットした。

マーラーの楽章が変わっている。右手の人差し指と中指で、いつのまにかリズムをとっていた。

リビングの中央には数年前に買い替えたイーゼルと、制作途中の油絵がある。ゴッホの構図と色彩とをわざと意識した、ひまわりの絵である。

「模倣は決して悪いことではない。強《し》いていうならばそれは芸術家へのある種の信仰だから。信仰が殉教にまで高められたなら、それはすでに悪意の生じたパロディでしかないが、敬愛する芸術家の魂に触れるための行為であるなら、誰もそれを非難することはできないだろう」

——自分は誰に向かって話している?

「昨日の自分に対して」

注意深く画面を指でなぞった。ことに、まだ油絵具に艶やかさの残る部分には、細心の注意を払って。右端の萎《しお》れた葉っぱ、そしてすぐうえのまだ勢いを保ったままの花びらのあたりに、危うい柔らかさがあった。

何年も模様替えをしたことのない部屋は、不変の象徴そのものだ。不変にあって絵の構図だけが、日々姿を変えている。そのことが、

「感動的なのだな」

あるいは、感動的などという陳腐極まりない言葉を、芸術のパイの端くれを食《は》むものとして口にすることのできる自分への、不可解さがある。

七時三十分。病気で入院していた半年間をのぞいて、数年来変わったことのない時刻に、自宅を出る。住居のある遠誉野市泉坂《いずみさか》町三丁目から、もよりの彩京電鉄泉坂駅までは徒歩で十五分。たとえ雨が降っていたとしても、樹来静弥の足なら、時間に変わりはない。国道二四一号線に並行して走る市道を百メートルばかり進み、そこから都営の自然観察公園を突き抜けていけば、まもなく駅舎が見える。

自然観察公園の前で、自宅玄関前の掃除をする老人に声をかけられた。

「涼しくなりましたね」

ためらいがあったが、とりあえず笑顔で、静弥は返事をした。

「ええ、すっかり」

「絵のほうは進んでいますか。学校の授業と並行していては、大変でしょう」

——絵？　絵とはなんだ。どうしてそんなことを聞く。

が、静弥は笑顔を崩さなかった。

「けれど、すっかりと体が良くなられて、よかったですなあ。うちのばあさんが言っておりましたよ。樹来さんは退院して以来、すっかり人が変わったようだ、と」

「そんなことはありませんよ」

「ほら、その笑顔。以前はもっと思い詰めたような目をされていましたよ。まあ、今だから言えるが、本当にこの人が学校の先生などやっておって、大丈夫だろうかなどと噂する者もおったほどです」

「それはひどいなあ」

「わあっハッハハ。だから申したでしょう。今だから言える話だと」

その時、革のビジネスバッグの中で電子音が響いた。

「おや、携帯電話ですかな」

バッグの中を探りながら、静弥は、

「違います。電子手帳のアラームが……」

電子手帳を取り出すと、液晶画面に『ATTENTION』のマークとともに、「九月二十八日午前九時三十分・定期検診／美崎早音《みさきはやね》」の文字が浮かび上がっていた。

「そうか、今日は定期検診日だったか」

あらかじめ予定を入力しておくと、設定時間の一時間前に、アラームと共に電子手帳が報せてくれるようになっている。

――まずいな。職場に報せてあったかな。

「どうかされましたかな」

「いえ、たいしたことでは。定期検診があったことを忘れていました。学校に連絡を取らないといけないのですが。ええっと、公衆電話は……」

その言葉に、老人が不審げに顔を曇らせたが、静弥は気が付かなかった。

「もしよろしければ、うちの電話をどうぞ」

そう言って、老人が玄関に引っ込み、すぐにコードレスフォンの受話器をもって引き返してきた。

「どうぞ」

「ああ、すみませんね」

すっかり記憶に入っている学校の事務局の電話番号を押すと、すぐに「お客さまのおかけになった電話番号は、現在使われておりません。番号を確かめもう一度おかけ直しください」という、メッセージが流れた。

「あれ、間違えたかな」と、改めてゆっくりと受話器のボタンを押すのだが、結果は同じだった。

「あの、樹来さん。樹来さん」

「は、はい？」

老人が明らかに狼狽《ろうばい》していることに、静弥はようやく気が付いた。

――失敗だったか。老人の家の電話を借りたことは。

「遠誉野市は先月から局番が変わって、その、末尾に五を付けるんですよ。ところで樹来さん、あなた、一週間ほど前にもまったく同じことをやっていましたよ」

「あ、ああそうでした！　どうも入院生活が長かったせいか、物忘れがひどいことがありまして」

入院生活という単語が、老人の表情を同情に変えた。

「まあ、随分と大病のようでしたから、そんなこともあるのでしょうなあ」

樹来静弥は、老人に受話器を戻して駆け出した。

「電話連絡はいいのですか！」

「駅前の公衆電話を使います。ありがとうございました」

走りだしてすぐに、「局番の末尾に五、局番の末尾に五」と繰り返した。駅までは走れば数分もかからない。途中の電話ボックスに飛び込み、局番の末尾に五を入れたうえで、学校の事務局に電話をかけた。

「はい、遠誉野第二中学です」

「ああ、樹来ですけれど。実は今日定期検診の日であることを忘れていました。すみませんが教務主任にそう届けておいてください」

「わかりました。ちょっとお待ちくださいね」

わずかに待たされたのち、事務員の声質が変わっていた。

——また、なにかミスをしたかな。

「変ですねえ。樹来先生は今日、午前中お休みになると、すでに届けが出ていますよ」

「だったら結構です。ええ、いいのです。届けを自分で出しておいて忘れてしまったのかもしれない」

「では、午前中お休みでいいのですね」

「はい、お手間をとらせてしまいました」

受話器を降ろして、樹来静弥はその場に座り込みそうになった。そうはせずに、背広のうちポケットの電子手帳を取り出した。液晶画面の文字をたしかめ、今度は「彩京大学大学病院、美崎早音、彩京大学大学病院、美崎早音」と呪文のように繰り返して、電話ボックスを出た。先程までの秋晴れを思わせる青一色の空に、ぽっかりと黒い雲が一つ生まれているのが見えた。

新宿から遠誉野市へと延びる彩京電鉄は泉坂駅で二股にわかれ、一方の終点である強飯《こわい》へ——こちらを正線と呼んでいる——は急行、準急、普通の三つの種類の電車が向かい、もう一方の彩京大学まで——支線と呼ばれる——は普通電車のみが向かう。支線は終点の彩京大学まで三つの駅があるのみで、その利用者の大方は彩京大学生である。朝八時から十時迄のタイムテーブルは約八分に一本、午後三時から七時迄も同様だが、それ以外の時間は十五分に一本という典型的な地方線の形態をとっている。

彩京電鉄、彩京大学の名前が示すように、遠誉野市政史における彩京グループの存在は大きい。交通、教育のみならず、デパート、流通業、不動産業に至るまで、市制になってからの遠誉野市の発展に彩京グループは大きな力を注いできた。遠誉野が、同グループの牙城といわれるゆえんである。

三月に退院して以来、樹来静弥はたびたび図書館を訪れてそうしたことを調べ、確認している。

ホームに出ると、グリーンというよりは玉虫色の鈍い光を放つ制服姿の駅員がいた。この姿を見るたびに、静弥は馬鹿にされたような気分になる。詰め襟を基調とした制服の袖と胴回りには、オレンジのラインが入っている。三年前に旧デザインの制服が廃止されて、現在のものとなった。在京の有名デザイナーの作品だそうだが、なにかを勘違いしているような気がしてならない。おまけに帽子は旧国鉄職員の黒帽が、悪夢に入りこんだ挙げ句にいたずら者の妖精の洗礼を受け、そのまま現世に戻されたような奇妙な形をしている。女性職員はともかくとして、男性職員、ことに四十代すぎの職員には見事に不評であったと聞く。この制服姿でくわえ煙草をしている職員の姿を見ると、昨日まで正義の味方であったヒーローがなにかの拍子に人生の疑問に目覚め、不貞腐《ふてくさ》れてしまったとしか思えない。

多くの学生たちに混じり、支線に乗り込むと電車はやがて千曳山へと続く低山地帯に向かって走り始める。電車の右手を流れているのが第一級河川の遠誉野川である。江戸時代には馬による運搬路とは別に、生糸の水上運輸にも使われたと市史にはある。

電車の進行方向の右手に続く丘陵地帯、その延々と続く様と次第に深くなってゆく様とが、この都市が関東平野の果てにあることを示している。古代の地殻変動が作り上げた大地の襞《ひだ》を、掻《か》き分けるように進むと、やがてその一点においてのみ、巨人が立ち上がったように見えるのが千曳山である。尖塔を思わせる山容だ。ここまで来ると都下近郊の都市の面影はどこにもなくなり、二両編成の地方鉄道によってのみ外部とのつながりを維持する、山峡の地のイメージさえ漂う。

彩京大学キャンパスは、そのような場所にある。山間の裾野、遠誉野川が作った扇状地に大規模な開発を行ない、グループが現代建築学と最新アカデミズムとの粋を結集して作り上げた総合大学である。やがて甲州路へと続く緑豊かな山間部にあって、その場所のみが時間の流れを人工的に作り上げて、

「近未来を手にしたような錯覚に襲われる」

と、目の前の学生がぼやく声が静弥の耳に届く。

「いいじゃないか、イントラネットの完全整備ばかりか、一度キャンパスに入ってしまえば衣食住のすべてまでが賄える集中システムだぜ」

「それがいやなんだ。そりゃあ周囲に店舗もなければ商店街もない。コンビニさえないのだからキャンパス内にミニチュアデパートができるのも当然だ」

「デパートどころじゃない。一号館の最上階にはレストラン街まであるし、地下の学食は午後五時以降はアルコールも出してくれる」

「ああ、いやだいやだ。どうして合コンや飲んだくれの世話まで、大学がしなきゃいけないんだ」

「そう言えば、来年には仮眠施設も作るという話だな」

「絶対にラブホテル代わりにする奴が出てくるぞ。いくら彩京グループが優秀な経済国

家並みの機動力と経済力があるからといって、なにも女衒《ぜげん》の真似まですることはあるまい？」

「また、おかしな本を読んだな。女衒とは随分と洒落《しゃれ》たいい方をしてくれるじゃないか」

「俺の専攻は近世史だ。ちょうど吉原についても少し、な」

「だったらもっと早くに気が付くはずだが」

「なにを？」

「彩京グループの前身は江戸期に遡《さかのぼ》る。八王子と甲州とを結んでいた生糸の道の要衝《ようしょう》でもあった遠誉野で、ある男が開いていた遊女屋がそれだそうだ」

「む……」

「納得したか」

「金と名誉を手に入れたら、今度は文化事業か」

「まさに典型的な日本人の発想だ」

二人の学生の話を聞き流しながら、窓の外の風景に見惚れているうちに終点に着いた。

彩京大学駅は、その名のとおりキャンパスの中にある。改札を出てすぐのところに守衛室があり、学生は学生証を、教職員は身分証明書を提示し、またその他の人間は受付の外来者名簿に記入しなければならない。静弥は『外来患者』の欄に印をつけ、氏名と診療券の個人識別ナンバーを書き入れて、その場を離れた。

唐突に山間部に出現した近未来空間、そのイメージをさらに先鋭化した建物がキャンパスの一番奥にある。球形のモニュメントを屋上に抱き、やわらかいごく薄い萌黄《もえぎ》色の建物が、大学の医学部および併設の付属病院である。

診療券を受付に出すと、まもなく奥から看護婦が姿を現した。

「樹来さん、お早うございます」

「よろしくお願いします」

「お元気そうでなによりですね」

「はい、おかげさまで順調に」

「樹来さんの場合は、予後治療が特殊ですから。では、こちらへどうぞ」

こうしたやりとりを、ほかの患者が訝《いぶか》しげに見ている気もするが、静弥は気に掛けなかった。

ごく簡単な問診ののちに血液検査、内視鏡検査などを受ける。その間も看護婦はずっとついてきてくれる。いずれの診療でも、静弥は細心の注意を払う医師たち、検査技師たちによって予後治療を受けた。

最後に、看護婦が、

「では、これから美崎先生の所に向かいます」

そう言われると、胸の奥にぽっと暖かい感情が芽生えるのがわかった。

――美崎……早音。

声にする必要もないほどに、その名前の響きは美しい音律をもっている。少なくとも樹来静弥にとっては。

「どうしましたか、さあ行きましょう」

「あ、いや。美崎先生の治療室ならわかります。ここからはわたしひとりで結構です」

「そうですか？」

つい一瞬前まで壊れ物を扱うように丁寧だった看護婦の口調が、迷いの色を見せた。それを無視して静弥はリノリウム張りの廊下を歩き始めた。背後に向かって手をあげ、精一杯の快活さを見せながら、歌うように、

「本当にありがとうございました。お世話をかけました」

「お気をつけて、樹来さん」

その声を聞いて、静弥のすぐ前にいた若い女性が驚いたように反応した。その視線が自分に向けられているのを知って、静弥は表情で「なにか？」と問うた。胸のところでブックバンドをかけた教科書を抱えている、小柄な女性である。すぐに学生と知れたが、医学部生なのか、それとも付属病院の利用者なのかは、判断がつかない。

「樹来……さんとおっしゃるのですか」

「はい、そうですが。どちらかでお目にかかりましたか」

「い、いえ。そうではありません。珍しいお名前ですし、ああ、それにこんな偶然もあるのだなと」

「偶然?」

「気になさらないでください。本当に偶然なんです。わたしの知っている人に同じ名字の人がいるというだけの」

何度も偶然という言葉が二人の間を行き来したが、女性の視線の熱っぽさが言葉の意味を否定しているように思えた。

「そうですか」

「すみません、足止めをしてしまったようで」

「どういたしまして」

――おや。このしゃべり方には聞き覚えがある。

かつて母親が似たようなリズムで「どういたしまして」と発音していたことを思い出した。

長い廊下をつきあたりまで進み、階段を下りた。ある場所から壁の色が塗り分けられている。薄い萌黄色が、ややブルーがかるのは、そのエリアが各医師の個人治療室、および研究室のエリアであることを示している。

――どういたしまして、か。母さんの言葉は、どれもとてもきれいだったな。

同時にガラス細工のようなソプラノの声が記憶によみがえると、静弥の歩みがぴたりと止まった。それまでの高揚感が、霧散している。表情が、ためらいのそれに変わるのがわかった。

――いけない。これ以上はいけない。思い出の鍵をこじ開けてはいけないのだ。

「なぜなら」

声に出すと、ためらいが恐怖に変換された。恐怖が背中を押すので、仕方なく歩み始める。

「なぜなら？」

答えを出す前に、美崎早音の治療室のドアの前に立っていた。樹来静弥はほっと大きな息を吐いて、ドアをノックした。

部屋に入ると、白衣姿の美崎早音がこちらを見ながら、笑っていた。笑顔が静弥を見るなり曇った。

「どうしたの静弥。真っ青よ」

「いや、なんでもないんだ」

「でも」

「本当になんでもない。ちょっと気分が悪くなっただけだ。いや違うよ、別に病気のせいじゃないんだ。あくまでもぼくの気持ちの問題だ」

「だから、気になるんじゃないの、あなたの病気は……が……」

その言葉の続きをさえぎるように、静弥は早音の唇に自分の唇を押し当てた。美崎早音はわずかに抵抗する素振りを見せたが、すぐに静弥の行為に応じて目を閉じた。

「会いたかったよ」

「わたしも。お互いにこんな機会にしか会えないなんて」

「そんなことはないさ。そうだ、今度食事でもしようじゃないか」

「そうね。わたしも来週は学会の件が片付くから」

「約束しよう」

「電話するわ」

そういって抱擁を解くと、美崎早音は担当医師の表情になって、「最近の調子はいかがですか」と尋ねた。


きっかけは、去年の秋に学校で行なわれた集団検診であった。樹来静弥はその頃、学校での授業とは別に、個展に向けて準備をすすめていて、睡眠不足の日々が続いていた。

「それにしても顔色がよくありませんね。一度大学病院で血液検査を受けてみてはいかがですか」

と勧めてくれたのは、いかにもベテランの貫禄を見せる看護婦であった。そう言われて初めて、静弥はすっかり食欲が失われていることに気が付いた。学校から帰るとすぐにキャンバスに向かう日々。その充実感と精神の高揚感の隙間に、空腹感ははいりこむことはなかった。少なくとも、静弥はそう思った。顔色が悪いのもそのせいだろうと。が、彼女の話によると、油絵を専門にする画家の中には、溶剤を吸い込みすぎて悪性貧血になる者もいるのだそうだ。

「悪性貧血は症状が進むとやっかいですよ。ほんのわずかな時間ですむことですからね」

そう言って彼女は静弥から血液サンプルをとり、十日後に大学病院を訪れるように告げたのである。

もしも貧血気味なら栄養補助剤でも大量にもらって、などと軽い気持ちで出掛けた彩京大医学部付属病院で、静弥は思いがけない待遇にあった。いきなり研究棟に向かうように指示を受けたのである。

今でもその日のことをよく覚えている。薄いモスグリーンからブルーへと変わる壁の内装の色は、静弥の気持ちのゆれ具合、そのものであった。

——よくないことが起きている。

若い担当医師が、治療室に入るなり、

「樹来さんの場合、ひどい貧血症状ですね」と告げ、血液中のヘモグロビンの値がかなり低いことを続けて説明した。

——なんだ、やはり貧血か。

医療の知識がなにもない静弥は、最悪の「悪性貧血」でさえも、単なる貧血が悪化したものにしか思えなかった。どちらかといえば、貧血などという病気は若い女性がなるものと決め付けていたところもある。

安心したのは一瞬で、すぐに医師の表情があまりすぐれないことに気が付いた。

「レントゲン検査と、内視鏡検査を行ないます。成人男性の貧血は、消化器系統に出血がある場合が多いのですよ。心当たりはありませんか」

「そういえば」

数週間前から、大便に血が混じっていることに気が付いていたが、たぶん二十代の前半から患《わずら》っている痔が悪化したものだろうと勝手に思い込んでいた。

「そうですか。よくあることですよ、ご心配はいりません」

医師が心配ないというときは、実は本人以外の人に重大ななにかを伝えねばならないときに使われる言葉である。次に「ところで樹来さんは、ご家族は」と聞かれたことで、知識は確信に変わった。

腸の一部に腫瘍《しゅよう》があること。悪性かどうかはわからないが、とりあえず切除することが、わずかの時間に説明された。彩京大学では、癌《がん》の告知を積極的に行なっている。インフォームドコンセントをきちんと行なうのが、医学部長の信念らしい。ただし、患者の中には精神的に恐慌を来すものも少なくない。そこで大学病院では、強力なメンタルヘルスチームを構成して、物心の両面から治療にあたっているのである。

告知を受けたときにどんな気持ちであったか、今ではよく思い出すことができない。静弥には家族と呼べるものがない。幼いときに母を失い、父の顔は見たこともない。親族を頼って成人したが、今では彼らとも音信がない。

——癌、か。

個展をキャンセルするとすれば早めに行なわなければならない。自分の命の重みと比べるまでもない、その小さなイベントのみが、ただ一つの心残りであった。万が一にわずかでも猶予があるなら、個展のあとに手術を受けてはいけないかと持ちかけてはみたが、医師の反応は考えるまでもないほどに早かった。――否。自分の腸に巣食った腫瘍が悪性であるか否かはわからないと告げた、医師の言葉が気休めにすぎないことを知った。

そんなときである、病院勤務の医師、美崎早音と知り合ったのは。

樹来静弥は数日後に入院し、その三日後には結腸腫瘍の切除手術を受けた。予後治療の大きな目的はほかの部位への転移がないかを点検治療することである。

「無理をしては、駄目よ。学校なんて、いつ辞めてしまってもかまわないのに」

早音の言葉に、静弥は苦笑した。

「無理などしないさ。それに教師の仕事をやめたらぼくになにが残る」

「絵を描いて暮らせばいいじゃない。なんの不都合もないはずよ」

「いずれは……そうせざるをえないだろうね。でもだからせめて教師をやれるうちは、ね」

「好きなの？」

「そんなの思ったこともなかったなあ。いや、それどころか教師になりたての時分は、いやでいやで仕方がなかったかもしれない。つい最近まで、その思いは続いていたよ。

だのに、不思議だね。これもやはり病気のせいなのだろうか」

早音から答えは返ってこなかった。


午後になって学校へ行った。遠誉野第二中学に、美術教師は静弥以外にはいない。さらにいえば三年生になってからの美術の時間はほとんど自習に充てられるため、ないにひとしい。教員室に入って自分の時間割りを見ると、午後からは授業が入っていないことに気が付いた。とはいっても、公務員であるから学校を休むわけにはいかない。

夕方まで無為に時間を過ごし、校門を出たところで「よお！」と、声をかけられた。ふりかえると、大学時代の同級生が立っていた。

「樹来、なんだここがおまえの勤務先か」

「えぇっと、そうだ高梨《たかなし》だ。高梨幸太郎《こうたろう》、久しぶりだなあ。大学を卒業して以来、か」

「相変わらず友達がいのない奴だ。病院にも見舞いにいっただろう」

「それは済まない。ところで、最近の具合はどうだ」

「病み上がりから具合を聞かれるとは情けないが、仕事なら、まあ順調だ。それよりもどうだ、もし体のほうが許すなら」

高梨幸太郎が、盃をあける仕草を見せた。

「いいだろう。腸の大部分がなくなって、かえって酒が強くなったほどだ」

「本当かね」

二人で歩きだそうとしたところに、次の声がかかった。

「あの、樹来さん」

若い女性が立っていた。

「樹来静弥さんですよね」

「ええそうですが。どこかでお会いしましたか？」

女性が、驚いたように目を見開いたが、それから先の言葉は続かなかった。なにかに怯《おび》えるように二歩、三歩と後退り、

「い、いえ。なんでもないんです。わたしの勘違いかも知れません」

そういって走り去っていった。

「なんだい、あれは」と、高梨。

「知らない」

「どこかで女を泣かしているんじゃないのか」

「だったら問題があるか？　俺はまだ独身だ。自由恋愛は認められるはずだ」

「やはり、どこかで！」

「冗談だ。本当に知らない女性だよ。人違いじゃないかな」

二人は駅前の居酒屋に入り、サラリーマンと地方公務員にふさわしい肴《さかな》を数品注文した。「乾杯」と額のうえにかかげたのは生ビールのジョッキである。

まもなく、高梨の呂律《ろれつ》が怪しくなった。商社の営業マンである高梨が、この不況下で

いかに孤軍奮闘しているか、それを理解しない上司と、無責任な取り引き先との悪口にまで話が及ぶにつれ、涙声まで交じるようになった。

——そう言えば、大学時代から、さほど酒の強い男じゃなかったか。

焼き鳥の串を振りかざしながら、高梨は急に話を変えた。

「本当に変わっちまったよ、樹来は」

「そうかな」

「だいたい、教師なんて続けられる奴じゃなかったんだ。覚えているか卒業のときのこと。フランスへの留学がパーになり、二人で飲んだくれたよな」

「ああそうだった」

そのころ二科展入選を条件に、留学費用を出そうといってくれた、ある画廊の主人がいた。二科展はもともと、修業中の芸術家に、せめて賞でも与えて、世過ぎの足しにしてやろうという性格を強く備えている。いうなれば、芸術家としての最低の条件でもある。取れて当然、しかしながら入賞のレベルは年々あがっているというのも、事実だったのだ。静弥は全身に自信を漲《みなぎ》らせ、作品を送って、そして落選した。二十一歳のときのことである。その時の絶望感と喪失感は、今でもときに夢に見るほどだ。

留学への夢と自信とを同時に失い、不承不承選択していた教員免状を手に、静弥は遠誉野市にやってきたのである。

「だいたい、人を教えるって柄じゃないよな」

高梨が言った。

「それは認める。実は校長と教頭からは、何度注意を受けたかわからない。美術教員といっても教育者だ。いい加減な気持ちで生徒に接してはいけない、とな」

「だろう」

そう言われるたびに、口では殊勝に謝りながら、胸の奥で舌を出していた。

「だから、教員になると聞いてからも、絶対に生徒を虐待してすぐにくびになると思っていたんだ」

「それはひどいな」

ひどいが、似たようなことは何度もやってきたと、静弥は思った。

数時間後、二人は居酒屋をあとにした。午後九時。

「新宿行きの急行が、こんな時間でもあるんだ」

「なんだ、新宿まで戻るのか」

「住まいは世田谷なんだ。たまたまこちらには仕事でな。だが樹来の勤め先もわかったし、たびたび来るようにしよう。まだまだ積もる話もあるしな」

「ああ、そうしよう」

その時、彩京大学から到着した支線の電車から、中年男がおりてくるのが見えた。酔っているのかと思えるほど危うい足取りで、階段を下りてきた男が、静弥の肩にぶつかった。ぶつかったとはいっても、体重の重みさえも感じられない、ごく小さな衝撃であった。

「大丈夫ですか」

静弥がそう聞いた刹那《せつな》、男の表情が、無残に崩れた。さらに、

「大丈夫か、だと」

と、絶望が音に変わったような声が付け加えられた。

「どうした、樹来」

高梨の声に、男の行動が重なった。ゆっくりと静弥に近付いてきて、全身をねめ回すような視線を投げてきた。

「あの、なにか」

男のからだがゆっくりと振れて、手を振り上げた。

2

——こんな偶然がありえるんだ。

桂城《かつらぎ》真夜子《まやこ》は自分のワンルームマンションでくつろぎながら、ふうと大きくため息を吐いた。これほどの驚きと喜びに満ちた偶然が我が身に起きたことが、信じられなかったのである。

偶然とは、人の幸福を中傷するために作られた最強の言語であると、毒舌で知られる

哲学者のエッセーで読んだことを、真夜子は思い出した。祝福用には「奇跡」という言葉が用意されている。偶然であろうと奇跡であろうと、それらが人知の計り知れないところからのプレゼントであることはまちがいない。あるいは運命論者の脆弱《ぜいじゃく》な精神に拠るなら、約束された封印の解放にすぎないのかもしれない。

——言葉をいくつ重ねたところで、現実を前に虚しく空回りするだけだ。

今日の出来事は桂城真夜子にとってまさしく奇跡であった。

机のうえに一冊の古びた同人誌がある。稚拙な飾り文字で『KANARIYA—SHU』とある。そもそもの奇跡の始まりは、この一冊の同人誌に端を発している。そしてそのことさえも大きな偶然の産物なのである。真夜子は未熟な作りの雑誌に手を伸ばした。

栞《しおり》を挟んだページをめくると、ガリ版刷りの見づらい文字で書かれた童謡詩が掲載されている。「生キモノノ謡《うた》」と題されたその詩を、いったい何度読みかえしたことか。今では言葉の一つ一つばかりでなく、文字の擦《かす》れや書き癖まで、はっきりと記憶しているほどだ。

小サキ者へ陽ハサシテ
大キナ者へ陽ハサシテ
老イタル者ニモ惜シミナク

病メル者ニハ　スコヤカナレト
ダカラ人ハ陽ヲアガメ
ハルカ彼方ニオハシマス
天ノ神様　慕フノデセウ
モシモ神様　怒リヲモチテ
日輪　天ヨリ消シタレバ
ワタシノ好キナ木モ花モ
見エナクナツテシマフノデスネ
小鳥モ蝶モオノノイテ

裏表紙に「発刊のあいさつ」と書かれた一文がある。

『KANARIYA―SHUは、西條八十先生の確立された童謡世界の復古をめざし、子供らの健やかな成長の一助になればと発刊された。現在、同人誌のおかれた情況は決して楽観できる状態ではない。しかし同じ志をもつものが集まることで、この困難は越えられるものと信じる。そうして我々の意志がのちの世代にも受け入れられることを願いつつ……』

半年ほど前男友達の家でこの雑誌を見かけ、「生キモノノ謡」を読んだときの衝撃を、真夜子は今も忘れることができない。ちょうど卒論のテーマを主任教授に提出しなければならない時期にきていた。大学生活の四年間を、社会人となる前のモラトリアムの時間と、割り切って過ごしたわけではなかった。だが、文学部で国文学を専攻する学生として、優秀であったかと問われると、疑問があった。真面目ではあったが、ただそれだけのことであった。卒論を前にして「源氏物語」と「古今和歌集」を思い浮かべることはできても、それ以上の題材を見付けることができない自分がいた。同じ地点に、それをよしとしない自分も。ようするに中途半端に真面目で、中途半端に受動的であった大学生活が突然意地の悪い復讐に目覚めたのである。

卒論のテーマ提出期限まで一週間と迫っていた。けれど依然としてテーマは見つからなかった。周囲は「どうせ卒業のための資格試験のようなものだから」と割り切り、安易なテーマを提出する友人が少なくなかった。そうした友人たちはみな一様に、真夜子の不器用さを笑った。

そんなときだ。友人と恋人の中間地点に位置するような、男友達のアパートで『KANARIYA—SHU』を見つけたのである。手製の同人誌は、本棚に無造作に差し込まれていた。

「カナリヤ集?」

その声に反応して、男友達はわずかに顔を曇らせた。

「こんな趣味があるんだ」

「そ、そんなことはない。たまたま古本屋で見つけたんだ」

男友達が取り上げようとするのをくぐり抜け、ページを開いたところに「生キモノノ謡」が掲載されていた。あとでよく考えてみれば、彼もその童謡詩に心惹《ひ》かれるものがあったのではないか。何度も同じページを開いたからこそ、開き癖がついていたのである。

「もういいだろう。そんな辛気臭い童謡詩なんてどうでもいいじゃないか」

「待って、もう少し見せて」

閃《ひらめ》くものがあった。同人誌を取り上げようとする男友達の手を、真夜子は強い調子ではらった。

「樹来たか子……」

『KANARIYA―SHU』は、「発刊のあいさつ」にもあるように、昭和四十年代に同好の士によって、西條八十調の童謡詩の復活をめざして創刊されたらしい。いずれの作品も七五調で統一されており、それが現代詩や文章の口語調になれた真夜子には新鮮に思えた。中でもカタカナ混じりの詩を書いているのは、樹来たか子のみである。

「小サキ者ヘ陽ハサシテ」で始まる童謡詩は昭和四十二年に発行された号に掲載されている。言葉のひとつひとつがなにかとてつもない強い印象をともなって、真夜子の感性の隙間にするりと忍び込んできた。その感触があまりに鮮やかすぎて、男友達のどこか苛立《いらだ》ったような反応を訝《いぶか》しく思うこともなかった。

半ば強引に借り受け、というよりはほとんど掠奪《りゃくだつ》するように男友達の部屋から『KA

『NARIYA―SHU』を真夜子は持ちだした。

読むほどにたか子の童謡詩は、真夜子の心に染みてくる。印象、感性、感触などと、どれほど抽象的な言葉を並べたところで、心の衝撃を正確に言い表すものは見当たらない。

――しいて言うならば……。

頭の一部で歯車が嚙み合う感触、胸にわだかまった雲が晴れた感触、冬の朝窓をあけて鼻孔を焼く冷気の感触、闇に見た一条の光の感触。

いく度目かに、詩を朗読したときのことだ。

――声が、聞こえる。

作者の樹来たか子が「生キモノノ謡」に節をつけ、謡う声がたしかに真夜子には聞こえた。それは蜘蛛《くも》の糸のきらめきを思わせる、細くしなやかなソプラノである。

ただ、それが感動などという言葉でくくってはならない感情であることも確かであった。感動以上のものがあるのか、あるいはまったく別の要素が隠されているのか。もしかしたら必要以上にのめり込んではならないものを、たか子の童謡詩は秘めているのかもしれなかった。

これが、桂城真夜子がひとりの童謡詩人にのめり込むきっかけであった。

奇跡を見た翌日、桂城真夜子は図書館で資料を調べていた。

半年前、卒論のテーマとして樹来たか子という童謡詩人を取り上げると主任教授に告げた。

「ほお、また変わった人物を選んだものだね」

「あの、ご存じなのですか？」

たか子をテーマに選んだまではいいが、それから先の研究をどう進めたらよいのか、見当もつかない。心震わせる童謡詩を書いたとはいえ、たか子は無名の詩人である。ただ一つの救いは、日本文芸史にわずかにその記述があることである。公的記録に名前があるということは、単に地方の同人誌で作品を発表する以上の活動をしていたという証明である。しかし樹来たか子について判明したのはそこまでであった。早くも停滞の様相を呈しはじめ、しかし、それでも樹来たか子というテーマを諦めきれないでいるところへ、主任教授の言葉は救いとなった。

「あまり知られてはいないが、一部研究者の間では有名人さ。西條八十の再来ともいわれていてね。ただ、若くして亡くなったために、発表された作品もわずかしかない。どうやら宗教系の倫理思想があるらしいとは、いわれている」

「研究論文のようなものはあるのでしょうか」

「ないとはいえないが……。捜し出すのはたいへんだと思うよ。まとまって本になっているものはない。学会で発表されたもののレジュメか、専門研究誌の特集記事か、あるいは個人研究のパンフレットか。いずれにしても系統だって調べることは困難だ。それこそ片っ端から資料にあたって、目当てのものが見つかったら僥倖《ぎょうこう》という世界だからね」

教授は「それでも、続けるかね」と問い、真夜子がうなずくと、いくつかの資料名を書き付けたメモを渡してくれたのである。

それを、一つ一つあたってみた。中には戦後まもなく創刊された国文学専門誌もあり、樹来たか子が活動した昭和四十年代から現在までの、約三十年分の雑誌をすべてあたる作業は、思った以上に困難だった。教授は「特集記事もあるだろう」といってくれたが、いずれも数ページほどのごく簡単なものである。ほとんど端切れを掻き集めて花嫁衣裳を仕立てるようなものだと、ため息が我知らずこぼれることもたびたびであった。

『樹来たか子、旧姓中川たか子は昭和二十一年、終戦の翌年山口県下関市で生まれている。父中川慎介は九州三池炭鉱の採鉱技師であったが、昭和三十八年の大落盤事故で死亡。その後母親・やよいの実家である山口市に居を移して、母子二人の新たな生活が始まった。

母子家庭とはいっても、その生活は決して苦しいものではなかった。母親の兄、たか子にとっては伯父にあたる浜尾竜一郎《はまおりゅういちろう》は、山口市内で手広く肥料問屋を営んでいた。母親はそこを手伝い、また吉敷地区に一軒家を借り受けてもらっていたことからも、たか子らが生活に窮していたということは考えづらい。

昭和三十六年、たか子は地元中学を卒業後、女子商業高校に入学。小学校、中学校、高校を通じてその成績は常にトップクラスであった。ただし、ほかの生徒の前に立って、クラスを率先するといったタイプではなかったという』

その特集の囲み記事に「たかさんの懐いで」という一文がある。小学校、中学校を通じてたか子と同じクラスであった、女性の談話である。そこで少女時代のたか子および家族はこう語られている。

「たかさんのお母さまという人はそれはもうきれいなお方で、わたしの母親が小さかった時分には、浜尾のお姫さんとまで言われておったそうです。いえ、もともと浜尾の皆さんはどのかたも柔和なお顔をされておりまして、たかさんの伯父さまにあたられる竜一郎さまなど、近在に名の知られた商い上手でしたが、それはもう威張ったところなど一つとてない、できたお方で御座りましたよ。

そのせいでしょうか、たかさんもまた優しい人柄でした。いつも目元が涼やかで、それでいてけたたましいとか、喧《やかま》しいとかいったことはないのです。もともと人前に出るのが苦手なお人なのでしょうね。こうして、少し前かがみになって歩く姿を見かけると、だれもが〈たかさん〉、〈たかさん〉と慕って集まるのですけれど、本人はいつもはにかんだように笑いなさって、ええ、その笑い顔がいいのです。なにか人をほっとさせるような、たとえいやなことがあっても、たかさんの笑顔さえ見れば気持ちが治まってしまうような。そんなお人でした」

彼女が詩作をはじめるのは昭和四十年代に入ってからのことだ。発表初期の頃は中川たか子名義。結婚後に樹来たか子の名を使っている。それ以前の昭和三十五年、地元新聞であった防長新聞に彼女の短歌が掲載されている。四月二日付けの朝刊紙に掲載されたその短歌は、折しも三池争議の真っ最中で長いあいだ家を空けている父親の労苦を詠んだものであった。さほど感心できる作品ではない。ただ三年後に父親をその三池炭鉱で亡くした事実をとらえ、たか子に備わった霊感じみた能力を取り上げるものも周囲にはいたそうだ。そのことが、たか子という少女が、幼い頃からすでに周囲と違うなにごとかの雰囲気を備えていたことをさしているのかもしれない。

やがて高校を卒業し、担任教師から「進学してはどうか」と勧められても、たか子は笑ってそれを断ったという。すでに奨学金制度は発足しており、負担を掛けるようなことにはならなかったはずだが、やはり彼女の胸の中には「早く働いて、両親に恩返しがしたい」との思いがあったのかもしれない。ときは昭和三十九年。日本という国が大きく変わろうとしていた時代である。文壇では大江健三郎の「個人的な体験」、三浦綾子の「氷点」が持てはやされ、東京オリンピックによって日本中が熱に浮かされた時代でもあった。

真夜子は分厚い資料を畳んで、メモを作りはじめた。

——遠いな。あまりに時代が遠すぎるんだ。

三浦綾子の「氷点」なら真夜子も読んだことがあるし、東京オリンピックに関するエピソードもいくつか知っている。ふたつの時代は決して分離・存在しているものではなく、たとえ三十三年前といえども時間の軸の彼方にある離れ小島ではない。これまではそれが実感できなかった。樹来たか子についての資料はあまりにも少なく、その生涯は遠い場所にあった。

昨日までは、である。

真夜子の周囲に起きた奇跡が、幽明境を隔てたほどの樹来たか子との距離を、一気に縮めてくれたような気がする。

次の資料を請求するために、真夜子は閉架式資料室の受付に向かった。彩京大学の図書館は一般に公開されているために、利用者の中には一般社会人も多い。冬休みが近付くにつれ、受験生が閲覧室を占領しないよう、館内を見回る職員の姿がふえる。もっとも、大学側の言い分によれば、学部生の図書館の利用率が低すぎることも、原因のひとつなのだそうだ。それが的外れでないことは、周囲をざっと見回してみればすぐにわかる。明らかに大学生の姿よりも、それ以外の利用者の方が多いのだ。

六冊の雑誌を抱えて席に戻ろうとした真夜子は、開架式の本棚から一抱えもの資料を運んでくる人影とぶつかった。両者の資料が、床にばらまかれた。

「す、すみません！」

「ああ、こちらこそ、前がよく見えなかったものだから」

すでに七十歳は越えていると見られる男性が、真夜子の落とした資料をまず集めて、渡してくれた。

「ありがとうございます」

「ほお！　国文学科の学生さんですか」

「ええ、卒論のための資料集めです」

「最近では、文学部でも卒論免除の大学が多いそうですな。ほかの学部はともかく、文学部の学生が五十枚程度の論文が書けないようでは仕方がないと思っていたが、どうやらわたしの早合点であったようだ」

　その男性が床で掻き集めているのは、遠誉野市に関する市政史であった。老人の顔に、どこか見覚えがある気がした。

「どうされましたか。こんな爺さんの顔が珍しいですかな」

「いえ、あの……どこかでお会いしたようなことは」

「まず、ありえませんな。日頃資料に埋もれて暮らしているわたしと、妙齢のお嬢さんとが知り合いのはずがない。もしかしたら、新聞に投稿した記事でも読まれたのかもしれませんが」

　その言葉に、真夜子はああと反応した。そういえば数週間前に地方欄に掲載されていた記事に、老人の顔写真が添付されていたことを思い出した。

「たしか……ええっと」

「殿村三昧《とのむらさんみ》といいます。郷土史研究家などと自称しておりますが、なに、物好きな楽隠居ですよ」

そうして会話を交わしたのちに、二人は図書館の一階のコーヒーラウンジで向かい合っていた。殿村老人が、恐ろしいばかりの博学の人物であることはすぐにわかった。年を経た博学の人は珍しくはないが、自分の知識を披露したくて仕方のない、他人が興味を示そうが示すまいが、いっこうに頓着しないタイプの人物が多い。けれど殿村老人はそうではなかった。一言でいうなら、全身に知的サービス精神が溢れているのである。自分の知識を披露する前に、まず相手の興味を極限まで刺激する。そののちに、フィクションすれすれの自説を、実にケレン味あふれる口調で披露するのである。

——そういえば。

新聞に掲載されていた記事も、遠誉野市が歴史上に突然あらわれた事実を抽出して、その成立過程に仮説を試みたものだった。

人の話を聞くのがうまい。そしてどんな話にも等しく興味を示す。社交辞令から始まった二人の会話が、いつのまにか真夜子が調べている樹来たか子の話になるに及んで、殿村の目が興味の光を宿しはじめた。

「ほお、たしかに面白い詩人ですね。日の目を見ることなく、夭逝《ようせい》した童謡詩人ですか。そうした才能には、時として成熟、開花した才能を凌駕《りょうが》することがあるものですよ」

真夜子は嬉しくなった。まさしく同じ思いを抱いていたからだ。

——たぶん、樹来たか子の童謡詩が人の心に語りかけてやまないのは、まだ見ぬ読者への無垢《むく》の叫び声なのだ。

「生家が熱心な法華宗徒であったために、たか子自身、精神的な影響が強かったのではないかともいわれています」

「ふうむ、ちょっとその詩を見せてはくれませんか」

真夜子は、樹来たか子の短い生涯に関するメモと「生キモノノ謡」、「秋ノ聲」などを書き写したノートを殿村に見せた。いくつかの詩に目を留め、言葉を口の中で嚙み砕くようにつぶやいて殿村は小首を傾げた。

「いい詩でしょう？」

「たしかに……が……それだけではないような気もするのだが」

「というと」

「いや、断定はできません。ただ優しいだけではないものを感じるのは、わたしの錯覚だろうか。ことに……」

「直感ですか？」

「年を取りますとね、目も耳も遠くなる。けれどそのぶん、別のものが見えるようになる。言葉で説明できないのが歯痒《はがゆ》いというか、しようもないというか。困ったものです」

殿村が苦笑しながら、ノートのほかのページをめくり始めた。

「さすがに、よく調べてありますな。お話を聞いたかぎりでは、彼女に関する資料は極端に少ないと」

「ええ。とても論文を仕上げるのに、十分なものではありません」

「熱意はやがてかならず結果を生みます」

「経験則ですか」

「まさにそのとおり」


『たか子が本格的な詩作を始めるのは昭和四十一年からである。その前年、山口県在住の詩人・高松公義《たかまつきみよし》の手によって創刊された「ＫＡＮＡＲＩＹＡ－ＳＨＵ」に投稿作品を送ったのがきっかけとなっている。

西條八十の作風を受け継ぐという大きな目標を背負って創刊された「ＫＡＮＡＲＩＹＡ－ＳＨＵ」だが、たか子の参加までの実績はほとんどない。それは地元の主婦層が作る同人誌のレベルを越えるものではなかった。同誌が地方文壇にその存在を認知されるのは、たか子の参加以降である。当時の様子を、同人のひとりはこう語る。

「日輪を得たというのですかね。わたくしどもの同人誌はたちまち県内に知られるようになりました。もちろん中心はたか子さんの童謡詩です。あの人の詩は読んでおるうちに心が温かくなる詩でしてね。たびたび防長新聞にも掲載されたほどでしたよ。いちばん最初に掲載されたのは『秋ノ聲』でしたかね。ええ詩ですよね。

それが……まあ……あんなことさえなかったらねえ。ああ、この話は今日はなしでした。

そういえばこんなことがありましたよ。同人誌を作る事務所というか、作業場がありましてね。輪転機やら紙やら置いて、雑誌ができたらそこへ集まって合評会など、開いておったんです。あれはいつぐらいでしたかねえ。突然新聞を読んだという人がやってきて。それがあなた、駅前で食うや食わずの生活をしておる浮浪者ですよ。手に十円玉を三枚ほど握り締めてきましてね、樹来たか子という人の書いた詩が、なるべくたくさん載っている本を売ってほしいというんですわ。話を聞いてみると、元は北九州の炭坑夫だとか。あの時代は、エネルギー政策が石炭から石油に大きく変わりつつあったでしょう。そりゃあ、山での仕事を失った人が仰山におったですよ。そんなうちのひとりなのでしょうねえ。たか子さんの詩を新聞で、というてもおおかた、ごみ箱で拾うたものでしょう。それを読んで涙が流れたから、雑誌を売ってくれと来たんですよ。

たか子さん、どうしても自腹を切るといって、自分の詩が載っている本をみんなその人にあげたんですよ。そしたら相手がまた涙を流しましてねえ。まるで菩薩様を崇《あが》めるみたいにたか子さんに向かって手を合わせて。わたしたちもその場に居合わせた喜びというのかねえ。涙が流れて仕方がありませんでした」

樹来たか子に関して、こうしたエピソードが残されている。いくつかの事実を照らし合わせてみると、彼女の精神構造の基礎部分には、ある種の宗教性があったのではないだろうか』

殿村老人が、ノートから顔をあげて真夜子を見た。

「この最後の部分は、あなたの感想ですかな」

「オリジナルというわけではありません。しかし実感ですね」

「なるほど。たしかに感動的なエピソードではあります」

「さきほど、なにかを言い掛けませんでしたか。『ことに……』というのは、いったい」

「ああ、『秋ノ聲』と『生キモノノ謡』というふたつの詩を比較しますと、決定的な違いがあることに気が付きます。お分かりですか」

真夜子は、首を横に振った。

「まず『秋ノ聲』ですが、ここでのたか子はまるで少女そのものですね。だれよりも早く秋の気配に気が付く自分への賛美と、季節の移り変わりを愛する気持ちとが前面に出ています」

「たしかに。とても優しい音楽をもった言葉だと思います」

「優しい音楽をもった言葉ですか。若い人の感性は実にユニークで、しかも的確な表現を生み出すものですね。ちょうど樹来たか子がそうであったように。

解釈を続けましょうか。『秋ノ聲』は、彼女の童謡詩のなかでは、比較的初期作品にあたるものですね。ところが『生キモノノ謡』におけるたか子のスタンディングポジションに、変化が生まれたことに注目してください。詩は〈小サキ者ヘ陽ハサシテ〉と、彼女が生来持ち合わせていた、心優しい感受性を前面に出した言葉で始まりますが、その後〈モシモ神様　怒リヲモチテ〉というところから、一変して詩はｉｆから始まるホラーファンタジーの要素をもつのです」

「つまり、もしも神様が人類の所業に怒って、太陽を消してしまうと、という件《くだり》ですね」

そう言葉にしながら、真夜子はどこか釈然としないものを感じていた。「ホラーファンタジー」という単語が、それまで樹来たか子に抱いていたイメージとあまりにもかけ離れていたせいかもしれない。

——あるいは……。

脳裏に、いつだったかのイメージが蘇った。たか子の詩を口ずさんでいるうちに、不意に湧き上がったソプラノの歌声である。

——あれはやはり、旋律だったのだろうか。でも、どうして。

殿村の言葉が続く。

「あなたのノートにあったエピソードですが、そのことを端的に示していますね。駅近くの路上で生活をする浮浪者が、どこかで読んだたか子の詩に感動して、十円玉を握り締めて作業場にやってくる件です。果たして浮浪者は、たか子のどの詩に感動したのでしょうか。わたしはこう思うのですよ。彼らのような人種にとって、秋は死のシーズンの到来を意味するのではないか。いかに夏の暑さが和らぎ、日々穏やかな気候が続いたとしても、その先には冬が待っています。彼らこそは、冬の恐ろしさを身をもって知る人々ではないでしょうか。『秋ノ聲』に表現されるような無邪気な賛美に、とても感動などできるはずがない。彼が感動したのは『生キモノノ謡』のような詩ではなかったでしょうか。ここには神とも自然ともつかぬ、絶対的な存在への賛美と同時に、人が等しく与えられた死の運命が描かれています。

あなたはたか子の精神構造に、宗教的なサムワンを感じると書いていますね。正《まさ》しく死の運命こそが、宗教の本質でしょう。光と影、生と死、生者必滅の思想は、富める者にも貧しき者にも平等に与えられた運命をいかに全うするか。よく死ぬこととはよく生きることとなりという……そうですね。『生キモノノ謡』の本質もそこにあるのではありませんか」

「たしかに、そういわれてみるとたか子の童謡詩は前期と後期に分けるべきかもしれません。後期では、詩のなかに明と暗とが描かれている気がします」

「そこです、わたしが言いたいのは。いったいどこで彼女の詩は転換期を迎えるのでしょうか」

真夜子はノートの別のページをめくった。

「たぶん……彼女の結婚生活が、転機になったと思われます」

殿村がいつのまにか、老眼鏡を取り出していた。ことにそこの部分は、文字が小さい。それはノートを作った真夜子の気持ちを代弁しているとも言えた。

『一九六七年、昭和四十二年。たか子は伯父の店で働く樹来重二郎《きらいじゅうじろう》と結婚した。そこには伯父のたっての勧めがあったといわれる。重二郎は元はたか子の父親と同様、九州三池炭鉱の採掘技師であった。しかしエネルギー政策の転換とともに山を下り、職を転々としたのちに、たか子の伯父の店で働くようになっていた。たか子を盲目的に愛していた節のある伯父は、その結婚相手選びにおいても強く干渉していた。自分の下で働き、なおかつ人格的に申し分のない相手として重二郎を選んで、半ば強制的に婚儀を進めている。無口ながら博打のたぐいに一切手を出すことのなかった重二郎との結婚生活は、当初のうちこそ理想的であると思われた。ところが彼には、だれにも語ることのない秘密があった。樹来重二郎は、熱心な共産主義者だったのだ。

結婚の前年にあたる昭和四十一年。隣国の中国には文化大革命の波が押し寄せようとしていた。もちろん重二郎も無関心ではなかった。結婚後もひそかに入手していた「人民日報」「北京日報」が、主人であり妻の伯父でもある浜尾竜一郎の目に触れるのは、その年の十月のことである。当然ながら竜一郎は激怒。そこからたか子の結婚生活の崩壊、ひいてはたか子自身の悲劇が始まる。

幾人かの証言から、重二郎が中国にわたることを夢見ていた節がうかがわれる。当時、文化人と呼ばれる人々の、文化大革命礼賛はとどまるところを知らない怒濤《どとう》のようであった。やがて世界は、共産主義に席巻されるであろうと言い放つ新聞論調も、数多く見られたほどだ。しかしながら、そうした風潮と、山口市の片隅の商店で働く従業員が中国にわたることとは、別問題であったことはいうまでもない。重二郎の言動が日増しに荒れてきて、やがて感情の高ぶり、焦りは妻に向けられるようになる。最終的に樹来重二郎は、妻のたか子の詩作を一切禁じるようになった。複数の証言によると「花鳥風月を歌う時代ではない。激動の世にあって讃えるべきは、偉大なる思想と、その実践者、労働者でなければならない」そう、言い放ったという』

結婚前、中川たか子名義で発表される童謡詩はすでに地方文壇では高く評価されていた。

「もしかしたら、重二郎はたか子に強い嫉妬心を覚えたのではないでしょうか」

真夜子の言葉に、殿村は大きくうなずいた。ぱたりとノートを畳み、つらそうにため息をつく姿に、殿村の感情移入の度合いが見て取れた。

「十分にありえることですな。革命の闘士を夢見ながら、その場所に向かえない自分。しかも妻は、日に日に評価をあげている」

「しかも、革命とは無縁の、むしろもっとも対極にある感性を表現することによって」

「嫉妬と焦燥感にまみれた夫が、詩作を禁止するというのは、きわめて自然ななりゆきだったかもしれませんな」

ふと、真夜子は自分たちに向けられた視線に気が付いた。声が少し大きすぎたかもしれない。論争はこのような場所にはそぐわなかったせいかと、視線の先を追って、コーヒーラウンジの反対の端に初老の男性の姿を認めた。

――わたしを知っているのだろうか。

そう思わせるほど、視線には色濃い感情がにじんでいる。諌《いさ》めているようではなかった。殿村に比べると、はるかに年は若い。にもかかわらず男の姿にはどこか荒《すさ》んだ、使い古されたような雰囲気がある。決して身形《みなり》が悪いわけではない。真夜子も知っている有名ブランドの服装ではないか。

「どうしましたか」

「いえ、なんでもないのですが」

「ノートはこれで終わっていますね」

「ええ、今のところは。まだ資料をすべてあたったわけではないので」

「とすると、これから先の樹来たか子に関するデータはなにもないということですか」

「あの……そういうわけでは」

視線の呪縛が、周囲に見えない壁を作る。そう感じるのは、十分に声を潜めているというのに、男が真夜子からいっこうに視線をそらさないせいだ。

――そうか、目だ。

男の目は、ひどく疲れて、しかも思い詰めている。目の下から頬にかけて、無残としかいいようのないやつれ、陰《かげ》りがべったりと張りついている。それが男の視線をいっそう粘着質にしているのだ。

「殿村さん、表に出ませんか」

殿村老人にまだ、聞いてほしい話があった。ひとつは、ノートにこそ書いてはいないが、樹来たか子が歩んだその後についてである。限りない優しさで歌を編み続けたたか子は、まるで神が気紛れに運命を翻弄したかのように、悲しい結末を迎えることになる。この老人ならば、その運命を共有してもいい気持ちに、真夜子はなっていた。

——そして、なによりも。

偶然手にすることになった奇跡について、殿村老人に話す気になったのは、彼が書いた新聞記事の内容が、どこかでシンクロする予感があったからにほかならない。

「ここではなにか、不都合でも？」

「少し、外の空気を吸いませんか。ちょうどたか子の詩についてお話しするには、うってつけの秋晴れですから」

殿村が「それはそうです」と答え、二人は図書館の外に出た。視線の主が、なにか別の反応を見せたような気もしたが、あえて真夜子は注意を払わなかった。

空が——と、言いかけて殿村が眩《まぶ》しそうに目を細めた。

「本当に、空が高くなりましたね」

「こんなときです、郊外の大学に入ってよかったと思うのは」

「桂城さんは、どちらのご出身ですか」

「東京です。二十三区内とはいっても、足立区ですからすぐ傍は埼玉県ですし、十分に郊外だといわれると、返す言葉がないのですけれど」

「でも、この遠誉野ほどではありませんね」

二人は、キャンパスの中程に作られた池の畔《ほとり》まで歩いて、ベンチに座った。

「わたしは……定年を迎える少し前まで地元の新聞社にいたのですよ。これでも社会部のチーフでした。社会部というのは、もっとも人間らしい記事を書くために、もっとも人間らしい部分を捨てなければならない部署でしてね。なんと因果な仕事だと思いました」

年の割に大柄だと思った殿村三味の体が、なぜだか一回り小さく見えた。

問わずがたりに話すその言葉の裏に、彼自身が抱えねばならなかった闇が見える気がした。そうした人間だからこそ、樹来たか子の死に潜む闇の部分を敏感に嗅ぎ分けたのか。

「定年の前に退職をされたのですね」

「ある日急に、仕事がいやになってしまった。春、でしたな。菜の花の群落を見ているうちに、その黄色が目に染みてきて不意に……本当に不意に仕事がいやになってしまったのですよ」

「そんなことも、あるのでしょうね」

「ああ、わたしのことはどうでもいいのでしたね。ところで、詩を作ることを止められた若い詩人は、その後どうなるのですか」

その声の調子は先程とはすっかりと変わっていた。まるで樹来たか子が迎えねばならなかった結末を、すでに知っているかのような闇色の響きがある。年に相応した、覇気のない声である。真夜子はためらったが、殿村の「さあ」という表情に背中を押されるように、話を始めた。

「たか子の結婚生活は、わずかな期間で破局を迎えます。夫の重二郎が、家を出てしまうのです。といっても離婚をしたわけではありませんでした」

「ははあ、蒸発ですか」

「それに近いものでしょうね。翌年春を待つ間に、重二郎は置き手紙一つ残さずに山口から姿を消してしまうのです」

「残されたたか子はどうしましたか」

「伯父の竜一郎は、むしろ喜んだようです。コミュニストを毛嫌いしていた彼は、重二郎の失踪をよいことに離婚を進めるつもりではなかったでしょうか。ところが、皮肉なことに重二郎の失踪から二月もたたないうちに、たか子は自らの妊娠に気が付きました」

「心優しき者に、運命がいつも笑顔を見せるとは限らない。あるいは……」

あるいは、という言葉の続きを真夜子は聞いてみたかったが、それ以上を殿村が話さないので、話を続けることにした。

「たか子には、子供を堕胎する気持ちははじめからなかったようです」

姪《めい》を溺愛する伯父と、人に愛されて止まない優しい娘との間に、初めてのいさかいが生まれたことは想像に難くない。竜一郎は、不幸なたか子にすぐにでも再婚を勧めたかったことだろう。しかしそれには子供はあまりにも大きな障害となる。決して愛する姪が産もうとする子供に、愛着がないわけではない。あるいは、産んだ子供は自分の養子にでもするつもりであったかもしれない。あらゆる模索が試みられ、姪とその母親を交えた話し合いも、幾度か行なわれたことだろう。けれど、たか子の胸の中には、答えは一つしかなかった。竜一郎とたか子の母親が、その結論だけは避けなければならないと、あらゆる知恵を振り絞っていたはずの答えであった。

その年の暮れも押し詰まった頃、たか子は男子を出産する。

「その子は、静弥と名付けられました。そしてたか子と静弥の親子は、竜一郎が世話をしてくれた家を二人で出ることになるのです。最後まで伯父の意見に逆らったことへの、償いであった気がします」

「案外、たか子は芯の強い人であったかもしれませんね。そうでなければ、あのような童謡詩は書けない。強さのない優しさは、ただの優柔不断です。家を出たのは、半ば意地であったかもしれませんね」

「わたしも、実は同じことを考えていました」

「やはり、愛ですか」

父とも仰ぐ伯父から半ば強引に勧められた結婚。しかしたしかにたか子は重二郎を愛していたのである。そして二人の間にできた子供を中絶することも、あるいは生まれたばかりの子供を養子に出すことも、彼女には考えられなかった。望んだのはただ一つ、産んだ子供を自分の手で育てることだったのだ。

「たか子の愛情は、重二郎が失踪したのちも、彼女の詩作が完全に止まっていたことから証明できるはずです」

「書かなかったのですか。それ以降も」

「ただの、一篇の詩も。少なくともこれまでわたしが集めたデータには、その記録はありませんね」

唯一の自己表現を止められたことさえも、たか子には些細な出来事であったかもしれない。詩作を続けたいという気持ちよりも、それを禁じた夫の言葉、夫の禁を破ることへの罪悪感のほうが、はるかに大きく重かったのだ。いま現在、真夜子はそう推測するしかない。

「なんだか、とても疲れてしまった。おかしいな、先程からお話を聞いているうちに、まるで残り少ない生気が、闇の一点に吸い込まれたような気がします」

「それは、彼女が数年後に迎える悲劇の結末を、予測された。あるいは彼女が、その一点に向かって転がってゆく様を、幻視されたということですね」

「どうなのでしょうか。詩作によって自分を表現することは、樹来たか子という女性にとっては血肉にも等しいことでしょう。表現とは心の渇きをいやすための行為といってもよいかもしれない。ああ、そうだ。子供さんがいたのですね。そこにすべての愛情を注ぐことで心の渇きをいやすことができた、とか」

伯父が世話をしてくれた家を出たとはいっても、経済的基盤はやはり竜一郎の店を手伝うことで支えられていた。

——もし、誤解を覚悟で言うならば。

「その後、数年間にわたって親子の幸福な日々が続くのです。ところが」

童謡詩人、樹来たか子の人生は終焉《しゅうえん》のときを迎える。

「一九七二年、昭和四十七年ですが親子の生活は唐突に終わりを告げることになります」

「夭逝の詩人ということでしたね。そうですか、幼い子供を残して彼女はこの世を去ってしまうのですか。たしかに彼女の生涯は、悲劇的な幕を閉じるのですな」

「しかも、それは自殺という最悪の結論でした」

「矛盾、ですな」

「そこなのです。だれしも絶望の淵に立つことはあるでしょう。それによって自ら命を絶つことも、決して珍しくはない。けれど……」

樹来たか子がなにゆえに絶望の淵にたたずまねばならなかったのか。息子の静弥が生まれてからの生活は、愛する夫こそいなかったものの、ある種の幸福に満ちあふれていたはずなのだ。言葉を変えるなら、たか子が詩作によって湧き上がる感情を表現する必要がないほどの、充実の日々だったはずだ。

「愛する子供がいて、もし望むなら詩作を再開することも可能な状況であった。経済的な貧困とも無縁であったことを考えれば、自殺という幕の引き方は、たしかに唐突で、納得のいかないものですな」

背後で、かさりと落葉を踏む音が聞こえたが、真夜子も殿村もふりかえらなかった。

「ところで」と、殿村が話題を変えた。

「あなたは、樹来たか子の人生を追うことで、なにを論証しようとしているのですか」

「わかりません。けれど彼女の詩に触れてから、わたしはこの作業をやめられなくなりました」

「でも、資料はあまりに少なすぎるようです。このままでは単なる評伝に終わってしまうでしょう」

「わかっています。でも……奇跡を殿村さんは信じますか」

「唐突ですね。奇跡、とは。老人ならば、だれもが奇跡を信じるとお考えですか」

「すみません。そういうわけではないのです。偶然といってもよいかもしれません。けれどわたしは敢えて奇跡と呼びたい。いるんです、彼女の息子が」

「樹来たか子の息子さん？　ああ、まだ三十代のはずですね。なるほど山口県に行ってみるのですか」

「違います、この町にいるんです。樹来たか子の遺児である樹来静弥さんは、この遠誉野にいるんですよ」

言葉と時間とが、同時に凝結した。池を泳ぐ水鳥を見ながら、ああ、あれはたしかキンクロハジロという鴨の一種だなどと思った。

「この遠誉野に？」

「ええ、しかも彩京大学の病院に通院しています」

「まさか、そんな近くに」

「わたしも驚きました。樹来たか子という童謡詩人を知ったことさえ、ほんの偶然だったんです。それが彼女のことを調べ始めたとたん、こんな偶然が起こるなんて」

「………」

「不思議ですね」真夜子に向かって、先程の老人じみた表情をすっかり引っ込めた殿村が、

「ありえるかもしれない。いや、この遠誉野でなければありえなかったかもしれない」

呻《うめ》くようにいった。

――この遠誉野だからありえるとは、どういうこと？

尋ねようとした真夜子の背後で声がした。

「すみません。その樹来たか子という人のこと、わたしにも教えてくれませんか。先程、ティーラウンジでお話を耳にしまして。無礼とは思いましたが、聞き耳をたててしまいました。お願いですから、その人のことを教えていただけませんか」

焦茶色の背広を、どこか崩れたように着ているのは、先程の初老の男であった。

3

『前略
わたしは一昨日から、山口県山口市の湯田温泉にきています。山陽新幹線の小郡駅から山口線に乗り換えて三十分程の山間の地方都市です。まるで箱庭細工のような建物が、盆地をうめつくすように並んでいます。といっても、決して雑然としたところのない、むしろ町を名乗ることにさえためらいを感じてるような、控えめな空気がここにはあります。あるいはいつまでも春眠に耽《ふけ》っているような町。怠惰の夢を見続ける町。湯田温泉は県を代表する温泉地だそうですが、とてもそのようには見えません。かつて種田山頭火が愛し、また、中原中也を生んだ時代の空気を、いまでも大切に抱えているような町なのです。
さる経済評論家がいつだったか、新幹線の駅を誘致しなかったこの町の行政を「無能」と決め付けたそうですが、きっと彼は一生気が付くことなどないのでしょう。経済効果や発展という、美名だけで人は生きてゆくものではないということに。
昨日町を見下ろす城山に登ってみました。体の調子は決して悪くはありません。城山にはテレビの受信アンテナがあるせいで、山頂まで車でゆけるのですよ。タクシーで山頂までゆき、しばらく運転手を待たせて周囲を散策してみました。町を一望する地点に立って、気が付いたことがあります。おわかりになりますか、真夜子さん。山口市と遠誉野市は驚くほど印象が似ている町なのです。まるで兄弟か、いや、双子といっても良いほど町の雰囲気が似ているのですよ。もし、常用している強い薬を飲んだ直後であったなら、きっとわたしはふたつの町のどちらを見ているのか、わからなくなっていたことでしょう。

この町で、樹来たか子は生き、そして死んだのですね。町を見下ろす城山で、はっきりとそのことを実感しました。この町があったからこそ、彼女の詩は迸《ほとばし》るがごとく、ひとりの女性の口をついて生まれたのでしょう。

それにしても、あの日大学の図書館であなたや殿村先生とお会いしなかったなら、きっとわたしは今のように穏やかな心を持つことはできなかったでしょう。もちろん、樹来たか子という、無名の詩人の心に触れることはかなわなかったし、それによって得られた、この安らぎが……いや、これ以上は泣き言になりそうです、やめましょう。

きっと勘の良いあなたのことです。あの日はただの「病気」としか言いませんでしたが、もうお気付きでしょうね。わたしは二か月前に、末期の癌であると宣告されたのです』

ここまで書き進んで、弓沢征吾《ゆざわせいご》は筆を置いた。

掌が、熱く疲れているのは、経口用の強い薬のせいである。鏡をのぞくと、瞳の周囲の白目に黄色い色がにじんでいる。肝臓機能の障害が始まって黄疸《おうだん》を起こしているのだろう。それだけではない気がした。自らの病気を、たった一週間前に知り合ったばかりの女子大生に告白しようとしている自分への、あざけりの気持ちもあるかもしれないと思った。

傷つき、爛《ただ》れた心の傷跡が、体の機能の低下とは裏腹に緩やかに癒《い》えようとしているからだ。薄紙を剝ぐように、気持ちのささくれがなくなりつつあるからだ。

五十歳の誕生日を迎えてから、定期的に行なっている人間ドックで「肺に異常が認められる」といわれたのは、夏も盛りの頃であった。弓沢征吾には、家族がない。五年前に妻を亡くしていたし、二人の間に子供はなかった。そのせいだろう、彩京大学医学部付属病院の医師は、実にあっさりと癌告知を行なった。

「ステージというのは、癌の進行状況を示す目盛りのようなものです。弓沢さんの場合、すでにステージⅢまで進行しています。これは予断を許さない状況といえるでしょう」

医師は、弓沢にもわかる言葉を選んで病気の進行状況を告げた。もっとも、それがどれだけ理解できたか、今でも自信はない。ただ「すでに脳に腫瘍が転移している可能性が大きく、そうなれば摘出手術はほぼ不可能であること」「延命治療のみに専念すると余命は半年あるかないか」こうしたいくつかの事実のみが、重い現実としてのしかかってきた。

弓沢は手紙を続けた。

『癌宣告を行なった医師は、たぶんわたしの良識ある社会人という仮面に惑わされたのでしょう。妻を五年前に失ったときでさえも、わたしは善良で、理性の天秤を常に胸に秘めた社会人という人格の仮面を脱ぐことはしなかった。たぶん、いつのまにか仮面であることさえ忘れてしまっていたのでしょう。けれど本当のわたしはだれよりも臆病で、姑息な人間なのです。人の不幸に心から同情するふりをして、胸のうちに湧き上がる快感を深夜抑えきれなくなり、密かにほくそ笑むような人間です。

抗癌剤と放射線治療により、癌細胞の抑制治療が一月続きました。その間にわたしの精神は壊れてしまいました。いえ、跡形もないほどに、完全に壊れてしまったのなら、それはそれで幸せだったかもしれません。けれどわたしはきわめて中途半端に、人格崩壊を起こしてしまったのです。

わたしはモルヒネによる苦痛の除去を中心とした、自宅療法に切り替えました。その時の医師の言葉をよく覚えています。

「人がよく死ぬとはよく生きることです。悔いのない人生のピリオドの打ち方を、あなたなりに模索してみてください」

これほど残酷な言葉がほかにあるでしょうか。わたしは達観した表情と笑顔というふたつの仮面をかぶり、退院したのです。けれど心は修羅の真っ只中にありました。

あの頃、わたしには幸せそうな人間が許せなかった。会社を辞め、町を彷徨《ほうこう》する日々が続きました。週に二度、数種類の薬をもらうために通院する以外は、ただひたすらに死と向き合わねばならない日々です。同じ病院で、同じ病気にかかっている男がいました。無事に手術を終え、予後治療もきわめてうまくいっている彼と駅前で会ったわたしは、いきなり殴りかかったのです。その瞬間の彼の、ぽかんと呆気にとられた表情は忘れることができません。わたしは理不尽そのものと成り果てていたのです。

電車内で漫画本に読み耽る、若い会社員を面罵《めんば》したこともありました。思いつくかぎりの侮蔑の言葉を、能天気に笑顔を浮かべる会社員に向かって投げ掛けたのです。同じように無遠慮に携帯電話を使う女子高生には、通話器を取り上げ、足で踏み潰すような真似までしました。

けれど真夜子さん、理解してくれとはいいませんが、そんなわたしも後悔をしていたことを、あなたや殿村先生にはわかってほしい。人に理不尽な八つ当たりをするたびに、良心は痛んでいたのです。それが、中途半端に人格崩壊を起こしたわたしの最大の苦悩だったかも知れません。昔、スリラー小説ばかりを読んでいたわたしは「ジキル博士とハイド氏」の物語に怯《おび》えたものでした。けれどそれはまさしく二十年後の自分の姿であったわけです。理不尽の権化と化し、次に理性を取り戻した初老の男は、哀れなほど苦しみ、泣き叫んだのです。

そうです、あなたと殿村先生と会う瞬間まで。

あの日、わたしは図書館で哲学と宗教の本を探していました。もしかしたらこの苦悩に有効な解答があるかもしれないと、わずかな希望を持っていたのです。そんなもの、あるはずがないのに。所詮、人が存在する理由も神仏でさえも、人が幾億もの脳細胞で作り上げた幻想にすぎません。信じるために必要なソフトが失われてしまえば、何の価値もないのです。

でもわたしはあなたがたと会うことができました。いえ、樹来たか子の詩と出会うことができたのです。あの時、偶然にティーラウンジであなたがたか子の詩を読む声が聞こえてきました。その言葉こそは、自分が待ち望んでいたものであると知りました。それでつい、言葉をかけてしまったのです。

あなたと殿村先生は、たか子と遠誉野の思いがけない偶然と、その必然性について話されていましたね。あなたはしきりに「奇跡」という言葉を使っておられました。けれどわたしにしてみれば、病で体をぼろぼろにし、精神までも食い荒らされた男が、あの優しさに満ちた詩に出会えたことこそが、なによりの奇跡なのです』

弓沢は筆を置き、ベッドに横たわった。幽《かす》かに耳鳴りがする。不治の病の告知を受けて以来、耳の奥に小さな「音」が住み着くようになった。医師の説明によれば、精神のバランスが揺らいでいることが原因であるという。音は、そのときどきによって奇妙に変化した。それはまるで体内に住み着いた別生命体のようで、弓沢を蝕《むしば》む不完全な細胞とは明らかにちがう働きを持っていた。たとえば朝、日の光を浴びると音は金属質に響きを変えた。あるいはガラス質の響きである。次第に弓沢は、音が指し示すものの正体を摑むようになっていた。音は、常識や理性、社会性といった人が心を覆い隠すために必要とする薄皮の裏で、悲鳴を上げている自分そのものなのだ。きっとそれは「弓沢征吾」などといった名称さえ無用の、剝き出しの自分である。

この世は、他の人には聞くことのできない音で満ち溢れていることもわかった。たとえば定期検診で看護婦が「検査数値が落ち着いていますね」という言葉には、明らかに嘘の音がともなった。

はじめて樹来たか子の童謡詩に触れたとき、これまで聞いたことのない別の音が聞こえた気がした。それはささくれ立ち、不毛の荒野のごとくであった弓沢の精神に、静かに染《し》みいる甘露のようにも感じられた。

——いったい、この音はなんだ。

最初は、壁一枚隔てたところから聞こえる、囁きであった。かといって、人の声ではない。何度か「秋ノ聲」を呟くうちに、少しずつ音の正体がわかるようになった。決まって音は、詩のなかの「しゃぼろん、しゃぼろん」というフレーズのときに聞こえてくる。

よくよく考えてみれば不思議なフレーズではないか。

——たか子が聞いていた音は、実のところどんな音だったのだ?

最初は、きわめて心象風景的な擬音かとも思った。たか子のみが聞くことのできた、内なる風景の音かと。けれど、詩の他のフレーズはすべて具体的である。「風ノ匂イ」といったフレーズにさえ、具体性はある。ましてたか子は「秋ノ聲」は、庭の片隅にある石の下から聞こえてくると、場所までも具体的にあげているのである。すべての言葉をストレートに信じるならば、やはり音は実在しなければならない。その音に、たか子は「しゃぼろん」という文字を当てはめた。が、正体までは書いていない。きっと、詩を口ずさむたびに弓沢の耳の奥に聞こえるのは、たか子が聞いていた音そのものなのだ。「しゃぼろん」という文字を当てはめる以外に表現のしようのない、実際の音を、弓沢は五感とは違った感覚で、時空の壁を突き抜け、聞くことができるのである。もしも以前の弓沢であったなら、そんな仮説になど、耳を傾けることさえしなかったに違いない。だが、いまは確信している。

自分にはたしかに、その音が聞こえるのだ。そして、

――俺は音の正体を確かめるために、やってきた。

弓沢の頭のなかに「巡礼」という言葉が、ぽっかりと浮かび上がった。

『真夜子さん、あなたはそのような感覚を、きっと笑い飛ばすでしょうね。実のところ、わたしにとっても、この耳の奥に響く不思議な調べの正体がなんであるかとか、いやそれはただの錯覚であるとかいう、結論は必要ではないのです。音を聞く自分がここにいて、それを探る自分もまたいるということが、いちばん大切であるような気がします。もしかしたら、死にゆく肉体が、救いの手を差し伸べているのかもしれませんね。だってそうでしょう。いずれわたしは病院のベッドに縛り付けられ、痛み止めの薬漬けにされて、死を迎えねばなりません。それまでの時間を考えると、また気が狂いそうになり

ます。残された日々をなにかに集中するために、体のどこかが信号を出しているとも考えられるじゃありませんか。

だからわたしは、音の正体を捜してみようと思うのです。その過程で知りえたことはすべてあなたに伝えることにします。もしかしたらあなたの研究には何の役にも立たないかもしれません。その時は、どうかお許しください。

また手紙を書きます。毎日書きます。

あすは樹来たか子が生涯の最後まで住んでいた家にいってみようと思います』

その時、ハンガーに吊した上着の内ポケットで、携帯電話の呼び出し音が鳴った。

「はい、弓沢です」

「ああ、良かった。連絡がついて」つづいて明らかに咎《とが》める口調で、

「弓沢さん、櫟《くぬぎ》です。いったいどうしたのですか。定期検診は昨日のお約束だったはずですが」

相手は、彩京大学医学部の医師の櫟心太郎《しんたろう》であった。

「先生。すみませんでした。急用ができてしまって……」

「なにを馬鹿なことを！　今のあなたに定期検診以上に大切なことがないことぐらい、お分かりのはずでしょう。ご自宅に電話を入れても、留守番電話になっているので、本当に心配していたのですよ」

「わかっています。けれど、どうしてもやらなければならないことがあって」

櫟心太郎は弓沢の主治医であると同時に、彩京大学医学部の教授でもある。診療医と研究者、教育者の三つの顔を持つ櫟が、患者の一人でしかない弓沢のことをそこまで気にかけてくれる気持ちはうれしかった。なによりも、櫟の言葉にはいつも嘘の音がしない。癌告知を行なったときと同じ真摯《しんし》さと、研究者特有の無頓着にも似た生真面目さで接してくれる。

「今、どこにいるのです。今、どこでこの電話を受けているのですか」

「山口県……山口市です」

「どうしてそんなところに！　いいですか。お渡ししてある薬は明日の分しかありません。一刻も早く遠誉野に戻ってきてください。定期検診を受け、新たに薬を受け取ってくださらないと」

言葉の外で、余命の保証はありませんと、櫟の口調が告げていた。だが、弓沢はこのまま帰るつもりはなかった。

「大丈夫です。ずっと体調がいいのです。ですから薬は余っています」と、口からでた言葉の半分は真実である。

「いったい、なにがあったのですか。どうして山口なんて遠いところに」

なにをどう説明しようかと、しばらく迷ったのちに、

「巡礼です」

さきほど頭に浮かんだ言葉が、口をついて出た。

「は？」

「巡礼です。わたしの人生の最後を良く生きるための」

そうして、弓沢は樹来たか子という知られざる童謡詩人について、説明をはじめた。

といっても、体にたまった疲れと病の黒い影が多くの言葉を語ることを許さない。果たして真意が櫟に対してどこまで正確に伝わったか、自信はなかった。

「樹来たか子という人物の一生に、触れてみたいのです。わたしに許された時間のすべてを費やしてでも。明日は彼女が最後まで住んでいた家にいってみるつもりです。もしかしたらすでに取り壊されているかもしれません。それでも構わないのですよ。わたしはどうしても、彼女が聞いたであろう音が聞いてみたい」

「音？　音とはなんです」

弓沢は、童謡詩「秋ノ聲」に書かれた不思議な響きを持つ音について説明した。

「気になるのですよ。わたしの耳にはたしかに彼女が聞いた音と同じ音が響いている。それなのに正体がわからないのです。もしもわたしが宗教を信じ、死を前にして聞くべき神の声があったとしたら、たぶんそのようなものかもしれないと思うのです。だから巡礼です。わたしが神の声を聞くための巡礼なのです」

　しばらくの沈黙ののち、櫟が意外にも穏やかな声で言った。

「医師として、とても認められることではありません。あなたの体に今必要なのは神の声ではなく、医療薬品です。けれど、メンタルな部分で必要であるというなら……わたしは精神科医ではないけれど、それを認めざるを得ません。わかりました、それでいつまでそちらに」

「わがままを言ってすみません。明後日にはなんとか遠誉野に帰りたいと思っています」

「そうですか、では一刻も早くあなたが満足できる結果が得られるよう、祈っています。ただ、体調が悪化した場合は」

と、櫟がいくつかの薬品名を告げた。救急車を呼んで、次の薬品名さえ言えば、病名はすぐに把握できるはずである。中には簡単に処方のできない薬品もあるが、その場合は大学病院に電話をくれれば、自分が病状を説明するとまで、言ってくれた。その言葉がうれしかった。

「山口市ですか」

最後にそう言った櫟の言葉には、なにか別の意味を持つ音が含まれているようにも思えたが、それを詮索する体力は弓沢の体のどこにも残されていなかった。

――疲れたな、疲れた。

翌日、弓沢はタクシーを呼んで、吉敷《よしき》という町に向かった。湯田温泉から数分の場所である。

――樹来たか子終焉《しゅうえん》の地、か。

山口市に到着した当日、その足で弓沢が向かったのは市立図書館だった。一九七二年、樹来たか子が自殺した年の地方新聞を調べるためである。『女性詩人の孤独な死』と題された小さな記事はすぐに見つかり、弓沢はそれをコピーした。たか子への思い入れを裏切るかのような、ささやかな、あまりに簡素な死亡記事であった。ただし、記事によってたか子が生前に住んでいた家が、山口市の外れの吉敷にあることがわかった。さらに役所に出掛け、住所を調べることも考えたが、そこまではしなかった。体力の問題もあったし、二十数年前の事件ならばまだ覚えている人も多いだろうと、漠然と考えたからだ。山口に到着した瞬間に感じた、いい意味での閉鎖性が、判断を促したのも事実であった。

道ゆく人の数人に声でもかければ、たか子が死んだ家の場所などすぐにわかるだろうと思った。けれど弓沢の目算は大きく外れた。樹来たか子の名前を告げ、

「昭和四十七年に自殺をした人です。童謡詩を書いていて、当時はかなり注目されていたはずなのですが」

と尋ねても芳しい返事はいっこうに返ってこなかった。

弓沢は次第に焦りはじめていた。自分がここに留まることのできる時間はあまりに少ない。事実、体に蓄積された疲労感は、あと一歩か二歩で弓沢の肉体の動きをストップさせるところまできているようだ。脂汗とは別の、粘着質の体液が腋の下に流れるような感覚もあった。

明らかにこの地区に長い間住み着いていると思われる、農作業服姿の老婦人に話し掛けたときであった。「さあ、知りませんねえ」という声に、別の音が交じっているのを弓沢は聞き分けていた。彩京大学病院で、看護婦が「随分と顔色が良くなりましたね」というときに聞き分ける、あの音である。

もしかしたら、樹来たか子の死について語ることは、この地区ではタブーに属することなのか。これまで考えたこともなかった可能性に、弓沢は突きあたった気がした。

日がすでに高くなっている。あと数時間もすれば、やがて日は傾き、タイムリミットが近付くことだろう。ここに至って弓沢は、役所なり、新聞社なりを訪ねて、樹来たか子が住んでいた家の住所を調べておかなかったことを、激しく後悔した。いくら後悔し、歯軋《はぎし》りをしても、いまさらどうにもならないことが、余計に気持ちのささくれを大きくする。だから背後で「あの、すみません」と声をかけられ、振り返ったときに、

「なにか」

と発した言葉には、明らかな苛立《いらだ》ちが交じっていた。

「樹来たか子さんについて、調べられているとか」

薄いグリーンのスーツ姿の若い女性がそこに立っていた。逆光になっているためか、顔つきはよくわからない。ただ、言葉のリズムの裏側に、敵意の音がした。

「はあ……」

いくつかの思考が、弓沢のなかで交錯した。

どうして自分が、彼女の家を探していることを知っているのか。

――それは、誰かが報せたからだ。

いったい、誰が、何のために報せなければならないのか。

――その死は、だれも触れてはいけない領域の出来事なのだ。

弓沢には、次第にことの輪郭が見えてきた。桂城真夜子は、卒論を書くために樹来たか子の一生を調べているが、資料が少ないことをしきりと嘆いていた。わずかな研究記事が、専門雑誌に掲載されているだけだそうだ。それはつまり、彼女の一生と死にいたる経緯を、表に出したがらない人物がいたからではないか。

――彼女を溺愛し、しかも地元の有力者であった人物がいた。

浜尾竜一郎。その名前は、自分の目の前に立った女性が差しだした名刺に刷りこまれた『県議会議員　浜尾竜一郎　第一秘書　秋月典江《あきづきのりえ》』の肩書きで、証明された。樹来たか子を溺愛していた伯父は、今や県議会の議員になっていた。

「そうですか、伯父御様は議員になっていたのですね」

弓沢の言葉に、秋月典江が激しく反応した。

「どうしてそこまで知っているのですか」

「もちろん、調べたからです。いえ、正確にはわたしではない。ある大学の国文科の学生さんが、卒論を書くために調べたのですよ。樹来たか子について。その中に浜尾竜一郎氏の名前もありました」

「卒論……ですか。しかしあなたがどうして」

「ほんの偶然です。偶然が重なって、わたしは彼女の名前を知った。そうしたら、彼女が生前住んでいた家を、見たくて見たくて仕方なくなった。いえ、正しくは彼女が『秋ノ聲』に詠み込んだ、音の正体を知りたくて、我慢ができなくなった」

その理由を説明するための言葉を、弓沢が探している最中に、肉体の限界が突然に訪れた。最初は、視界の色の変調であった。黄色い。そして赤い。つづいて背中から首にかけての激痛が、上半身をぽんと押したようだ。あっけなく膝が崩れ、クロスした両腕で肩を抱き抱える形で倒れた。

「どうしました！」

近寄る秋月典江に向かって、内ポケットを指し示した。そこに最後の薬品が入っている。だが、この薬を飲ませてくれという、言葉にはならなかった。


気が付くと、広い畳の間に寝かされていた。腕に点滴の太い管が差し込まれていることがわかった。そして複数の人の声がする。病人をおもんぱかってか、声には秘密めいた音が伴っている。

「……が、どうしてまた」

「…の、ええ……からの連絡で……ました」

枕元の人影のひとつは、香水の香りで秋月典江であることがわかった。だが、それとは別の人影が、たしかにある。が、それを確認するには、弓沢の体力は余力がなさすぎた。

視界に明かりがともった。

「お目覚めですか」

秋月典江が言った。

「ここは、どこですか。わたしが倒れてからどれくらい時間が経ったのですか」

「あまりしゃべらんほうが、ええですよ」

もうひとつの人影は、和服を着た老人の物であるとわかった。

老人の声は、ひどくかすれて聞き取りにくいが、決して悪意の音が交じったものではない。

「ここは、わしの家です。あなたが倒れたと秋月くんから連絡を受け、とりあえずここに運んだのですよ。いや、本当なら病院に運ぶべきだったのですがな。あなたの体がこれほど悪いとは思ってもみんかったのですよ。医者が言うには、とても旅行のできる体ではないそうではないですか。まったく無茶なことをしなさる」

――そうか、この男が。

「あなたが、浜尾竜一郎議員なのですね」

ややあって「そうです」と返事が返ってきた。

「今日になって、姪のたか子のことを調べ回っている人物がおると、連絡が入りましてね。秘書の秋月くんをやったら、この有様です」

「ご迷惑をおかけしました。ああ、わたしはすぐにホテルに帰らないと」

起き上がろうとしたが、上半身にも下半身にも力がまるで入らない。

「まだ、無理です。病院から医師を呼んで手当てをしましたが、その際にかなり強い麻酔薬を使用したそうです。それにホテルには連絡を取って、今日の宿泊はキャンセルしておきましたし、手荷物もこちらに移しておきました。もう午後八時すぎですから、今夜はここにお泊まりください」

秋月典江の口調はどこまでも事務的であったが、それで自分が倒れて五、六時間が経過したことがわかった。そして、自分の病名を彼女が知ったうえで、適切な処置をしてくれたことも。それからさらに一眠りして、目が覚めると枕元には浜尾竜一郎だけが、先程と同じ姿勢で座っていた。

庭に臨む窓の片隅が、光に包まれているのがわかった。水銀灯特有の鈍重さがないことから、

「良い月が出ているのでしょうか」と尋ねると、竜一郎がゆっくりとうなずいた。

「まるで夜空にぽっかりと穴が開いたようです。あれがなくなった夜も、こんな月夜でした」

「月に看取られて死ぬというのは、どんな気分でしょうか」

「願わくば……と詠んだ、いにしえの歌人もおりましたな」

その一言で、弓沢は浜尾竜一郎という男の、心の深い部分に触れることができた気がした。もっと早くに知り合うことができたなら、たぶん良い友人となることができただろう。が、もしも病を得ることがなければ、弓沢がこの地を訪れることはなかったであろうし、かつての自分が浜尾と知り合うにふさわしい人間であったかどうか、自信はなかった。

「どうしてあのような美しい詩を書くことができたのでしょうか」

その問いに、浜尾はしばらく答えなかった。

「やさしい娘であったのです。生まれたときから、死の瞬間まで。優しすぎて人を憎んだり、糾弾《きゆうだん》したりすることのできない娘でした。だから誰からも愛された。その挙げ句に！」

浜尾の感情のたかぶりを、弓沢は受けとめた。

「わたしは……もうすぐこの世を去ります。けれどその前にあなたの姪御さんの書いた詩に出会えて、本当に良かった。それだけが、わたしに許されたただひとつの救いであったとさえ思っています」

「それで、病を押してまでこの地に。本当にそれだけなのですか」

「ああ、なるほど。倒れたわたしの身元を調べるために、財布の中身をのぞかれたのですね」

「ええ、あまり感心される行為ではありませんが」

財布には、現住所を示すものがいくつも入っている。

「そうですね。わたしが遠誉野からやってきた人間だから、あまりの偶然に驚かれたというわけですか」

「偶然ではないと、判断するほうが常識的ではありませんか」

浜尾の声には、かすかに疑いの音が交じっていた。

「樹来静弥氏。まさかわたしが住む町に、あの樹来たか子の遺児が住んでいるとは、思いもよりませんでした」

「やはり、静弥が遠誉野にいることを知っているのですね、あなたは」

今度は弓沢がうなずき、桂城真夜子が語ってくれた奇跡について、その伝えられたままを、浜尾に告げた。薬のせいで呂律がよく回らないから、どうしても話は単語の切れ端をつなげたものになりがちで、果たしてどこまで相手を納得させられたか、わからない。が、浜尾竜一郎はゆっくりとうなずいてくれた。

「彼女、桂城真夜子も、静弥氏が遠誉野にいることを本当に偶然に知ったらしい」

「もしかしたら、そんなことがあるかもしれませんなあ」

「わたしのバッグを取ってくれますか。そこに、郷土史家が書いた投稿記事のコピーがあります。遠誉野市についての内容ですが、非常に興味深いことが書いてある」

コピーは、別れ際に、桂城真夜子の連れが渡してくれたものである。

――確か、殿村三味とかいったか。

コピーを手渡すと、浜尾は懐から老眼鏡を取り出し、熱心に読みはじめた。かなり長いエッセイを丹念に読み、ときに最初に戻って読み返す動作までしたのちに、浜尾はふうっと吐息を吐いた。

「歴史上に突然、現れた町ですか」

「しかも、遠誉野には日本中からあらゆる人種が集まっているようです」

「なるほど、この殿村三味という人は、遠誉野の歴史に面白いアプローチを試みておいでのようだ」

「民俗学上の要素を調べ、それが日本のどこの町に残るものと一致しているか、本人はまだ未完成だとは言っていたが、なかなかのものでしょう」

――たしか……ダイダラボッチと戎様《えびす》、隠れ念仏トリツバサ……。

「ダイダラボッチと戎様、隠れ念仏トリツバサ」

弓沢の言葉を聞いて、浜尾がようやく顔の表に笑みらしいものを浮かべた。

「なんですかな、それは」

「遠誉野の特殊性を表すキーワードだそうです」

ダイダラボッチは、甲州に広く分布する巨人伝説で、遠誉野にもその足跡によってできたといわれる湖がある。現在は自然遊歩道とドライブウエイによって、近隣の行楽地となっている場所である。

弓沢は殿村の言葉を思い出していた。

『ダイダラボッチは、産鉄民族の象徴であるとも言われておるのですよ。すなわち「たたら（溶鉱炉の一部）坊」あるいは「たたら者」の語形が変化したものではないかといわれております。面白いことに、ダイダラボッチの伝説には、ほとんどの場合茎の片方にしか葉の生えない「片葉の葦《あし》」の怪談が付随しているのですね。これはもしかしたら、たたらを踏み続けることによって片方の足が、極端に大きくなった一族を表しているのかもしれません。事実、ダイダラボッチ伝説も片葉の葦の怪談も、産鉄地域に広く分布していることが知られているのです。これらの推論をもう一歩飛躍させますと、ダイダラボッチは山の民の象徴のひとつと、いってもよいとは思いませんか』

こうした話を、殿村は実にたくさんの例証をあげ、しかも平易な論調と言葉で話すのである。その話術は、大学の講師にでもなれば、さぞや勉強嫌いの学生を減らす助けになるだろうと思わせるほどだ。

浜尾もまた、弓沢の口を通して語られる話に興味を持ったようであった。

「戎様とは？」

「もちろん、エビス、大黒のあの戎様と語源は同じです。ただ、遠誉野の場合、きわめて限られた地域ですが水死体のことを『戎様』と隠語的に呼ぶ習慣があるそうです」

「それはまた……。水死体と商売繁盛の神様の呼び名が同じでは、縁起の良くないこと限りないでしょうに」

浜尾の口調は、いかにも元商人らしい。

「ところが」

まったく同じ疑問を返した弓沢に、殿村はこう説明した。

『水死体を戎様と呼ぶ習慣は、主として海の民に多く見られる事例ですな。農民と漁民のもっとも大きな違いは、農民は米を生産し、漁民は魚を搾取してくるという一点につきるでしょう。生産と搾取。漁民は農民以上に「ハレ」と「ケガレ」に対して敏感です。これは自分たちの生活の糧が、自然から搾取するもの、あるいは自然からいただくものという基本的な精神構造からきています。つまり自分たちの生活は神の領域に委ねられている、と。

では、水死体とは一体なんでしょうか。

水死体は、自分たちの住む世界と異界との中間に位置するものでしょう。異界すなわち神の領域です。そこにより近いものが、汚れであるはずはありません。本来死体は「汚れ」の象徴なのですが、こうした民俗学的な基礎が異なる場所では、立場もまた逆転しうるということです。そう、このたぐいの伝承は大分県の姫島や高知県の沖ノ島に見ることができます』

ここにいたって、浜尾の顔色が微妙に変化をはじめた。どうやらこの摩訶《まか》不思議なキーワードの意味するところに、気が付いたようだ。

「ということは、水死体を戎と呼ぶ習慣は海の民の象徴ですか」

「まさに、その通りです」

体は疲れ、体力に余力があるとはまちがっても言いがたい情況であるにもかかわらず、弓沢は話をやめることができなくなっていた。胸のうちのどこかに、

――浜尾竜一郎もまた、遠誉野を訪れるべき人種ではないのか。

あるいは、住人となるべき人間かもしれなかった。根拠はない。が、遠誉野が浜尾竜一郎を招いていることを弓沢は確信した。

「隠し念仏もトリッバサも、遠誉野に伝わる伝承や習慣の名前です。そして隠し念仏はあの有名な『遠野物語』にも登場し、トリッバサは鹿児島県から熊本県にかけて広く分布する、幼くして死んだこどもの魂、あるいはそれが変化した化物の名称です」

「山の民と海の民、北の民と南の民。それぞれを象徴する習慣や伝承が、遠誉野というひとつの都市に混在している」

浜尾の口調はどこか疑わしげで、また、どこか感心しているようでもある。

「かつて、ある異端の民俗学者が、こんな仮説を立てたそうです。世界地図と日本列島の一致性についてですが。よくよくふたつを比べると、なるほど九州はアフリカ大陸によく似ている。四国はオーストラリアです。すると北海道はアメリカ大陸、本州はユーラシア大陸に相当します。位置関係も、さほどはずれていない。つまり日本は世界の縮図なのだ。日本こそは世界の中心たる国家であらねばならない、と。最後は極右の国家主義者になって晩年を過ごしたそうですが、彼の主張はともかく、そのような偶然性はどこにでもあるのかもしれません」

「そうして遠誉野は、日本の縮図でもある、と？」

「かなり歪んだ形ではありますが」

話し終えて浜尾を見ると、その視線が真っすぐに自分に向けられている。視線を受けとめ、ほほ笑みを返すことができたことで、弓沢は自分の仕事がひとつ終わったことを知った。

「江戸時代の中期に突然歴史上に登場した町、遠誉野ですか。しかもその町には、人を集める不思議な力があるらしい」

浜尾の、不思議な力という言い回しが、おかしかった。

「まるで、町が意志を持っているかのように聞こえますよ」

すると、浜尾は大真面目な目で弓沢を見て、

「そう聞こえるように、言ったつもりです。遠誉野は人を集めます。しかしそれは都市の繁栄や交通の利便性、生活環境といった、普通のレベルでの収集力ではないようだ。もっと別の軸、ひどく特別な軸を共有する者を集める能力が、存在するのかもしれません」

その言葉を聞いて、弓沢のなかで、またなにか別の音が聞こえた。

――遠誉野は生きている。生きている？

「我々は偶然や奇跡などではなく、遠誉野という生きている町によって集められたと？」

「そう考えると、なにかすっきりしませんか、弓沢さん」

「はあ、そうですか」

浜尾の口調がはっきりと変わった。

「本当は、あれのことには触れてほしくなかったのです。じゃからこれまでもたか子のことを調べたいという人に対しても、ほとんど協力はせんかった」

「わかっています。樹来たか子のことを調べている女子大生も、相当に苦労しているそうです」

「どうしてだか、わかりますか？」

「肉親を失った悲しみでしょう」

「ちがうのですよ！」

その口調のあまりの激しさに、弓沢は一瞬我を忘れた。

「なにか失礼なことを言ってしまいましたか」

「ああ、すみません。ずっと胸に秘めておいたことなのです。誰に話すこともしなかった。けれどどうしてじゃろう、今、わしはあなたに大切なことを打ち明けなければならない気がしています」

「もしかしたら」と、声をひそめて弓沢は問うた。

「わたしを通じて、樹来静弥君に報せてほしいと？」

「それもあるかもしれない。わたしの口から話すには、あまりに残酷な事実だ。しかし……今となっては、静弥がそれを知ったところで傷つくはずもない。あれのからだは……もう！」

樹来たか子の遺児である静弥が現在遠誉野で、どのような暮らしをしているかは知らない。ただ、一度会ってみたい気がした。

「あなたを明日、たか子が最後まで住んでいた家に案内させましょう。家そのものは六年前に取り壊してありませんが、庭にはまだ、当時の面影が残っているはずです。ナニ、あれの死後、わたしが家土地を買い取っておいたのですよ。どうしてそんなものをと家人は文句を言いましたが、もしかしたらあなたが来ることを、どこかで感知していたのかもしれない」

「ありがとうございます」といったつもりだが、言葉の最後のほうは、口から漏れた空気のみだった。それでも、弓沢は言葉を続けた。

「その庭で、たか子さんが聞いた音をわたしも聞いてみたい」

「秋ノ聲……ですかの」

「ああ、秘書のかたから報告を受けているのですね」

「それもありますが、わし自身、あの詩に書かれた音については気になっておったのです」

「あなたも？」

「わしはたか子が生きている時分には、たった一度しかあれの家を訪ねんかった。どこかにわだかまりがあったんでしょうなあ。あれが可愛かったからこそ、よかれと思って勧めたことを、断ったたか子が許せなんだ」

「なんの音なのでしょうねえ」

「わかりません。たか子が死んだあとは何度も訪れてみましたが、結局わからなんだ」

竜一郎の家を出て、新しい生活をはじめるために、たか子は市内の不動産屋をかなり回ったのだそうだ。山口は小さな都市だ。たか子が名前を告げるだけで、浜尾竜一郎とのつながりはすぐにわかってしまったし、市内の有力者である浜尾の血縁者に、そうそうおかしな物件を紹介する不動産屋は、まずない。

「たしかに家賃は安いが、当時はいかにも交通の便の悪いところでしてな。しかも家が古い。たか子から転居先を葉書で報せてきたときには、裏から手を回して不動産屋を叱り付けたほどですよ。ところが不動産屋め、『あれはたか子様がお庭を見て、ここが気に入ったからとおっしゃったんです』と、言い訳をしよる。しかし、今から考えると、あの詩に書かれた音があるからこそ、たか子はあの家を選んだのかもしれん」

「不動産屋に聞いてみては？」

再び竜一郎は首を横に振った。

「なにも知りませんでした。家主にもあたったのですが、長く人に貸しておって、その間には庭を勝手にいじった人もおるであろうと。なにせ、こちらはそういったことにはいたって無頓着でして、な」

「鳥の声でしょうか、あるいは虫の声とも考えてみたのですが、百科事典にあたってもわかりませんでした。まあ、この世に『しゃぼろん、しゃぼろん』などと鳴く生物がいるとは、最初から思ってもみませんでしたがね」

やはり、自分の目と足で確かめるほかはないのだと、弓沢は思った。そうすることで、答えが発見される確率は高くはないかもしれない。けれど余命にゆとりのない弓沢であるからこそ、許される「無駄」ともいえるのではないか。あるいは、自己満足とも。

「ところで、静弥氏はこちらには……」

はじめて浜尾の顔に、当惑の色が浮かんだ。

「あれは、不幸な子です。実のところを言いましてな、たか子の死体をもろに見てしまったせいか、事件そのものの記憶がぽっかりと抜け落ちてしまっているのです」

「記憶が？」

それ以上の言葉がつづかなかった。

「思い出せなければ、それはそれで構わない。弓沢さん、たか子の死はね、あなたが考えている以上にずっと悲惨で、救いようのないものなのですよ。少なくともそう思い続けてきました。しかし誰かがそれを拒んでいるんだ。人知の及ばないところで、誰かが静弥に真実を告げるよう、画策しているのかもしれない。だから弓沢さん、あなたが知り得たことを静弥に報せるかどうか、裁量のすべてをあなたに委ねます」

「といわれましても……」

思いがけない方向に転がりはじめたことの成り行きに、弓沢は困惑した。そして、

「……………」

浜尾竜一郎が告げたひと言が、弓沢にある決意をさせた。決意とは言ってもなんの根拠もないものである。強いて言うならば心の天秤にかけるための、きっかけにすぎない。

——あの音を聞くことができたなら……。

童謡詩「秋ノ聲」で、たか子が聞き、うたったあの不思議な音を自分もまた聞くことができたなら、事実を樹来静弥に告げることにしようと、思った。それができなかったら、すべては自分の胸に納めることにする。ふと、桂城真夜子の顔を思いうかべて、弓沢は苦いものを嚙み潰《つぶ》した気持ちになった。樹来たか子のことを教えてくれたのは彼女である。その卒論に必要な現地調査を自らかって出たのは、弓沢本人である。これは明らかな裏切り行為ではないのか。

——けれど！

と、弓沢は思いなおした。裏切りも桂城真夜子の軽蔑の眼差しも、自分一人が持っていってしまえば、それで済むことではないか。いまさら死後の汚名を恐れたところで、なんの意味もない。

弓沢は桂城真夜子に声にならない言葉で詫《わ》びた。

湯田に生まれ、日本のランボーと称された中原中也は、

『これがわたしのふるさとだ／さやかに風も吹いてゐる／ああ、おまへはなにをしてきたのだと／吹きくる風がわたしにいふ』

とうたった。

その彼が眠る墓地の近くに、樹来たか子が最期をむかえた家の跡地はあった。

弓沢征吾は、そこに立って風の声を聞いた。ほかには寂として、声もない。鳥の鳴き声も、虫の囁きも、流れる水の音さえしない。そこは完全に死を迎えた場所であった。

たか子が聞いたであろう、あの不思議な音はない。季節は合っているはずだというのに、この風景同様、音までも死に絶えたかのようである。

風が不意に頬をくすぐり、昨夜の浜尾竜一郎の声を運んできた。そんな気がした。

『たか子は自殺なんぞしとりません。あれは殺されたんですよ』

風景　1

——あなたの目にはなにが映っていますか。そしてなにが聞こえますか。

わたしがいるのは、自分の三畳間です。夕方、遊んで帰ってくると、母が泣いていました。玄関を入ってすぐのところにある台所に、座り込んだままの母親は、わたしを見るなり「ご飯は少し待ってね。良い子だから自分の部屋で、もう少し待っていてね」そう言って、菓子袋を渡してくれたのです。けれど、友達と山を駆け回ったわたしには、たったひと袋の菓子くらいではとても足りません。すぐに食べ終わってしまい、それでもしばらくは漫画など読んで過ごしていましたが、どうにも我慢ができなくなってしまったのです。

部屋に入ってしばらくして、竜おじさんがやってきたことは知っていました。そうです、時折漏れてくるおじさんの声は、なんだかいつもと違って聞こえました。だいたい、竜おじさんがこの家に来るのは初めてなんです。わたしが生まれて間もなく、お母さんはこの家に引っ越してきたそうです。それまではおじさんが借りてくれた、繁華街にある家に住んでいたそうです。ええ、今もばあちゃんが住んでいるあの家です。今まで、おじさんが一度もこの家に遊びにきてくれなかったのは、決してわたしや母さんを嫌っていたわけではないと思います。だっておじさんの家に遊びにゆくと、竜おじさんはいつもわたしを可愛がってくれましたし、バス停近くの玩具屋《おもちゃや》さんにいっては、抱えきれないほどの玩具を買ってくれるのですから。

母ですか？　母もまた竜おじさんを嫌っているわけではありません。わたしがおじさんの家に遊びにゆくことを止めるわけでもありませんし、ええときどきは電話で話をしているのも、聞いていますから。

けれど、今日のおじさんは変です。とても声が恐い。母の声もなにかに怯《おび》えているような、いつものまるで楽器のように澄んだ声ではありません。

「……を引き取りたいじゃと！　そんな馬鹿な話があってたまるか」

おじさんの大きな声で、家が震えました。わたしも思わず漫画の本を閉じ、耳を塞いだほどです。おじさんが怒っている理由はひとつしか考えられません。きっと、それは昨日届いた手紙のせいでしょう。母は、手紙の宛名の文字を見ただけで顔色を変えました。わたしにも、それが誰が書いたものかがすぐにわかりました。だって、家にはその人が書いた手紙やら、わけのわからない言葉を書きなぐったはり紙なんかが、今でも大切に取ってありますから。ええ、わたしは知っています。母が時折その手紙の束やはり紙の束を夜中に取り出しては、とても懐かしそうな顔で読み返しているのを見ていましたから。いつだったか、夜中に便所へ行くために起きたわたしは、母のその姿を見てしまいました。すると母は少しだけ狼狽した顔で、

「このことは、秘密よ。竜おじちゃんにも、ばあちゃんにも秘密よ」

と、まるで母とわたしの立場が逆転したような、悲しい顔で懇願するのです。もちろん、わたしはそれがどうして秘密であるか、知っています。それらは父の残したものだからです。その人が書く「樹」という字にはひどく癖があるのです。だれしも樹という文字には、天に向かって真っすぐに伸びてゆくイメージをもつでしょう。森林の巨木。天にのばされた祈り。ところがこの人が書く樹という字は、どこかがねじ曲がっていて、そうです、まるで盆栽の、人が手を掛けてわざと枝や幹を湾曲《わいしょう》させたようなイメージを受けるのです。そこには伸びやかさなど欠片《かけら》もなく、ひどく矮小で卑屈で、貧相な中年男の顔さえ想像されるほどです。

わたしは、父の顔を知りません。それどころか、わたしの周囲では、父のことを話すのは許されないようです。だって竜おじさんは、父のことを話すときには決まって「あのゴミ屑が！」と、とても不愉快な顔つきで言い捨てるほどですから。

おじさんの声がいっそう大きくなりました。

「おまえには黙っておったが、あのゴミ屑の行方については、およそのことは調べがついておる」

「ど、どうして！　あの人はどこにおるんですか」

「おまえには本当にすまんと思うちょる。じゃが、わしはあいつのことなど早く忘れて、おまえに幸せになってほしかった」

「どこです。あの人はどこにおるの。お願いじゃから教えてください」

「あの男は……関東の方面に暮らしておる。ナニが革命じゃ、ナニが共産主義じゃ。寝呆けたことを並べたておって。山口を飛びだし、まず関西に流れ、そこで一度警察のやっかいになってからは坂道を転がり落ちるような毎日じゃ。挙げ句には向こうで所帯の真似事まで」

そう言って、おじさんの声がはっととまりました。

「所帯の……真似事?」

母の声が、まるで氷のように悲しい響きを含んでいました。

「そうですか、あの人は都会で別の女の人と暮らしておるんですか」

「いや、もちろん籍は入っていない」

「それであの人、離婚の手続きを進めたいなんて、手紙に書いてきたのですねえ」

「どこまでが本気なのか、わかるものかや!」

母親の声に、疑問の響きが交じりました。

「でも……どうして? どうしてあの人が静弥のことを知っているの。わたしの妊娠がわかったのは、あの人が家を出てからのことなのに。それよりも、どうしてあの人がこの家の住所を知っているの。まさか伯父さん!」

今度は、竜おじさんが沈黙する番でした。

「教えて、伯父さん。もしかしたら伯父さんはずっとあの人と連絡を取っていたのではありませんか。でなければ、あの人の手紙がこの家に届くことなどないし、離婚の条件として、静弥の親権を渡せなどといってくるはずがないもの。そうなのですね。伯父さん！」

沈黙は、母の想像が正しいことを示す何よりの証拠です。

わたしには、話の断片からことのなりゆきが理解できました。いや、本当に理解できたのかな。そうではないかもしれません。だってわたしはたった四歳の子供なのですから。ああすると、こうして話をしているわたしは、どこにいるのだろう。こんなにもはっきりとした情景なのに、四歳のわたしと、話をしているわたしの間には、なんだか深い川が横たわるようだ。

けれど、たしかにわたしは父の理不尽な手紙の内容をすっかり理解していた気がするのです。あるいは、優しく、そして美しい母親の顔色を曇らせる、手紙の送り主に、単純に、けれど底知れない憎悪を抱いたのかもしれません。

母と竜おじさんとの会話がまだ続いています。

「それで、あいつはいつ来ると？」

「今夜。小郡に電車が着くのが夜の九時じゃそうです。それからこちらに向かうから十時すぎには」

「じゃが、あいつが静弥を引き取ったところでどうなる。あれは東京で女を作り、子までなしておるのじゃぞ」

「子供！」

「そうじゃ。じゃからわしは、あいつが親権を渡せなどとたわけたことを言うても、根っから信じておらん。どうせ親権を振りかざすことで、わしやおまえから、金でもせびり取るのが目的じゃろう。あやつは、変わった。わしの元におる間は、ちっとは見所のある奴じゃと可愛がってもやったが、今のあいつはまさに屑じゃ」

「そこまで、言わないでください。本当に優しい人なんです。でも少し弱いところがあって」

「そうやって甘やかしたおまえも悪い。しかしそれを責めることはすまい。ふん、もしかしたら重二郎は、ここへ帰ってくることを望んでおるのかもしれんな」

「で、でも、あの人には東京に家族があって、子供までいると」

「そこじゃ。おまえの察するとおり、わしは奴と何度か連絡を取っておる。静弥が生まれたときには報せてやり、もしもやり直すつもりがあるなら、これまでのことは水に流そうと、この家の住所も教えた。じゃが、奴はなんの連絡もよこさず、四年も経ってようやく手紙をよこしたと思ったら、離婚手続きに応じる、ただし静弥の親権を渡せなどと無理難題を書き連ねておる。

　もしや、あやつ。向こうでの生活に疲れたのかもしれんな。それでこちらが承諾するはずもない条件をつけ、呑めないならば仕方がないと、山口に戻る腹やもしれん」

「そんな、ひどい！」

「もしそうであるなら、どうするたか子」

母の声は聞こえません。けれどわたしは母が首を横に振ったことを気配で感じていました。

「そんなことは、許されません」

「やはり、あんな男は見限ってしまうたか」

「いいえ。今でも愛しています。できることなら戻ってもらいたいとも思っています。でもあの人が東京で新しい生活をしているのなら、それを毀《こわ》すことは、あの人本人にも許されない。過ちは一度で十分です。二度目は神もお許しになりません。あの人が山口に戻れば、向こうで泣く人ができてしまう」

「ならば、別れるか」

「はい」

「では、わしも立ち会おう。今夜十時だな」

「待ってください。私ひとりで会います。これは私と夫の問題です」

「しかし！」

わたしは知っていました。優しく、誰にでも惜しみない愛情を注ぐ母でしたが、それは決して人の言いなりになるということではないのです。自分でこうと決めたことは、たとえ恩義のあるおじさんの頼みでも翻すようなことはしない人です。だからこそ、わたしがこの世に生を受けることができたのですから。

「あの人と二人で話し合いたいのです。この土地を出てから、あの人がどんな暮らしをしていたのか。もしも変わってしまったというなら、どのように変わってしまったのか。ええ、もちろん静弥は渡しません。けれど、あの人が父親であることには変わりがないじゃありませんか。だからこそあんな権利を言い立てたのかもしれないじゃありませんか。それに理を尽くして話し合えば、わかってくれる人だと信じています」

「それはちがうぞ。たか子はあやつがどんな男であるか、わかってはいない」

わたしは、思わず笑いだしそうになっていました。だってそうでしょう、竜おじさんこそなにも知らないのです。母は、樹来重二郎がどのような男であるか、十分に知っているのですから。おじさんが人を使って父の行方を追い、現在どのような暮らしをしているかを調べたように、母もまた、まったく同じことをしていたのです。もう一年以上も前のことです。便箋何枚にもわたる、その報告書を読む母は、まるで別人のように恐い顔をしていました。恐い顔なのですが、ちっとも恐くないのです。むしろ怒りでさえも母の美しさを化粧する、道具でしかないかのようでした。母は報告書を投げ出し、小さな声で「わかりました。もうあきらめます。静弥は私が育てます」とつぶやいたのです。

それからです、母が変わったのは。周囲の人も、母が急に明るくなったのは別に好きな男ができたからではないか、などと噂していたようですが、そうではありません。母は今でも樹来重二郎を愛しているのです。しかしそれは現在の重二郎ではありません。

寝食をともにし、語り合った頃の樹来重二郎を愛しているのです。だから今でも、重二郎の残したものは、部屋のわからないところに大切に保管されています。

全部承知の上で、母は樹来重二郎に会おうとしているのです。

「お願いがあります。今夜静弥を一晩あずかってもらえませんか。子供の顔を見れば、理屈で解決する話がそうでなくなるかもしれません」

「わかった、そうしよう」

「夕飯のあとに、そちらにゆかせますから」

わたしは、本当は叫びたかった。いやだ、ここにいる、と。父親の顔を見たいと思ったわけではありません。またその膝に抱かれて、甘えてみたいと思ったわけでもないのです。逆です。わたしは父の顔を睨みつけて言ってやりたかった。誰があんたと一緒に暮らしてなどやるものか。それよりももう、母を泣かすのはやめろ。二度と母やわたしの前に現れないでくれ。

竜おじさんが帰ったようです。わたしが部屋から出てゆくと母は、古くさい造りの卓《ちゃ》袱台《ぶだい》に肘を突いてなにかを考えているようでした。

「ああ静弥、ごめんね。すぐに夕飯作るから」

「ちょっと出てくる」

わたしは、表に飛びだしました。

「だってもう、五時よ」

「ちょっとだけ。すぐに帰ってくるから」

わたしが向かったのは、自転車置場でした。そこから自転車をこいで友達の家に向かいます。

なんのために？

わかりません。

いま午後五時。母が亡くなる六時間前です。

第二章　無関係な死

1

　十月が早足で過ぎキャンパスが慌ただしくなるにつれて、真夜子の周辺にもさまざまな変化があらわれていた。他の学部と違って、文学部の就職戦線はこの時期からが本番となる。教職、学芸員、図書館司書といった公職もしくはそれに準じる職業に就くものは別として、文学部では多くの学生がマスコミをめざす。その人員募集と、試験の日程は、就職協定がなくなった現在でもやはり、一般に比べて遅い。他の学部の学生が、就職内定者と非内定者という明暗にくっきりと分かれてしまったこの時節でも尚、

「だから新聞社はもう駄目だって。めざすなら出版社よ」

「どうしてよ」

「ガイダンスに出ていなかったの？　ああしたところは夏休みのセミナーでほとんど募集人員を確保するの」

「だって、新聞に募集広告が」

「ま、ごく若干数は一般公募するけど。それこそ競争倍率ン万倍の世界よ」

こうした会話がしきりにかわされるのが、文学部キャンパスである。

だが、桂城真夜子は完全に蚊帳《かや》の外にいた。そんなはずではなかったが、精神のどこか一部に明らかに変調をきたしたようだ。

――卒論の提出日は十二月二十日だ。逆算すると、清書の時間を二週間と見て、十一月いっぱいにはデータをすべてまとめあげ、下書きが完成していなければならない。という焦りは日々訪れ、気持ちを急《せ》かせるのだが、その先にある卒業や就職といったものにたいしてまるで興味が湧かないのである。

かといって卒論の進捗《しんちょく》情況がめざましいわけでは決してない。すでに、樹来たか子についての資料のコピーはすべて取り終えている。彼女の作った童謡詩と、彼女が生まれ育った環境との分析も終わり、それらを比較して本文の下書きに入らなければならない。だが、ワープロの液晶画面は依然空白のままで、文字によって埋められる気配が、まるでない。毎朝目を覚まし、まず考えるのは樹来たか子についてである。すでに卒論を書くためという所期の目的さえ、希薄なものになっていた。

強いていうならば、熱病である。もしも「思念性ウイルス」などというものが存在するなら、真夜子はすでに重度の感染者であるにちがいない。樹来たか子という時空間を隔てた一人の女性の生涯と、その作品とが、なにか得体の知れない存在感をもって、自分の体のそこここに棲みついてしまったようだ。

今や書きたい自分、書かなければならない自分、書けない自分が三竦《すく》みとなって桂城真夜子という人間を形成していた。にもかかわらず、「なぜ？」という疑問は欠片ほども、ない。ただ考えていたいのだ、樹来たか子の生涯について。そして折に触れて読んでいたかった、彼女の作品を。そうして流れる時間だけが、ひどく優雅で、高貴なものに思えた。

昨日しばらくぶりに会った友人が、真夜子の顔を見るなり「大丈夫？　調子悪いんじゃないの」と聞いた。声には、日常儀礼とはかけ離れた、明らかに真剣に真夜子の身を案じる響きがあった。毎朝鏡に映す自分の顔は、ひどくやつれて見える。

「大丈夫。少し卒論でまいっているけれど」

「卒論って。あなたまだそんなことを？　他のみんなはとっくに提出しちゃってるのに」

「期限は十二月でしょう」

「うちの学部は就職状況が特殊でしょう。ああ、そうか。真夜子は先に就職活動をしてたの」

「ううん、ぜんぜん」

真夜子は、そう言って婉然《えんぜん》と笑える自分が、どこかおかしかった。

「あの、真夜子。真夜子ってば、少し雰囲気が変わったみたい」

「そうかな、自分では気が付かないけれど」

友人と別れて数歩歩くと、今度は本当におかしさがこみあげてきた。おかしくておかしくて、その場で腹を抱えたまま寝転がってしまいそうなほど、気分が高揚してきた。

――わたしは就職活動を何もしていない。ついでにいえば卒論だってなにも進んではいない。なにもない、なにもない、なにもない。けれど、わたしはこんなにも幸せだ。

その高揚感が、二十四時間以上すぎた今でも続いている。日々資料に向かい、机で打つことのないキーボードに向かう時間を重ねるうちに、体力と体重は大きく削ぎ落とされている。けれどそれを補って余りあるものの正体が、この高揚感である。熱病に浮かされるようだと思ったこともあるが、むしろ外部から摂取したものによる、中毒症状かもしれない。外部から摂取したもの、とはすなわち樹来たか子の作った童謡詩であり、彼女の人生である。最初、優しさで真夜子を魅了したたか子の詩には、もっと別の要素が隠されているのかとも、思った。

――そういえば、殿村さんが同じようなことを言っていなかったか。

卒論のための資料ノートを広げた。いちばん最後のページに大きく、

『なぜ、たか子は詩作を再開しなかったのか』

とある。卒論を書きはじめられない理由が、これであった。単純に「たか子が出奔《しゅっぽん》した夫の重二郎を愛していたからだ。その愛に応えるということは、詩作を禁じた重二郎に従うことである」という結論では、片付けることができなかった。樹来《けう》たか子という女性は、誰からも愛され、その優しさと感性をそのまま文字に変換できる希有な才能を

有していたことは、間違いない。だが、それだけではないと頻《しき》りに囁く自分がいた。

愛とは、決して砂糖菓子のような感情を表現するための言葉ではない。夫に出奔され、直後に妊娠が発覚。姪の将来を真剣に考えるゆえに堕胎を勧める伯父の意向に逆らってまで愛児を出産し、庇護者である彼の元から出ていったたか子。そこには恐ろしいまでの精神の強さがある。たか子の愛とは、時に戦闘的でさえある。

また、卒業論文という性格の文章を書くのに、結論を「愛」という形のないものに求めることが、いかにもご都合主義に思えなくもなかった。彼女に関する資料は、あまりに少ない。けれど、そのことが、その人生までも薄っぺらなものにしてしまうということではない。むしろ短い生涯に残したいくつかの詩篇と、彼女が歩んだ道とが、もっと濃密なものを印象付けている。

なぜ、夫が出奔したのちにたか子は詩作を再開しなかったのか。その答えが見つかったときに、はじめて自分の指はワープロを叩きはじめることだろう。しかも、

——それは、さほど先のことではない。

という、予感めいた自信があった。

やはり、樹来静弥に会う必要がある。

問題は、どうやって機会を作るか、である。せっかく与えられた「奇跡」を、見逃してはならなかった。

樹来たか子の遺児である静弥が、この遠誉野にいることを知ったのはずいぶん前のこ

とである。それは小さな偶然から始まった。たまたま部屋へ遊びにきていた放射線学科の友人が、真夜子の机のうえに広げてあった、卒論用の資料ノートをのぞき見たのである。


「へえ、これもしかしたら『きらい』と読むの？」

「そうだけど……よく読めたわね」

「まあね。あらこの人も山口県なんだ。多いのかな、あちらは」

その言葉に、真夜子は反応した。すでにいくつか読み込んだ資料のなかに、樹来たか子の友人の証言があった。その中のひとつに「ええ、たか子さんのことはよく覚えています。なにせここらでは聞いたこともない名字ですから。なんでもご主人が別の地方の方らしいですね」と、あった。

「どうしてそんなことをいうの。山口でも珍しい名字だって、聞いたけど」

「そうなんだ。じゃあ偶然だわ。うちの病院に、同じ姓の患者さんがいるのよ」

「同じ姓？　なんという人」

「ごめん、明かせないんだ。そのテの病気に冒されてて、ううん、術後の経過はいいらしいけれど、こうしたことに対して上がうるさいのよ」

放射線学科の友人が知っているということは、悪性腫瘍の患者であることは容易に想像がついた。尚《なお》も食い下がって、真夜子は患者の名前が静弥であること、関東方面に親戚筋が誰もいないこともあって病院側が、唯一の親戚である人間が出身地の山口県にいることなどを、手術前に確認したことを聞き出した。間違いはなかった。樹来静弥という名前で山口県出身となれば、たか子の遺児以外に考えられなかった。

さらに執刀医が医学部の櫟教授であることを聞きだしたまではよかったが、そこから暗礁に乗り上げてしまった。研究室を訪ねたが、櫟は樹来静弥について、なんの情報も教えてくれなかった。

「医者には守秘義務があるから」

櫟の返事は、なにをどう説明しても同じであった。たとえ卒論のためであり、決して興味本位で樹来たか子のことを調べているのではないといったところで、壮年の教授の表情も、態度も、返事も、なにひとつ変えることができなかったのである。

諦《あきら》めかけたところに、奇跡はもう一度起きた。

櫟の研究室を出て、帰ろうとしたところで「樹来さん」という呼び声を聞いたのである。そこに看護婦と、背広姿の男が立っていた。さまざまな資料のなかに、たった一枚掲載されていた、樹来たか子の二十歳の頃の写真と、男の顔のラインがたちどころに一致した。

桂城真夜子は、生まれてはじめて人を尾行した。そうして確かめたのが、樹来静弥の勤め先であった。

——中学校の教師……。

樹来静弥は半年ほど前に、腫瘍を取りのぞく手術をしたという。術後の経過は良いと、友人は言っていたが、半年経ってもなお予後治療が行なわれているということは、体はまだ完全復調していないということではないか。そのような人物に、いきなり死んだ母親の話を聞いて良いものか。まして、樹来たか子は自殺している。体調不良で心が弱くなっているところへもってきて、嬉々として話したい内容ではないはずだ。

結局のところ、真夜子は自分の知識欲を優先した。

——おかしいな。わたしはこんなにも思慮のない人間だっただろうか。

そう囁く自分がいたこともたしかだが、何度か「わたしは静弥に会わねばならない」と口に出すうちに、次第に小さくなって、消えてしまったようだ。

夕方、校門の前で待ち構えて、偶然のふりをするか。すでに病院で一度、校門前で一度会っているから、偶然を装って話の端緒を切り開くことはむつかしくはない。その時生徒の一人でもやってきて、「樹来先生！」とでも呼んでくれたなら、自分はさも驚いたような表情を作って「樹来というのですか」ぐらいの台詞《せりふ》をいえるにちがいない。

そんなことを考えているところへ、電話の呼び出し音がけたたましく鳴った。「はい、桂城です」と応答する前に、相手が息を切らした声で、

「殿村です！　さきほど弓沢氏から電話があって」

「弓沢さん、どうかなされたのですか」

弓沢征吾からは、山口から一通の手紙を受け取って以来、音信がない。彼は手紙のなかで自分が末期癌に冒されていることを語り、「秋ノ聲」に書かれた不思議な擬音の正

体を探ると書いたまま、その後なんの連絡もよこしてくれなかったのだ。

殿村と初めて会った日、二人の会話に弓沢征吾は思い詰めた表情で、強引に割り込んできた。たか子のことを教えてほしいと請い、

「失礼ですが桂城さん。あなたは学生だから山口県まで行って樹来たか子のことを調べるのは無理でしょう。どうかわたしに協力をさせてください。いえ、気にすることはありません。半分はわたしの興味なのですから」

と言ってくれた。が、真夜子自身、それほど彼の調査結果をあてにしていたわけではなかった。この童謡詩人を研究テーマに選び、その予備調査を行なった段階ですでに、彼女についての資料がいかに少ないかは、わかっていた。死亡記事は、地方新聞の東京支社を通じて手に入れていたし、あとはせいぜい生家や、亡くなるまで住んでいた家の跡地の写真を撮れるくらいであろうと、高を括《くく》っていたのだ。何度かたか子の伯父に話を聞きたいと手紙を出したが、梨のつぶてであった。もっとも、あまり生前を知る人の話を中心にしたのでは、作品論にならない。たとえそれが的外れであっても、論理的に展開されていなければならないというのが、近年の評論の立場の主流である。

それに、弓沢が執着した擬音に、真夜子はあまり興味がなかった。だから彼がいつこちらに戻ってきたのかも知らないし、あのまま連絡がなくとも困ることはなかった。

「真夜子さん、聞いていますか」

殿村の声が、どこか苛立って聞こえた。

「すみません。考え事をしていたんです」

「弓沢さんが倒れたそうですよ。病院にいるそうです」

「どうしてそれを殿村さんが……ああそうか」

弓沢が山口に旅立つ前に、真夜子は自分のアパートの住所を彼に伝えた。電話番号も教えようとすると、弓沢のほうから「若い女性が簡単に電話番号など教えるものではない」と、断ったのだ。仕方がないから殿村に電話番号を教え、殿村が弓沢に自宅の電話番号を教えて、なにかあったら連絡が取れるようにしておいたのである。

「かなり、良くないようです」

「かなりというと……」

そこから先の言葉を聞くのが、恐かった。恐いようで、そのもっと深いところに絶望的な言葉を待ち受ける自分が、ちらりとのぞいたような気がした。

「意識は比較的しっかりしてるようです。本人から連絡がありましたから。とにかく、彼はあなたに会いたがっています」

「どうして、わたしに？」

「なにか、渡したいものがあるようですよ。絶対にあなたでなければならないと」

――弓沢征吾が、わたしに渡したがっているもの。

もちろん、樹来たか子に関するものにちがいない。我知らず真夜子は、

「行きます、すぐに！」

大きな声をあげていた。

人はわずかな時間で、ここまで変貌《へんぼう》できるものだろうか。それが、病室で弓沢征吾を見た最初の印象だった。頬のやつればかりでなく、筋肉も骨格も、およそ人が生き得る最低限の質量を残して、弓沢征吾の体は枯れはてていた。

「やあ」と、病室に入った真夜子を認めるなり、点滴の打たれた腕をかばうように、ベッドサイドのスイッチに手を延ばし、弓沢はベッドごと身を起こした。

病室には担当医の櫟と助手の女性がいたが、殿村と真夜子が病室に入るのと入れ代わりに出ていった。その行動だけで、すでに弓沢のからだが手の施しようのない状態であることが知れる。

「済みませんな。こんなにもみっともないところをお見せして」

そういう弓沢は、明らかに生と死の狭間《はざま》に立つ、すでに人ではなくなりつつあるなにかの生物である。その腕はどこまでも細く、第三者が触れることさえ許されない気配がある。

けれど、

——美しい。

のである。人が死に近付くとは、かほど気高く美しいものであると、真夜子は初めて知った。日本の近代化を精神面から読み解くと、それはいかに生きているものを死者から遠ざけるかの作業であるそうだ。身近な死は病院という隔離された場所に隠し、遥か遠いところでの死は、活字や画面といった、視覚以外のすべての感覚を隠蔽《いんぺい》したところに押し込める。近代化とともに、人は死の感覚を忘れてしまった。そこに歪みがあると、教えてくれたのは殿村である。そして弓沢はこうして、死の感覚を実体験させてくれている。

一瞬にして、真夜子は樹来たか子の童謡詩の本質に触れたことを感じた。

——たか子の童謡詩には、ひどく透明な死の感覚がある。

「お分かりになりましたか」

弓沢が、残された体力を振り絞るように笑う。彼もまた、真夜子の思考をそっくりなぞることができるようだ。

「はい。はっきりと」

「それはよかった」

殿村が横にいるにもかかわらず、二人は自分たちにだけ理解しうる世界での会話を続けた。もっとも殿村はそれに苛立って割り込むような人物ではない。

「わたしもね。こんな体になってようやく理解できた気がしますよ。苦痛さえきれいに除去できるなら、人が死に向かう過程は特別に恐ろしいものでも、悲しいものでもないらしい。死が実感できないわけではない。たしかに目の前にゲートが見えるんです。自分がそこに近付いていることも実感できる。たぶんね……」

「樹来たか子という人は、死者の側から作品を書いたのですね」

「ええ、たぶん」

別に厭世《えんせい》家であったわけではないだろう。しかし、彼女の希有な才能とは、実は死者の側の感性で生者の世界をうたうことのできる能力だったのである。だからこそあれほど優しく、透明な言葉を紡ぐことができたのか。

その時になって、殿村が口を開いた。

「初めてあなたにお会いしたとき、樹来たか子という詩人のことをお話ししましたね。その時でしたか、たか子の宗教的なサムワンについて……」

まさに、彼女は生まれついての宗教家ではなかったか。いくつかの研究レポートでは、彼女の宗教的な背景は法華宗であると書かれている。たか子自身熱心な法華信者で、幼いときにはよく、檀那寺に出かけて説話に耳を傾けたというエピソードも残されている。

「もしかしたら彼女は、まったく異質の宗教を背負っていたのかもしれませんなあ」

「まったく異質の？」

「あくまでも仮説にすぎませんが。ひどく古くて、不完全な形のキリスト教とか」

「そんなものがあるんですか？」

「ええ、今でも東北にはその痕跡がいくつもあります。いわゆる隠れキリシタンですな」

殿村の思わぬ言葉に、真夜子も弓沢も言葉を失った。

「たとえば長崎県で起きた島原の乱ですが」

「ちょっと待ってください。あまりに話が唐突すぎて」

「だからわたしの仮説です。彼女の童謡詩、ことに初期の作品を読むと、彼女がひそかに憧れていたものの正体が、おぼろげながら見えてくるのですよ」

「それが、島原の乱と？」

　殿村がうなずいた。

「島原の乱については、さまざまな研究がなされています。一般的にはキリスト教を背骨とした、宗教一揆であるという説が有力ですが。が、中には変わった説もあります。彼らがめざしたものは独立した宗教国家などではなく、『ぱらいそ』そのものではなかったかという」

「天国のことですか」

「ええ、つまりあれは数万人の信者による、集団殉教事件であるという説ですよ」

「つまり自ら一揆、というよりも幕府への反乱を企て、誅《ちゅう》されることで殉教者となるということですか」

「飢饉、凶作、容赦《ようしゃ》ない年貢の取り立てなど、当時の農民を取り巻く環境は決して楽ではなかった。こんなつらい世界で生きるよりもみんなで天国をめざそうと考えても、無理はない気がしますね。もちろん、どんなに形を変えてもキリスト教のピュアな形に、そのような教えはありません。ところが日本に伝来し、禁止され、既存の仏教と結びつくことで隠れキリシタンなどというものを生みだした結果、本来の教えに歪みが生じた。そしてその歪んだ教えはさらに変形を続け、明治の中ごろまではたしかに日本の各地に存在していたのですよ」

　真夜子には、ようやく殿村のいわんとするところがわかりかけてきた。

「つまり、樹来たか子は殉教者をめざしていた？」

「かもしれないというだけの、仮説です」

　ただね、と言い置いて、殿村はセカンドバッグから小さなポケットノートを取り出した。

「わたしもたか子のことが気になって、少し調べてみたのですよ。詩作を始めたばかりの頃の作品に気になるものがいくつかありました」

　そう言って、殿村が読みはじめた詩は、真夜子にも聞き覚えのあるものだった。

「どこかで聞いたことのある言葉だなとは思っていたんですが、今やっとわかりました。これは聖歌の一部が変形されたものではありませんか」

「あっ、するとやはりキリスト教が変形されて」

「深く調べるまでもないことですが、山口市は安土桃山時代に、イスパニア人伝道師フランシスコ・ザビエルによって、日本で最初のキリスト教会が設立された地です。のちにキリスト教が禁教となり、教会がなくなったとしても」

「教えは残った。しかも歪められた形で」

「もちろん、明治以降はキリスト教は解禁となり、多くの伝道師たちがやってきて正しい形でのキリスト教が布教されます。けれど変形があまりにひどく、本人たちでさえ元がキリスト教であるかどうかわからなくなっているような宗教があったとは、考えられませんか」

いったい、この殿村という老人の脳細胞は、どんな仕組みになっているのか。いくつかの事例と童謡詩をあげただけで、幻の詩人の精神的な背骨を読み取るというのは、ただ事ではない。あくまでも仮説であると殿村はいうが、真夜子はそれが正鵠《せいこく》を射ていると、確信に近いものを感じた。樹来たか子は、殉教者の心で童謡詩を作っていた。それがやがて「秋ノ聲」のような境地にいたったのはなぜか。そこにはやはり重二郎との結婚があるのだろう。殉教者から、ごく普通の人としての人生を歩む選択をしたのである。重二郎によって詩作を禁じられるまで、彼女はその喜びに満ちた日々と自然とをうたうようになる。つまり樹来たか子はそのおかれた情況に応じて自分の詩作を変化させ続けた詩人でもあったのだ。

――だったらなぜ、夫の出奔後に詩作を再開しない？

再び問題はそこに戻った。

「しかし彼女の精神の根底に、キリスト教精神があるとすると」

その時、殿村の声をさえぎるように弓沢が苦しげな声を吐き出した。

「すみません、わたしにはあまり時間が」

その言葉を聞いて真夜子は自分の無神経さに腹が立った。

「ほんとうにすみません。たか子がどうして重二郎氏の出奔後、詩作を再開しなかったのかが、どうしても気になってしまって。今もそのことを考えていたんです」

すると、弓沢の、いつ死の淵に沈んでもおかしくないほどの顔色に、一瞬、朱が戻った。そして息を荒らげながらも「ああ良かった」とつぶやいた。

「良かった、あなたがそれを考えてくれて」

弓沢の言わんとするところが、よくわからなかった。

「あなたに……お渡ししたいものがあります。わたしからではありません」

そう言って、ベッドサイドに置いたノートから、片手でコピーの束を取り出した。その腕の細さはさきほど美しいと思ったことが嘘であるかのように、今は痛々しく見える。そのために、同じベッドサイドに『造園技術総論』という専門書が置かれていて、訝《いぶか》しく思ったのだがすぐにそれを忘れてしまったほどだ。

コピーは、どうやらなにかの手帳を複写したものであるらしかった。細いなりに、しっかりと腰の座った文字がびっしりと並んでいる。

「わたしはね、樹来たか子の伯父上にお会いしたのですよ」

「えっ、まさか！　だってわたしも何度か手紙をさしあげましたが、なんの返事もいただけなくて」

「幸運が重なったのですよ。神様も、さすがに余命いくばくもない爺いに同情したのでしょうよ」

「するとこれは……」

「これまで、どこにも公表されることがなかったたか子のメモです」

真夜子の心臓が、高鳴りはじめた。首のすぐ近くの脈動が、目の奥にまで響くようだ。

「これが、たか子に関する未公開資料！」

「それをお読みになれば、さきほどの答えも出るはずです。いいや、ここで読まなくて結構。あとでゆっくりと検討してみてください」

「いいんですか！　こんな貴重なものを。それに卒論で公開しても」

「浜尾竜一郎氏が言っておられました。ちょうど県議会が重なってあなたに不調法な真似をしてしまったが、あなたのような人に、たか子のことを知っておいてもらうのはいいことだ、と。かわいそうな死に方をした姪のことを、浜尾氏は今でも思い出すことがあるそうです」

一九七二年十一月五日、深夜から早朝にかけて。樹来たか子は自分の胸を小刀で突いて自殺する。その日、彼女の元を去った夫の重二郎が、離婚の手続きをするために家を訪れることになっていた。重二郎は山口を出奔してから全国を流れ、その頃は東京近辺で日雇いの仕事をしていたという。そんな彼から、突然手紙が送られてきて、離婚の手続きをすすめたいという。ついては父親として、長男静弥の親権をすみやかに渡してほしいというものであった。

たか子は錯乱状態に陥った。どうして静弥のことを重二郎が知っているのか。どうやら伯父の浜尾竜一郎は、以前から重二郎と連絡を取っていたものらしかった。彼としては、重二郎が一刻も早く妻子の元に戻り、幸せになってほしいという、願いがあったからこその行為だったろう。しかしすべては裏目に出てしまった。

その夜。たか子は静弥を浜尾竜一郎の元に預けて、ひとりで重二郎を待っていたらしい。しかし約束の時間になっても、重二郎は現れない。次第に彼女の心の中には不安と、憤りと、焦りとが浮かんできたことだろう。

現代でこそ、子供の親権については母親の側に強く認められている。しかし当時、立場は逆であった。父親がどうしてもと望めば、たか子は静弥を手放さなければならない。だが、家族を捨てて出奔した父親に、果たして子供が育てられるものだろうか。静弥の将来と、夫の身勝手さの狭間《はざま》でたか子は錯乱してしまった。数少ない研究レポートはこう語る。

『その自殺は発作的なものであっただろう。なぜなら彼女が死ぬことによって、静弥が受け取るメリットはなにもないのだから。母親が死ねば、親権は自動的に父親に渡る。あるいは自分の死と引き替えにして、静弥の養育は母親と伯父とに任せるよう、訴えたかったのかもしれない。ならば、彼女はせめて遺書を残すべきであった。

いずれにせよ、不世出の童謡詩人は、無言のうちに死んだ。死後、その愛児が伯父等によって育てられたことだけが、唯一の救いというべきか』

ここで不審に思う人は多いだろう。なぜ、静弥は祖母と大伯父によって養育されたのか。

たか子が死んだのだから、重二郎は事前に出した手紙どおり、親権を得ることができる。なぜそうしなかったのか。そこにたか子の死を彩る、哀れさの正体がある。

樹来たか子が自殺した夜、結局重二郎は現れなかったのである。そればかりではない、それ以後も重二郎は山口を訪れてはいない。

弓沢が、掠《かす》れた声で、

「つまりは、親権を要求することで嫌がらせをはかり、竜一郎氏から金を引きだすのが目的ではなかったかと」

「浜尾氏が、そう言われたのですか」

「ええ。だから、約束の夜も最初から来る気などなかったのだろうと」

「ひどい男ですね。たか子が死んだことを知り、金蔓《かねづる》が消えたとなると、連絡もよこさなくなる」

「今も浜尾氏は、重二郎のことを『人の屑』と、呼んでいましたよ」

「二十五年以上経っても、まだ怒りは解けないんですね」

「当然かもしれません。そんな屑のために、希有な才能が消えてしまった。真夜子さん、あなたは卒論を書かねばなりません。当然ながら、彼女の死についても記述することでしょう。けれど、私はあなたがあまり彼女の死に触れないことを望みます。その死は哀れで、しかも愚かでさえある。できうるならば彼女の作品世界だけを通じ、その人となりを語ってほしい。その未公開のコピーがあれば、できますね」

真夜子は思わず、うなずいていた。

「良かった。そのことを確認できただけで、私の山口への旅は報われる」

そう言って、目を瞑《つむ》ろうとする弓沢に、真夜子は問い掛けた。

「お手紙のなかで、たか子の詩に書かれた〈音〉を探すとおっしゃっていましたね。見つかったのですか。『秋ノ聲』の、音は」

弓沢は、もはや求めるものはないといった穏やかな顔で「いいえ」と首を振った。

「結局は、わかりませんでした。いや、それでもかまわないのですよ。謎はすべて私が向こうにもってゆきます」

「弓沢さん」

「もうお帰りください。きっとお会いできるのはこれが最後でしょう。私も、醜い姿を妙齢の女性にさらすのは忍びない。どうか、見舞いもご無用に」

その言葉と同時に、病室に櫟教授と助手らしい女性医師が入ってきた。

「もうよろしいですか、弓沢さん。あまり長い面会は、体に響きますが」

「先生。ありがとうございます、ええ、もう話すことはすべて、渡すものもすべて、渡し終えました」

櫟が、弓沢の腕をまくりはじめたのを境に、真夜子と殿村は席を立った。

「これ、たしかにお預かりしました。たか子の最後のメッセージは、かならず」

「お願いしますよ」

お大事に、という言葉ほどこの場にそぐわないものはない。弓沢にはすでに死期が迫っている。それはもう病室のすぐ近くにまで聞こえる、足音である。

「良かった、最後にたか子の詩に触れることができて。心残りは、彼女の遺児に会えなかったことだけ、か。どうしても会いたかったのだが」

それが、真夜子が弓沢の声を聞いた最後の瞬間だった。

翌日。テレビのニュースで真夜子は、弓沢が殺害されたことを知った。病室ではない、なぜかパジャマのまま、そのうえに簡単な上着を羽織った姿で、駅の裏手の児童公園で発見されたのである。

刺殺であった。

2

遠誉野署に、殺人事件の第一報が入ったのは十一月八日、午前二時だった。

「殺人事件発生。被害者はパジャマ姿の初老の男性。腹部および胸部から大量の血を流しており、すでに死亡を確認。捜査員は、すぐに現場の遠誉野駅北口、三丁目児童公園に急行されたし」

洲内一馬《すのうちかずま》は、その報せを受けてちっと舌打ちした。一馬が夜勤のときに限って事件が起きる。どうも最近、そうとしか思えないほど忙しい。遠誉野は、小さな都市である。だからといって、事件と無関係な平和な田舎町であるわけではない。大学があり、新興住宅地があり、首都圏から流入する人口がふえるにつれて、犯罪はより都市型に近くなる。

「急ぎましょうよ。鑑識はもう飛び出していきましたよ」

相棒警察官の佐々本が、焦れたように言った。

「楽しそうだな」

「久々の大きな事件ですから」

その言葉を不謹慎だとは思わなかった。若い警察官ならば、だれしも抱く本音である。どうせ関わるなら大きな事件がいい。かといって大きすぎると、本社（警視庁）が乗り出してきかねない。その兼ね合いのなかで、個人の殺人事件はもっとも大きなものではないか。

「洲内さんは、嬉しくないんですか」

「それほど若くないからな」

佐々本は、机の引き出しから警察手帳を取り出して、ポケットに収めた。

「これも昔は皮張りだったそうですね。いいなあ、重厚感があって」

現在の警察手帳はビニール張りである。そのほうが耐久性があり、水にも強いからだが、現場職の反感は強いと聞く。

——どちらでもいい。

自分には、どうやらそうしたことを気にする感情が欠落しているようだ。署を出て、覆面パトカーに乗り込んでも、佐々本の話は続いた。遠誉野駅まではわずかな距離だ。それでも、口数の多い佐々本の話の相手をするのは苦痛であった。

「こないだなんか中年の夫人に警察手帳の提示を求められて、実物を見せたら、『これ、玩具《おもちゃ》じゃないの？　あなた本物の刑事さん』ですって」

洲内は、静かにキレた。

「黙っていろ。現場で無駄口をたたいたらひっぱたくぞ」

「はっ、はい。すみません」

こうした一言が、自分への尊敬と信頼につながることを計算し尽くしたうえでの言葉である。

警察官の仕事が好きか嫌いかと尋ねられたら、たぶん自分は「嫌い」と答えるに違いないと洲内は思う。

——だったら、どうしてこんな仕事に就いてしまったのだろう。

手短に言えば、楽しいからだ。楽しくて嫌いというのは、矛盾しているかもしれない。けれど事実である。洲内一馬がなによりも愛するのは、犯人を追い詰める作業だ。追い詰め、狼狽《ろうばい》する犯人の顔を見る瞬間である。参考人として容疑者の家族を呼び、正義の旗を振るふりをして、じわじわといたぶるときにこそ、洲内は最高の歓喜を得る。

同時に、殺意にも似た自己嫌悪を抱いてしまう。

洲内のように三十歳近くなっても、独身の警察官は珍しい。普通なら上司、先輩が競うように縁談をもちかけ、縦型社会独特の強制によって、二十代で家庭をもつのが常識とされている。現実に、「家庭を持ってこそ一人前」と平然と口にして、洲内に結婚を勧める上司は少なくない。たとえ、どれほど邪《よこしま》で、ねじ曲がった精神を持っていたとしても、遠誉野署内で洲内は抜群の検挙率を誇る。勤務態度には非の打ち所がなく、現場職にありがちなダークサイドとの付き合いも皆無である。それでも結婚に踏み切れないのは――というよりはまるでする気がないのだが――自分の内にこそ、他のなにをも凌《しの》ぐ暗い一面を抱えていることを洲内が知っているからである。この血筋が、新たに続くことを考えただけで、たまらない気持ちになった。

性欲はあるから、セックスフレンドは確保している。彼女には「公務員」であると告げているものの、警察官であることは伏せてある。

「言う必要もないことだ」と、小声で言ったつもりが、佐々本は聞き逃さなかったようだ。

「なにがですか」

「独り言だ、気にするな。その通りを右に折れるんだ。すると現場までは一本道だ」

午後になって第一回目の捜査会議が開かれた。夜のうちに遺体は監察医の元に運ばれ、今頃解剖が行なわれているはずである。第一回目の捜査会議の目的は、いうなれば初動捜査のフォーマットづくりである。午前中に周囲の大雑把な聞き込み捜査が行なわれている。これから被害者の特定、地取り捜査の区分けなどが行なわれることで、フォーマットが決まるのである。

上層部が集まる前に、関係署員は会議室にいなければならない。煙草をくわえると、すっと横から火が差し出された。

「あまり、上はやる気がないみたいですよ」

ライターをしまいながら、佐々本がささやいた。応えないでいると、

「すぐに、被害者の身元は割れたそうです。着ていたパジャマが彩京大学の大学病院のものでした。昨夜のうちに行方不明の届けが地元派出所に出されていたそうですから」

佐々本はまるでとてつもないジョークを聞いたばかりのように顔の筋肉を弛緩《しかん》させ

「おまけに」とだけ言って、ついに吹き出した。

「被害者ですが、末期癌の患者だったようです。歩いて病院を抜け出したのが不思議なほど進行していて、あと数日も生きれたらラッキーという状態だったそうですよ。馬鹿な犯人ですよね」

「生きれたら」ではなく「生きられたら」だろうと思ったが、口にはしなかった。

「どうして、末期癌の患者が病院を抜け出した？」

そう聞いたところで、捜査会議が始まった。
＊被害者の氏名は弓沢征吾（六十一歳）。元会社員で、現在は無職。
＊事件当日の午後八時まで、彩京大学医学部付属病院に入院していたことが確認されている。病名は肝臓癌で、末期症状にあった。
＊死亡原因は、腹部を三箇所、鋭利な畳針状のもので刺されたことによる失血死、もしくはショック死。死亡推定時刻は十一月七日午後十時前後と見られる。
＊周囲に争った痕跡はあまりなかった。血痕の飛び散り具合などは、現在調査中。
＊死亡当時の服装がパジャマに上着であったことから考えて、弓沢は病院をひそかに抜け出したらしい。そのことは、弓沢が消えたことを確信した病院側が、ただちに地元派出所に連絡を取っていることからも確認されている。
＊病院から遠誉野駅まではタクシーを利用している。タクシーからおりた被害者の姿が、遠誉野駅の駅員によって目撃されている。
＊所持品はなし。タクシーを利用していることから、財布のようなものを持っていたと考えられるが、現場周辺にそれらしいものは発見できなかった。
以上のようなことがそれぞれ説明され、初動捜査の班分けなどが行なわれて会議は終わった。

「洲内さん、やはりモノ盗りですかね」

「まだわからんよ。初動捜査で先入観を持つことは危険だと、学校で教わらなかったのか」

「ですが」

「被害者には身寄りがないようだ。自宅周辺の聞き込みに回るぞ」

「なにかわかるでしょうか」

洲内は、佐々本の言葉にうんざりとした気分になった。

「それがわかったら、初動捜査など必要ないだろう」

なるべく早くこいつを単独の聞き込みに回し、上司にはあとで文句を言われるだろうが、ひとりで捜査をしようと、洲内は思った。なぜ、末期の癌患者を殺害しなければならなかったのか。現場に争ったあとが少ないことから、被害者と加害者の間で長いやりとりはなかったはずだ。いきなり犯人は、弓沢征吾の腹部を刺したことになる。

――なによりも。

なぜ弓沢征吾は、末期癌の体をおして病院を抜け出さなければならなかったのか。それぞれが独立した理由を持っていて、遠誉野駅の裏の児童公園という一点でそれらが集約され、弓沢の死で終わっただけのことかもしれない。

だが、洲内一馬はそうでないと感じていた。こんなおもしろそうな事件は、ひとりで捜査するに限る。おいしい料理は、陰で賞味してこそ、本当の意味で味がわかるのである。

自分が正義であると考えたことなど、洲内は一度としてない。いうなればこれは仕事というよりは狩りのようなものである。そこでは正義感など無駄な異物であるし、結果として洲内一馬は署内でもっとも優秀な警察官の称号をもつことになる。それは市民にとっても、平和な生活を守る優秀なガードマンがいるという意味で喜ばしいことだろう。今のところ、すべてがうまくいっている。ただひとつ、洲内が犯罪者ばかりか、犯罪そのものさえも憎んでいないことが問題ではあるが、

——そんなことは俺のメンタルの問題だ。誰にも文句など言わせない。

という思いが、深いところにあった。

十一月十五日。洲内は佐々本と弓沢征吾の告別式に出掛けた。

「立派なものですねえ。癌で死んだのではこうはいかない」

佐々本が、無遠慮に言った。口を慎めといおうとしたが、同じ思いが洲内にもあるのでやめた。個人としては、異例なほど大がかりで、しかしその割に参列者の姿がほとんどないことが、かえって雰囲気を気まずいものにしていた。

「東京の遠い親戚が、葬儀を取り仕切っているそうです」

「現金なものだな」

「そりゃあ、実入りも大きいですからね」

癌で死んだのではこうはいかない。弓沢征吾は、いくつかの生命保険に入っていたが、医療特約である癌保障には、入っていなかったのだ。だから、あのまま入院先で息を引

き取ったところで、保険会社から支払われるのは、わずかばかりの死亡見舞い金だけである。ところが、殺害されたことで情況は一変した。事故特約が機能することで、額面六千万円の保険は、二倍以上の価値をもつようになってしまったのである。そして、弓沢征吾には子供がいない。彼が住んでいた自宅マンションを含め、一億円以上の資産すべてが、遠縁の誰かに贈られるビッグプレゼントとなった。いわば、葬儀を取り仕切っているのは、その幸運の恩恵を受けるものたちである。

保険のことは、昨日、当の保険会社から遠誉野署に連絡があった。第三者に被害者が殺人依頼を行なった、いわゆる間接的な自殺ではないのかというのが、彼らの意見である。あるいは希望的観測といっても良い。もちろん、可能性をすべて否定することなどできない。しかし、大きな問題があった。弓沢征吾には遺産を残すべき相手がいないのだ。妻を亡くして以後、保険の受取人は一応親戚に変更しているが、深い親交があったというわけではないようだ。ほとんど便宜上のことであった。

保険会社には面白くない結果であろうが、遠誉野署の捜査員には新たな展開がもたらされることになった。

初動捜査でわかったことはいずれも、弓沢征吾という男が、いかに平凡な人生を歩んでいたかを証明するものにすぎなかった。可も不可もないサラリーマンとしての毎日を歩み、敵もいない代わりに親友もいない。趣味が釣りといっても、せいぜい自宅近くの川で釣り糸を垂らす程度で、どこかの山間にフィッシングツアーに出掛けるといったこともない。彼が定年を間近に迎えるときになって、体内に巣くう病魔に出会ったことがただひとつの劇的な出来事なのである。

それは、周囲の人間にとっても同じであったかもしれない。いまどきいくら不景気が長引いているといっても、中古のマンションを早く相続したくて殺人を犯すような馬鹿はいない。まして相手が末期癌であれば、なおさらだ。けれど、そこに莫大な保険金がおまけについて、さらに末期癌で弓沢が死んでしまうことで、それがすべておしゃかになってしまうとなると、話は別だ。どうせいくばくもない命ならば、少しだけ早めに舞台から降りてもらってもなんのさしつかえもない。そう考える人間は、案外多いのではないか。

第二回目の捜査会議で「弓沢が病院を抜け出したのは、親戚筋の誰かが、急用を伝えたからではないか」という意見が出されたのは、至極もっともなことだった。そこで二班に分かれ、弓沢征吾の親戚筋の徹底的な身辺調査と、葬儀会場での参列者の調査が同時に行なわれることになった。

佐々本を参列者受付の近くに配備させ、自分は少し離れたところから葬儀全体を眺めることにした。

他の捜査官は保険金を中心とした筋書きに熱心なようだが、洲内は気持ちが乗らない。もっと別なところに事件の根はあるのではないかと、ぼんやりと考えながら参列者を見ているうちに、洲内は思いがけない人物の姿を認めた。

――あれは……！

相当な老齢であるというのに、その体軀《たいく》は驚くほどがっちりとしている。ほとんど首がないかのように、肩の上に丸い禿頭《とくとう》がちょこんと乗っていた。周囲をはばかるようにその人物に近付き「殿村さん」と、声をかけた。

「殿村三味先生ですよね」

「きみは……はて、どこかでお会いした気もするが」

「洲内です。洲内一馬です」

遠誉野署の警察官であるとは言わなかった。周囲の目がある。葬儀会場に警察官が来ていると、被害者の親戚筋の人間に知られたくはなかったからだ。

殿村三味とは、署内で顔を合わせたことがある。新任の署長が赴任してきてまもなく、「署員の文化意識を高める」というありがたい主旨のもと、郷土史家の殿村三味が講演に招かれたのである。近世期に突然歴史上に現れた遠誉野市について、さまざまな民俗学的見地から殿村は講演した。はじめのうちこそ、こんな文化講演など地元の高校生が聞くものだという空気が署員の間にあったものの、始まって十分もすると、ほとんどの人間が殿村の話に引き込まれてしまった。ときに民話を絡《から》め、時に遊女屋の落語噺《らくごばなし》などを交じえて話す殿村の講演は、さながら話芸であった。

話の最後に、

「ではどうして遠誉野は、歴史上に突然現れたのか。答えはふたつ考えられます。ひとつはここが甲州街道の要衝《ようしょう》であった点。ここでは毎月馬市が開かれ、全国から人々が集まったことでしょう。そのために作られた人工都市であったと、考えられます。さてみなさん、考えてみてください。二つ目の答えを」

実のところ、警察官ほど趣味人の多い職業はない。きっと、日々が苛烈なストレスの固まりであることが、大きな原因になっているのだろう。囲碁、将棋、釣り、盆栽等のほかに、意外に多いのが「歴史マニア」である。古今の歴史書を読みあさり、NHKの大河ドラマの背景などを、休憩時間に滔々《とうとう》とレクチャーしたがるものが、署内にも少なくない。それでも民俗学は、名前こそ知っているものの趣味の範疇《はんちゅう》を大きく越えている。誰も答えを見付けられないで場内が静まったのへ、殿村が、

「これは意外です。むしろ我々研究家よりも、皆さんの方が答えを見付けやすいと思ったのですが」

微笑みながら話した瞬間、洲内には答えが見つかった。

「なにかの事件があって、それまでの歴史が抹消されたのでは」

殿村が、今度は感心したようにうなずいた。

「その通りです。事件がなんであったか、いまはまだわかりません。これはちょうど皆さんの仕事に似ていますね。被害者も特定できず、事件がどのようなものであったかもわからない。しかし加害者だけはわかっています。村ひとつの歴史の一部を切り捨てた

かぎりは、当時の為政者がなんらかの形で関わったことはたしかなのです。それを探すのが私の天命だと考えております。なにぶん、捜査令状もなにもないので、捜査はかなり困難ではありますが」

そう言って、講演は終えられた。

「殿村さんがどうして、弓沢氏の葬儀に？」

少なくとも、被害者の弓沢が歴史に興味を持っていたという事実は、今のところ浮かんでいない。そのような市民サークルに入っていたという報告もない。弓沢の自宅にも、事件の夜、抜け出した病床にも、そのような関連書物はなかった。つまり、歴史家としての殿村三味と弓沢征吾には、接点はほとんどない。

「弓沢さんとは、どのようなお付き合いが？」

殿村は質問に答えようとはしなかった。きっと、洲内の素性がまだわからずにいるに違いなかった。わけもわからず、故人との付き合いを話す必要はどこにもないと考えているのだろう。

仕方なしに、背広の内ポケットから黒い手帳を取り出した瞬間、老人の背後で「あっ」と声を上げた女性がいた。そちらに顔を向けた洲内は驚いた。同時に殿村が、

「ああ、遠誉野署で」

と、声を上げたので、洲内はあわてて二人を物陰に連れ込んだ。

洲内は混乱した。なにがどうなっているのか、理解の能力をはるかに越えている気がした。年齢から考えて、弓沢と殿村が友人である可能性は十分にある。しかし、桂城真夜子についてはどう理解すればいいのか。

桂城真夜子は、洲内のガールフレンドである。恋人ではない。ときにセックスをすることはあっても、そこに真摯《しんし》な愛情などはない。少なくとも洲内はそう思っている。

「どうして、きみがここにいる？」

洲内は桂城真夜子に向かって聞いた。

「あなた、刑事だったの」

桂城真夜子が、口を尖らせた。その頰が、しばらく会わないうちに随分と細くなったことに気が付けるほど、洲内は冷静さを取り戻しつつあった。

「その話は、今度ゆっくりとしよう。それよりも質問に応えてくれないか。桂城さんも、殿村さんも、弓沢征吾さんとはどのようなお友達なのですか」

殿村がなにかを言おうとする前に、桂城真夜子が言葉を重ねてきた。

「あなただって無関係とは言えないかもしれないわ」

「もちろん、きみになにも言わなかったことは悪いとは思っているが、おれは警察官だ。この事件を捜査しているかぎり、被害者と無関係であるはずがない。そんな抽象的なことを言っているんじゃないんだ」

「ちがうのよ」

捜査会議で報告されたことを思い出した。

——事件の当日の昼間、被害者の病室を訪れた老人と、若い女性がいる。

報告の人相と、目の前にいる二人の容貌が完全に一致している。

「私も殿村さんも、そしてなくなった弓沢さんも、みんなあなたをきっかけにして集まったようなものなの」

「わけのわからないことを言わないでくれ」

真夜子が、にやりと笑った気がした。あらそんなことも知らなかったのと、事実を見逃してきたおろかな捜査官を、哀れむ笑いである。

「童謡詩人の樹来たか子」

頭の芯《しん》が、ずきりと痛んだ。きっと脳髄のなかに置き忘れた針が、急に痛みはじめたとしたらこのような感覚であるに違いない。思わず首をすくませるほどの衝撃であった。

「なっ……なぜ」

「私はあなたのアパートで樹来たか子の童謡詩が載った同人誌を見付け、それを元に卒論を書こうとしたの。殿村さんも弓沢さんも、図書館で偶然に出会ったわ。そしてお二人とも樹来たか子という人物に興味を抱いた。ね、あなたがきっかけでしょう。あなたが古本屋で、あの同人誌を見付けさえしなければ、わたしたちは、きっといまでも他人のはずよ」

洲内は軽いめまいを覚えた。とりあえず、事実関係を整理するために、三人は近くの喫茶店に向かった。濃いコーヒーでも飲まねば、思考の整理などできそうもない。すべては偶然と片付けられないこともない。そうしてはいけないと囁くのは、警察官としての経験と勘である。

殿村と真夜子がアイスティー、洲内がエスプレッソコーヒーを目の前にして、三人はしばらく押し黙っていた。「さて」と口を開いたのは、洲内であった。社交辞令のたぐいを一切省き、いきなり本題に入った。

「正直言って、捜査は難航が予想されます。被害者の弓沢氏は、良くも悪くも敵を作らない人物でした。つまり殺害の動機を持つ人間が、周囲にいないのですね」

「通り魔という可能性はないの」と真夜子。

「もちろんある。しかし、弓沢氏が病院を抜け出した理由がわからない。彼はとてもそんな状態ではなかった」

「わたしたちも、それが知りたいわ」

「本当に知らないのか」

「それ、なにか意味があって言っているの」

真夜子の言葉の棘《とげ》など、警察官の顔で接している洲内には、なんの痛痒《つうよう》も感じさせなかった。

「お二人は、事件当日の昼間に被害者の病室を訪れていますね」

「弓沢さんから、会いたいと連絡を受けたのです」

「それだけですか」

「だから！」

「もしかしたら、弓沢氏が病室を抜け出した理由をご存じなのではありませんか。あるいはお二人のどちらかが、脱走を唆《そそのか》した張本人である、とか」

戸惑い、ときに紅潮する真夜子の顔を見て洲内の背骨を快感が流れた。すると、それまで会話に参加していなかった殿村が、

「ところで、弓沢さんの保険は、どうなっているのでしょう」

突然、口を挟んで洲内をあわてさせた。

「どうして、それを？」

殿村の表情が、意地の悪いものになった。立場がわずかなフレーズで一変した。

「やはり、大切なことはなにも話してくれないのが警察のやり方なのですね。なに、我々の年代の者には、癌の特約保険はひどく縁遠いことに、気が付いただけです」

「ふむ」と、洲内は次の言葉を注意深く探し、

「保険金の受取人については、目下捜査中です」

――この老人、相当に油断がならない。

「洲内さんでしたね。あなたは弓沢さんが平々凡々な人生を送り、周囲に敵を作るような人間ではないとおっしゃいましたね」

と殿村。

「違いますか。別の一面をあなたは知っていると？」

「そうではありません。たしかにサラリーマン時代のあの人は、洲内さんがおっしゃるとおりの人だったのでしょう。けれど、病を得てからのあの人は、そうではないかもしれない。死病は、人の性格まで変えてしまうかもしれませんよ」

暗い情熱、という言葉が不意に洲内の頭に浮かんだ。

殿村の言葉に触発されたように、桂城真夜子が自分のバッグから封書を取り出した。

「桂城真夜子様」と書かれた表書の文字が、書き手の性格の几帳面さを示している。

「本当は、お棺のなかにでも入れてさしあげようかとも思ったのですが」という真夜子の言葉で、これが弓沢から真夜子に宛《あ》てられた手紙であることが知れた。封書の中身を見るのに「よろしいですか」と尋ねることなく、洲内は便箋《びんせん》の折り目を開いていた。

「ふうん。こんなことがあったのですか」

手紙は、山口県を旅する弓沢から、真夜子に宛てたものであった。自分が不治の病に冒されていることを、弓沢は告げている。そしてさらに、病の宣告をうけ、自暴自棄《じぼうじき》になった弓沢が周囲にさまざまなトラブルを巻きおこしていたことも書かれている。

「ただ、トラブルというにはあまりに些細《ささい》ですね」

「電車でからんだ会社員も、また、突然携帯電話を取り上げられた女子高生も、そのことが弓沢氏への殺意となることはないかもしれません。けれど、ここに書ききれないことが、彼の最後の数か月間にあったかもしれない。そうした積み重ねは、時として爆発的な感情の渦となるのではありませんか。そして駅近くの公園を歩く弓沢氏は、たまたまそうしたものに出くわしてしまった、とか」

一言一言、選んで話す殿村の言葉には盤石《ばんじゃく》の重みがある。だが、洲内には、もっと別の思いがあった。

――なぜ、死の床にあった弓沢は病室を抜け出さなければならなかったか。

そこに、事件の核心がある気がしてならない。病室を抜け出した被害者が、自分がかつて振り撒《ま》いた悪意の矛先と偶然に出会い、刺殺されたのでは筋が通らない。なぜ、通らないのか、自分でも明確な説明はできそうにない。あるいはもっと合理的な説明を述べるなら、深夜になっても市中を徘徊《はいかい》するティーンエージャーたちの資金稼ぎであってても良いわけだ。不幸はどこにでも転がっている。そこには金を持っているとか持っていないとか、残りの寿命がたっぷりあるとかないとかは関係がない。

――強《し》いていうならば、その方が面白いからだ。

「だが、おれはどうしても被害者が病室を抜け出した理由を知りたい」

「一般的には」と、殿村が言葉を継いだ。

「病室を抜け出してまでやり遂げなければならないなにかがあったということです」

「やり残したまま、死ぬわけにはいかないなにか」

「もしくは、どうしても会っておかねばならない誰か、とか」

二人の会話を聞きながら、洲内は少しずつ焦《じ》れてきた。自分の入り込む余地がない。

尋問の主役は自分であるはずである。

「そう言えば、樹来たか子の遺児に会いたがっていましたね」

「ああ、けれどそれはあくまで感傷の領域でしょう」

「そうでもないのですよ。だって樹来たか子の遺児は遠誉野に住んでいるのですから」

「へっ」

と、洲内と殿村が同時に声を上げた。

「あら、殿村さんにはお話をしませんでしたっけ」

「もしかしたら聞いたかもしれないが、いかんな。年のせいか記憶が曖昧《あいまい》になっていけない」

——樹来たか子の遺児が、遠誉野にいる?

考え込むときのくせで、周囲の情況を洲内はすべて忘れた。目の前の二人の人間が、ただの置物になる。

内ポケットの携帯電話が鳴った。「失礼」と、別の方向に顔を向けて連絡を受けながら洲内は、軽い眩暈《めまい》を感じた。

「どうかしましたか。顔色が」

「なんでもありません。いや、あなたがたには話しておいたほうがいいかもしれない。お礼の意味もありますから」

真夜子と殿村が、互いに顔を見合わせて首を傾げた。

「あなたがたの言うとおりでした。弓沢氏は、癌宣告を受けて以来、正常な精神状態ではなかったらしい」

「というと？」

「一月以上前になりますが、彼は駅前でいきなり通行人に殴りかかっているのです。たまたま駅員が止めたから相手の怪我も大したことはなく、警察ざたにはならなかったようですが、その駅員が事件を知って通報してきたのです」

「そういえば、弓沢さんの手紙にもそんなことが……喧嘩でしょうか」

「いいえ。弓沢氏が一方的に殴りかかったそうです。その態度があまりに常軌を逸しているので、駅員はすぐに警察に連絡をしようとしたそうですよ。けれど相手の男性が、その必要はないからと固辞したそうです」

「それは」と、殿村が不審げに鼻を鳴らした。

「おかしいですな」

「たしかにおかしいわ。どうしていきなり殴りかかられて、警察に連絡をしようとしなかったのかしら」

二人が名探偵にでもなったつもりで考え込んでいる姿を見て、洲内は胸のなかに苦いものが弾《はじ》けた。

――被害者の名前を知ったら、仰天どころの騒ぎじゃない。

「そういうことですので、一旦は署に戻らねばなりません。お忙しいところ、貴重なお話を聞かせていただき、本当にありがとうございました。この手紙ですが、しばらく預かってもよろしいですか。大事な証拠品になるかもしれません」

伝票を取り上げて、背中を向けて歩きだそうとしたところに、桂城真夜子が背後から、背広のポケットになにか紙片を滑り込ませるのを感じた。表に出てから取り出すと、『あとで、連絡を』と、書いてある。久しぶりに会って、恋人ごっこを再開しようというのでないことは、たしかだった。

その夜。帰宅してから洲内は、本棚を引っ繰り返した。以前に殿村が書いて、地方新聞社から出された本が自宅にあることを思い出したのである。

明日、弓沢が駅前で起こした傷害事件の被害者に会うことになっている。正式には事件ではないし、すでに加害者がこの世にいない。この世にいなくなったのはなぜか、その訳をたしかめるのが、洲内の仕事であり、娯楽でもある。普段なら、まるで遠足を楽しみにする子供のように、事情聴取に臨む洲内である。ところが、

——いったい、何がどうなっているんだ。

並べられた事実からは、まるで事実めいたものが見えてこない。そればかりか、安物の超常現象が露天商の茣蓙《ござ》のうえにぶちまけられて、それを買うしかない自分が、頭のどこかにいるようだ。この混乱を鎮静させるのが、殿村の本である。あるいは、そうであってほしい自分が、こうして本棚の本をぶちまけているのである。

幾層もの埃《ほこり》に包まれて、それはあった。

『これまで、いくつかの著書において、私は遠誉野の特殊性について述べてきた。謎の根源について考えるなら、なにゆえ遠誉野は近世になって突然歴史上に現れたかが、もっとも大きな争点となるだろう。

全国レベルの風習、伝承などが散見することを考えると、近世期、馬市も開かれたほどの交通の要衝であった遠誉野が、人工的になにものかによって造営された都市であるという説はもっとも一般的であり、それ以前は歴史に掲載する迄もない、ただの小さな集落であったという説は、多くの地方史学者が唱えていることである。逆に、拙作において幾度かアプローチを試みた「遠誉野では、歴史を抹殺しなければならないなにかが、近世期にはあった」という説は、まったく顧みられることがない。在野の学者として中央学界において認められぬことに切歯扼腕《せっしやくわん》しているのではない。また、自説があたかも似而非《えせ》学問の象徴のように言われることに、耐えることができないという訳でもない。私にあるのは学問はもっと開かれ、研磨されるべきだという信念のみである。

その意味でも、私は自説を証明するための新たな論証を試みようと思う』

洲内は夢中でページを繰った。

『遠誉野は、山に囲まれた都市である。その北東部には、ひときわ目立つ山容の千曳山がある。山の中腹には千曳神社があり、その縁起によると、千曳神社の元となったものは、延暦年間、桓武天皇の時代にたてられた密教寺院であるというから、その歴史は相当に古い。が、私はその縁起にのみ依って遠誉野の歴史の古代からの持続性を訴えようとしているのではない。

千曳神社の祭神は猿田彦を祖とする「黎香姫《れいかき》」となっている。私はそこに着目してみたのである。では黎香姫とはいったいなにものであるか。他の書物、文献を繙《ひもと》いてみてもその名前を引きだすことはできなかった。つまり黎香姫とは遠誉野市のみに存在する神であるということだ。が、民俗学的、あるいは宗教学的にいって、まったく独立した神の存在は考えづらい。たしかに黎香姫は猿田彦を祖にしているものの、中間の存在が一切消されているのだ。そこで私はこう考えてみた。もしかしたら黎香姫とは、なにか別の神を暗号的に変化させたものではないか、と。

実はそうした例は日本各地に、数多く見られる。伊勢神宮の祭神である天照大神は、その前身において女性神ではなく男性神であるし、また、猿田彦についても、各地の土着の神に転換された例がある。

では黎香姫については、どうか。そのヒントは千曳という地名。そして明治の半ばまで続けられたという「一夜祭」にあるのではないかと思われる。

一夜祭は、その原型を処女の犠牲を捧げた風習にさかのぼるといわれる。それが年とともに変化し、官女姿の少女が神社で一夜を過ごすという形になったものである。しかし、さらにさかのぼってみると、黎香姫はある種の暗黒神であり「十人送れば五人を殺し、百人送れば五十人を殺す」と、一部伝承にはある。この記述によって、私はようやく黎香姫の正体が見えてきたのだ。これはまさに古事記にある、黄泉平坂《よもつひらさか》の出来事ではないか。黄泉からつれ戻されたイザナミは、その腐れ果てた肉体をイザナギに見られてしまう。そして思わず手を放し、怯《おび》えたように逃げさるイザナギに対し、恨みの言葉として「常世の人間を一日千人殺す」と言い放つのである。それにたいしてイザナギは「ならば一日千五百人が生まれるようにしよう」と答えた話は、皆さんも御存知だろう。黎香姫の暗黒面に関する記述は、見事にこの話に呼応している。さらに、この会話がなされたのは、黄泉平坂の途中、千引岩を挟んでのことである。千引岩が転じて千曳にな

ったことは容易に想像できる。さらに、千曳山があの世との接点であるとすると、遠誉野は「常世」から転じた名前であることは確かであろう。

すなわち、黎香姫の正体はイザナミノミコトなのである。

このように、天皇家直系の神を祭っている遠誉野は、決して近世期に人工的に整備された都市などではありえない。さらに、伊勢神宮の例をとってみると、こうした神の転換はある一定の時期（五〜六世紀）に集中していることがわかる。こうしたことから、遠誉野の歴史が少なくとも千五百年前までさかのぼることができると、私は考えている。

しかし、どうして遠誉野は近世期に至るまでの歴史を抹殺されてしまったのか。その謎を解く鍵が、やはり千曳山に残されているような気がしてならない。

遠誉野をわずかに離れた信州では、イザナギ・イザナミの両神は陰陽一対の道祖神へと転換されている。しかし遠誉野では古事記の示すそのままに、二人の神は引き離され

ているばかりでなく、遠誉野（常世）に祭られていなければならないはずのイザナギ、もしくはそれが転換した祭神を持つ神社が見当たらないのである。

先ほど私は遠誉野は常世の転換形であると述べた。

しかし、もしかしたらそうではないかもしれない。本当の意味での常世ではないからこそ、人は最大級の願いをこめて遠誉野の名を付けたのかもしれない。千曳山が常世と黄泉の境界線であることは間違いないだろう。しかし、こちら側が常世であるという仮説と同じ意味において、本当の意味での常世は千曳山の「向こう側」に存在するとも言えるのだ。

イザナギがいないのはそのためである。あるいは歴史を抹殺されたのも、そのためである。

遠誉野は神無き土地なのかもしれない。その闇色に包まれた歴史を考えると、底知れない恐ろしさがあると、ゆえにこそ、遠誉野を調べることをやめられないのだと、私は考えている。』

遠誉野は神無き土地かもしれない。

洲内が読みたかったのはこの一文である。神無き土地。そうでなければこのような事態が起こるはずがなかった。神はないが、超然とした意思はある。遠誉野は明らかになにかの意思を持ち、我々に役割を与えようとしているとしか、思えない。

桂城真夜子が洲内の部屋で『ＫＡＮＡＲＩＹＡ—ＳＨＵ』を見付けたのは偶然である。

国文学科の学生である彼女が樹来たか子の〝詩と一生〟に興味を持ったのは、半ば必然であろう。その彼女が、図書館で調べ物をするのは完全に必然である。

大学の図書館が一般に公開されているのは偶然であり、そこで殿村三味が桂城真夜子と出会ったのも偶然である。二人が何気なく会話をかわし、真夜子の卒論のテーマに殿村が興味を抱いたのは偶然であるが、そこに不自然さはない。

だが、さらにそこに弓沢征吾が居合わせ、彼が末期癌に冒されていたのは、果たして偶然であろうか。死に直面した弓沢が、樹来たか子の残した童謡詩に天の声を聞き、興味を持ったとしても不思議ではない。それは偶然ではなく僥倖《ぎょうこう》だろう。

三人を結んだものがたとえ樹来たか子の童謡詩であろうと、そこに第三者の意思を見付けることなどできはしない。そんなことを口にすれば、それこそおかしな宗教にでも足をつっこんだのかと、嘲笑を買うだけである。

——だが。

末期癌に冒された弓沢征吾がたか子の詩と出会う直前に、その常軌を逸した精神状態でトラブルを撒き散らしていた事実が判明し、その理不尽な暴力にさらされた被害者が警察沙汰《ざた》にしたがらなかったのも、必然と僥倖のふたつの言葉で片付けることができるだろうか。

「樹来静弥」と、その名前を言葉にすると、背筋に寒いものを覚えないわけにはいかなかった。弓沢が駅で暴行を働いた事件の、被害者の名前である。

「いったい、どうなっているんだ」

弓沢征吾の死にまで、樹来たか子が関わってくるとなると、これはもはや偶然で片付けてはいけない事件なのではないか。誰かが背後でこの偶然の糸を操っているとしか思えなかった。しかも、それればかりではない。

「こんなことが、あっていいものか」

洲内は、握った掌に冷たい汗を感じた。今はただ、

「ここは遠誉野だから仕方がない」

と、およそ理性の権化である警察官にあるまじき言葉を吐いて休み、明日、樹来静弥に会って話を聞いたうえで、これからの指針を立てなおすより他になかった。もっとも、立てなおした指針が、理性的なものであるか否か、洲内一馬にはまったく自信がなかった。

3

——弓沢さん、樹来静弥に会っていたのねえ。

真夜子はよかったと思った。もし、弓沢征吾がやり残したことがあったとしたら、それは樹来たか子の童謡詩に書かれた不思議な擬音について、解明ができなかったこと、そしてたか子の遺児である静弥に会うことができなかったことだろう。どうしてそこま

で静弥にこだわったのか、理由はわからない。けれど最後に聞いた弓沢の声が、ずっと頭の片隅に残っていた。

　会ったといっても、決して本意に適《かな》うものではなかったろう。駅前を歩いていた静弥に、訳もなく殴りかかったのが弓沢であったそうだから。それでも静弥に会えたことにはちがいがない。そこにあるかなしの救いを、真夜子は見た。

　十一月もすでに残り少ない。

「会わないか」と、洲内一馬から電話があったのは昨夜のことだ。弓沢の葬儀で思わぬ出会いかたをし、すぐにでも連絡があるかと思っていたのに、それから洲内からは電話一本かかってこなかった。もっとも、真夜子もそのことを気に掛けていたわけではない。卒論の下書き原稿に忙しかったし、弓沢征吾が誰に殺害されたかについては、正直言ってあまり興味がなかった。

　それよりも、弓沢が残してくれた、樹来たか子のメモの方がはるかに真夜子の興味を引いていた。幻の童謡詩人の残した、未発表のメモ。それを自分の手で表の世界に出すことができる喜びは、いつのまにか樹来静弥に会って話を聞こうという気持ちさえ、どこかに置き忘れてしまったほどだ。

「千曳山の自然公園辺りに、ドライブに出掛けよう」と誘われ、自分が十日近くも部屋に閉じこもりっぱなしであったことに気が付いた。風呂にさえ数日はいっていない。すでに下書きの大半を書き終わっていた。このままゴールにダッシュすると、それ以前に人ではなくなってしまうような錯覚に襲われて誘いを受けた。

千曳山は中腹の神社へと続く登山道とは別に、山を半周して、西側にある石積沼までのドライブコースがある。石積沼はこの辺りから山梨、長野にわたって伝承される巨人、ダイダラボッチの足跡によってできたと伝えられる沼である。沼の周囲が自然遊歩道となっている。

神社の反対側に見晴らし台があり、そこまでが登り車線。見晴らし台から沼までは一本道で下り車線となっている。ドライブコースとはいっても、市街地から登り道までが二十分ほど。つづら折りの道を上って下って沼まで走っても五十分ほどのコースである。他に枝分かれした道もなく、ただ沼まで行って戻ってくるだけの道だから、さほど人気があるデートコースでもない。

が、真夜子はこのコースが不思議と好きだった。特に見晴らし台での眺めがすばらしいと思う。晴れた日には遠くに新宿の高層ビル街が見える。そこに憧れがあるわけではないが、同じ東京都なのに幻想都市のように見えて仕方がない。じっと見入っていると、

——もしかしたら新宿なんて、存在しない町ではないか。

と、思うこともある。

石積沼の畔に車を置いて、真夜子と洲内は遊歩道へと入った。周囲に人影がないのをたしかめたうえで、洲内が真夜子の肩を抱きよせ、唇を近付けたが、それを軽く払った。

「樹来静弥には会ったの？」

「ああ。弓沢征吾の写真を見せて、事件のことを聞いてみたが、まるで興味がないように見えた」

弓沢征吾殺害事件について、動機の少なさが捜査をむつかしくしていることはたしからしい。車のなかで洲内は、弓沢の親戚筋を調べてもなにも怪しいことは出てこなかった、と真夜子に告げている。そんな捜査陣にとって、樹来静弥は数少ない動機――らしきもの――をもつ人物である。

「事件のことさえ知らなかった。なんでも個展を開く予定があるとかで。ああそうなんだ、樹来静弥は中学校で美術を教えている」

「美術？」

「個展のための作品を仕上げるために、新聞もテレビも見ない日が続いているそうだ」

長い間しまいこんでいた樹来静弥への興味が、真夜子のなかで勃然《ぼつぜん》と目覚めた。中学校の教師であることは知っていたが美術を教えているとは思わなかった。

「樹来たか子の遺児は、美術教師」

果たしてそれが相応《ふさわ》しいというべきなのか、意外というべきなのか、どちらも正しく思える。

「彼が、弓沢氏と似た病気であったことは？」

真夜子はうなずいた。洲内が、少しばかり意外そうな顔をしたが、それ以上の追及はしなかった。

「病気が検診で見つかったときも、個展の準備をしていたそうだ。それが緊急入院で駄目になったので、今回は随分と力を入れているようだ」

「だから自分に暴力を振るった人間が、殺されてもなんの興味もない？　なんだか不自然。あるいはそう見せているだけということはないの」

「だとしたら、あの男は危険なサイコパスだ。それもかなり高度な」

そう言って洲内一馬は、樹来静弥と会ったときのことを話しはじめた。


捜査員が、事情聴取をするのに一番気を遣うのが、初めての接触をどうするか、である。あくまでも事情を聞きたいだけなのだ、と説明をしたところで、職場に警察官がやってきて喜ぶ市民など、まずいない。仕方がないから昼休み、アフターファイブなどを狙って、路上で接触を試みることになる。

樹来静弥については、校門の所で彼が出てくるのを待ち、生徒の目を考えて、しばらく歩いたところで声をかけることにしたという。

「ところが、それが失敗だった。静弥が校門を出るなり、彼に近付いてきた人物がいた」

「女性？」

「ああ。恋人だそうだ。おまけに彼の主治医でもあるらしい」

女性は、彩京大学医学部付属病院に勤務する医師で、美崎早音と名乗ったそうだ。

「主治医と患者の恋、ですか」

「静弥は未婚。美崎医師もまだ三十には届いていないようだが、未婚であることにはかわりがないそうだ。別に教師が医師と結婚しても不思議はないだろう」

「それはそうだけど」

「事件のことも知らないようでは、くどくどと話をしても仕方がない。単刀直入に、事件当日のアリバイを聞いてみたんだ」

ところが、樹来静弥はまるで、事件のことなど他人《ひと》ごとのようだった。

「なにかを隠しているようにはとても見えなかったし、なんというのだろう、自分に暴力を振るった弓沢征吾という人物さえ、いまは興味の対象から外れているようだ。それが決して不自然ではないんだ。むしろ宗教的でさえある」

はき捨てるような洲内の言葉の裏側に、彼の性格の激しい要素を見た気がした。

「宗教的」

「ああ。まるで悟りでも開いたのではないかと思えるほど、樹来静弥は静かな目をしているんだ」

その言葉を聞いて、真夜子は樹来たか子のことを思い出した。正確にいえば、彼女について語った、殿村三味の言葉である。

「彼の母親もまた、結婚前までは殉教者を夢見ていた形跡があるわ」

「ふん、親子二代にわたる血の証《あかし》か。くだらない！」

洲内に、それがどのようなことを意味しているのか説明しても、わかってもらえるとは思えなかった。

「で、事件当日のアリバイは？」

「ご丁寧《ていねい》に、電子手帳まで出して確認してくれたよ。事件当日午後八時に、恋人であり主治医でもある美崎早音女史と待ち合わせ。それからイタリアンレストランへ出掛けて、十一時すぎまで食事およびアルコールを楽しんでいる」

まず最初に、楽しそうに笑い声をあげたのは、美崎早音であったという。

『あら、電子手帳なんて必要ないわ。その日は二人で食事をしていたじゃない』

それでも静弥は、記憶に間違いがあってはならないからと、電子手帳を操作して、事件当日の午後九時に店にいったことを確認した。

洲内の口調がいくぶん自嘲的で、なおかつ苛立《いらだ》っていることから、静弥の馬鹿丁寧さが、警察官としてではなく個人的に彼の神経をささくれだたせていることがわかる。そこを考えて真夜子は、

「でも、身内や恋人の証言は、あてにはできないでしょう」

「もちろん、確認は警察官の鉄則だ。ところで市街地から随分と離れているのに、今、かなり人気のレストランで『R』という店は？」

「知っています。平日でも予約なしでは入れないって」

「その通り。そして愛すべきカップルは、まさにその店に予約を入れていた。時間どお

りに店に現れ、閉店時間近くまでいたことを、店員がきちんと確認している」

「間違いなく、樹来静弥であったことを」

「会ってみればわかる。彼はかなり目立つ風貌をしている。女性にとっては好ましい、という意味でだが。しかも店を訪れるのは初めてじゃない。だから店の人間の記憶は、正確であるといっていい」

それを聞いて、すでに警察内部で、樹来静弥を容疑者とする動きがなくなったことがわかった。

鳶《とび》の甲高い鳴き声がしきりと聞こえる。

――ああ、こんなにも空が高い。きっと樹来たか子は自作の「秋ノ聲」に節を付けて、こんな日には幼い静弥に歌って聞かせたのだろうな。

漠然と、そう思った。きっとたか子の声はガラス質のソプラノであろう、とも。調べた資料には、そのような事実は書かれていない。が、真夜子には、まるでひとつの真実のように、その情景を脳裏に浮かべることができる。自分が静弥の立場になって、母なるたか子の声に耳を澄ますことができる。

どこかで精神の波がシンクロしているようだ。

――だれと？

「あのな」という、洲内一馬の声が、真夜子を現実に引き戻した。

「卒業論文の方はどうなっている」

「ありがとう。おかげでほとんど下書きはおわっているわ」

「そうではなくて……だな。その、いまから書き直すわけにはいかないのか」

馬鹿なことを、と答える代わりに婉然《えんぜん》と笑ってみせると、洲内は先程からのしかめっ面をより渋いものにして、

「どうも気に入らないんだ。あの樹来たか子という女性の詩は」

「あら、だったらどうして、あんなものを部屋に置いておくのよ」

そうでなければ、自分の卒論のテーマはもっと別の物になったに違いない。

「そう言われると、な。だが、弓沢征吾は樹来たか子に触れたために死んだのだと、いや、笑われるのはわかっているんだ。だがしきりとそんな声がする。あの童謡詩には触れちゃあいけないと」

思わず笑い声をたてそうになったが、洲内の顔があまりに真剣なので、声が喉の奥でくぐもって消えた。

「だいたい、俺にはあんな詩のどこがいいのかが、わからん。優しさや癒《いや》しなんて物は、道の途中に作られた休憩所みたいなものだ。ちょっと立ち寄る分にはいいが、そこに永住しようとする人間の気がしれない」

「誰も永住しようなんて考えていないわ」

「だが、気持ちはいつだってそうしたものを求めている。だから男も女も優しいものしか求めない」

「優しさを求めるのは悪かしら」

「優しさは誰にも責任を求めない。だから愚かにもそこに執着しようとする」

真夜子は、洲内の言わんとすることが良くわからなくて、沈黙する以外になかった。洲内は洲内で、まだ言い足りないことがあったようだが、真夜子の態度が変わったのを見てなにも言わなくなった。

「帰ろうか」と声をかけてきたのは、沈黙が三十分以上すぎてからのことだった。


数日後。殿村三味から電話がかかってきた。月並な挨拶を交わし、卒論の進行情況について二、三、尋ねたのちに、殿村は、

「弓沢さんの残した、メモのことですが」

「ああ、あれ」

「私も樹来たか子という人に少しは興味を持ちましてね。もしも論文制作のお邪魔にならないようでしたら、コピーをいただけないかと」

真夜子は、しばらく考えて、結局「いいですよ」と答えた。迷いが生じたのは、殿村がすでに何冊もの著作を持っている文筆家でもあるからだ。できることなら、あのメモは真夜子の手で初公開をしたい。もし、殿村がその気になれば卒論の発表前に、著作を完成させてしまうかもしれない。なによりも、殿村が以前は地方新聞社の記者であったという話を聞いている。この遠誉野で、樹来たか子という伝説の詩人の記事を書くこと

で、どれほどのスクープとなるのか、真夜子には想像もできない。けれど、その遺児が遠誉野で美術教師をしている事実も絡《から》めて書けば、かなりおもしろい記事になるのではないか。「いいですよ」と答えてのちも、真夜子は不安な思いが言葉の端々に出た。

「心配ありませんよ。私は個人的な興味で、たか子を調べてみたいだけです」

殿村がそう言ってくれたことで、ようやく安心することができた。

「個人的な興味というと？」

今度は、殿村が少しだけ考え込むように沈黙した。

「はっきりと説明することができないのですが」と、言い淀《よど》んでのち、

「弓沢さんの病室で、たか子がもしかしたらきわめて教義を歪《ゆが》められたキリスト教に触れていたのでは、と話したことを覚えておいでですか」

「はい、とても面白いお話でした」

「そこの所を、もう少し掘り下げてみたいのですよ。たか子とキリスト教という関係ではなくて、法華宗とキリスト教という観点から。

日本にキリスト教が入ってきたのは、歴史学者が一般に伝える安土桃山の前後という説の他に、仏教とほぼ時を同じくするという説もあるのですよ。聖徳太子をご存じですよね。彼が厩戸皇子《うまやどのおうじ》と呼ばれるにいたった逸話は、キリストの生誕そのものです。また彼が庇護し、同時に彼の庇護者でもあった秦《はた》氏、これは京都太秦《うずまさ》の広隆寺を作った一族ですが、大陸西域からの渡来人であることはたしかです。一説には碧眼《へきがん》の持ち主であっ

たとも言われているのです。であれば、西洋との交流により、キリスト教を日本に持ち込んだ可能性もあるでしょう」

「とても面白い仮説ですけれど、樹来たか子とどのような関係が？」

「従来から農民パワーと宗教パワーが合体して起きた一揆という行動様式について、腑《ふ》に落ちない点がいくつもあったのですよ。あるいは、隠れキリシタンたちが信仰したマリア観音などの、カモフラージュ宗教についても」

「あの、それについては私、なにかの本で読んだことがあるのですけど。隠れキリシタンがキリスト教の信者であることをカモフラージュすることができたのは、仏教の持つ特殊な包容力のせいであったと」

ゴータマ・シッダルータに由《よ》って開かれた原始仏教は、その後多くの土着の信仰を吸収して大きくなってゆく。阿修羅や大黒天など、いずれもインド各地で信仰されていた土着の神が「仏教に帰依した」という形で、吸収されたものなのである。どうしてこのようなことが可能であったのか。それは仏教の最高の目的地である「悟り」が、山の頂上にたとえられることからわかる。山の頂上にいたるルートは決してひとつではない。それと同じように、仏教で悟りを開く方法もひとつではない。極端な話、他の宗教を信じきることでさえも、それは仏教の悟りに繋《つな》がるのだといいきる包容力が、この宗教にはある。親鸞《しんらん》上人の「善人なおもて往生遂ぐ、いわんや悪人をや」の言葉もその体現といえるだろう。

「だから、仏教とキリスト教とは、容易に結びつくことができた、と」

そのことを説明すると、電話を通して殿村の雰囲気ががらりと変わった。どこか楽しげで、それまで一方通行であった会話が、急に双方向性のものになったような、そんな変化が感じられる。

「ウム。すごいな。まさかあなたがそこまで知っておられるとは思わなかった」

「あまり誉めないでください。しょせんは書物の受け売りですから」

「謙遜されることはない。たしかにあなたのおっしゃるように、仏教が有する包容力ゆえ、という説もあります。また仏教が日本に伝来したときすでに、隠れた遺伝子のようにキリスト教の要素が混じっていて、それが長い時間をかけて熟成し、武士による圧政からの逃避の熱が一気に燃え上がったときに、表に出たというのもひとつの説です。

もともと、一揆という行動様式そのものが、農耕民族のものではないと考えていたのですよ。そこへ樹来たか子の件があって、そうか法華宗や一向宗の門徒による一揆には、西洋的な遺伝子や、殉教の遺伝子が含まれていると考えると、すっきりと説明ができると、考え付いたわけです」

相変わらず、殿村の話は前後左右に自由に飛びかい、一見脈絡がないようで、実はひとつの収束点を持っている。それが面白い。

「宗教的な遺伝子ですか。色々なことをおやりなんですね。てっきり殿村さんは、遠誉野の歴史ばかりを調べているのかと」

「いやいや。民俗学的アプローチとは、要するに答えがないということでもあるのですよ。それに、あれこれのばした網が、どんな魚を捕るのか、わたしたちにも見当がつかない。こうしてたか子のことを調べるうちに、遠誉野に結びつくことだって、十分に考えられるのですよ」

「まさか」と笑って真夜子は、殿村にメモのコピーを送ることを約束した。

メモの冒頭には「ビードロ玉」と記されている。のびやかな文字が、樹来たか子の気持ちを代弁しているようだ。

『これはあなた自身の言葉です。

まるで日の光を受け、電灯の光を吸収して幾重にも身にまとう色を変えるビードロ玉。あなたがいつかこの文章を読んで、いったいどんな顔をするのでしょうか。私にはそれが楽しみでなりません。あなたの口からこぼれる言葉の欠片《かけら》は、正しく詩です。それは私が貧弱な頭でこしらえた童謡詩などよりも、はるかに詩的で純粋で、そして暖かい空気に包まれています。

あなたを得たこと、あなたの言葉を得たことが、私にはこんなにもうれしい』

——ここに、詩人としての樹来たか子の結論がある。

はじめてメモを読んで、真夜子はそう思った。序文の次にこんな言葉がある。

『(園バスの窓に顔をおしつける黄色い帽子の園児らを見て静弥いう)

ミンナ、ミンナ、向日葵《ひまわり》ネエ、向日葵』
夫・重二郎に詩作を禁じられたたか子は、その禁を決して破ることはなかった。そのかわりに新たな「詩」の世界を見つけていたのである。それは、幼い静弥の言葉をそのまま収録し、メモ程度に自分の解説を入れるという、まったく新しいタイプの作品であった。
正確には作品ではない。
しかし、子供の無垢《むく》な感性がとらえた出来事を、未熟な言葉で必死に説明しようとする瞬間に、たか子はかけがえのない純粋な魂を発見したことだろう。
『(残照の中を飛ぶ鳥を見ながら静弥いう)
夕方ハ　ドウシテミンナからすニナルノ』
『(冬の陽だまりに寝る犬を見て静弥いう)
ネンネ、ネンネ優シイオ顔、オ散歩ノ夢見テル？』
こうして静弥が三歳までに語り、残された言葉は二百余り。その中で、真夜子がどうしても気になるのが次の言葉である。
『(庭を見て静弥いう)
ピショロン、ピショロン、オ眠ノ声』
卒論の下書きに夢中になっていたときには、さして気にかけなかったこの言葉が、どうしたものか最近になって、少しずつ存在感を増しつつある。もしかしたらこれは、弓沢がずっと追い続けた音と同じ物ではないのか。たか子のメモ書きにもたしかに「庭を見て静弥いう」とある。たか子が「しゃぼろん」と表現した音を、静弥は「ピショロン」と表現している。同じ音を聞いてちがう言葉に置き換えることは珍しくはない。日本の犬は文章にするとワンワンと吠えるし、アメリカの犬はバウワウと吠える。さすがアメリカの犬は英語で吠えるというのは単なる笑い話で、実の所は受け手の耳、感性が違うだけのことだ。

——どこかに、ヒントがある。

すでに真夜子は音を解明するためのヒントに触れている。だが気付いていないだけのことだ。それが、樹来たか子の人生と詩に触れるとき、いつも感じる隔靴《かっか》搔痒《そうよう》感であると、思い至るのに時間はかからなかった。

「なんだろう、この音は」

弓沢は、病床でなんと言っただろうか。

——そう。結局わからなかったと。だが本当だろうか。

突然、疑惑が湧き上がった。真夜子は自分がある種の核心に達している事を感じている。だが、その造形はあまりに危うげで、自分自身どのような確信を持っているのか、まるでつかめない。

なにかを見たのである。

あるいはなにかを聞いたのである。

自分の知らないところで脳細胞はすでに答えをはじき出しているのだ。それを引きだすための暗証番号を忘れてしまっているようだ。

「だめだ！」

声を上げて、ラジオのスイッチを入れた。いつも聴くFM局にチューニングダイヤルを合わせ、コーヒーを入れるためにキッチンに立った。バラードを得意とする女性歌手がパーソナリティーとなって、トークを繰り広げている。彼女のアルバム支持層が広いせいか、中学生や高校生のリスナーよりも、アダルト層のリスナーの方が多いのだそうだ。

『ええっと。これは東京都世田谷区にお住まいの、ペンネーム〈コータロー〉さんからのお便りです。遠誉野怪談ですか……うーん恐そうですね』

遠誉野という言葉に反応して、ラジオの音声に注意を向けた。が、まもなく興味を失って、再びコーヒーメーカーの操作に集中しはじめた。なんのことはない、季節はずれの怪談噺である。千曳山に友人とドライブにいったところ、どしゃぶりの雨にあったうえに車がエンコした。どうも友人の様子がおかしいので問い詰めると、この車は事故車で、しかも元の持ち主の女性はここで事故を起こして死んでいるという。後日車を修理にもってゆくと、エンジンルームにびっしりと黒髪が絡まっていた、云々。

こうした都市伝説は、いくらでもある。

——殿村さんなら、きっと別の答えを見つけるかもしれない。

そう考えた瞬間に、真夜子はあっと大きな声を上げていた。淹《い》れかけのコーヒーのことなどすっかり忘れて、真夜子は受話器に飛び付いた。何度か番号を間違えて、ようやく繋《つな》がった殿村の家の回線は、話し中であった。焦れる思いで数分待ち、再びかけなおしてもなお話し中。結局この夜、真夜子は殿村三昧《じ》を捉まえることはできなかった。

改めて、真夜子は思考の整理にかかった。

――弓沢さん、あなたは知っていたのではありませんか。

答えにいたる道筋は違っていたかもしれない。けれど到達した結論にはかわりがないのではないか。

あるいは、殿村もそのことに気が付いたのかもしれない。いや、気が付かないはずがなかった。樹来たか子の精神的な背景に、歪んだ形であるにせよ、キリスト教の影響があるといったのは、殿村ではないか。しかもその際に、島原の乱を例証にあげている。その時点で結論を得ていたに違いない。そして、殿村が結論に至ったことに、弓沢がまた気が付いたのだ。

真夜子は自分の愚かさに歯軋《はぎし》りする思いだった。

――キリスト教の影響を受けたものが、自殺なんかするはずがないじゃない。

だからこそ島原に集結した数万の農民は、殉教という名に隠れた集団自殺を図ったのである。

弓沢は殿村を恐れていたのかもしれない。病室で、殿村の洞察力が樹来たか子の死の真相にまで届いたことを知り、それが自分の耳に入ることをなによりも恐れたのだ。

「私はあなたが彼女の死に触れないことを望みます」あの日、病室でこう言った弓沢の真意が、ここにある。

「ちゃんと言ってくれたなら、私は、私は……」

果たして、たか子の死の真相に触れずにおくことができただろうか。自殺でないとするなら、たか子の死の真実はひとつしかない。

——誰かに殺された。

彼女を殺害して得をする人間など、いるのだろうか。あるいは、殿村の推論がまるで見当違いである可能性も否定はできない。その時になってようやく真夜子は、殿村の電話の意図を理解した。

殿村もまた、自分の考えをたしかめずにはいられないのであろう。そのために、必要なデータをできるかぎり集めようとしているのだ。デートの時の洲内一馬の言葉が、急にリアリティーをもって浮上してきた。

——樹来たか子の童謡詩に近付くものは、不幸になる?

キッチンに立って、コーヒーを淹れ直した。が、その香りがまるでわからないほど、真夜子の神経は高ぶっていた。

——彼女の死に触れてはいけないのだ。

山口への旅行を通して、弓沢はたか子の死の真相に触れてしまった。それは、たとえ老い先のない弓沢にとっても、少しの容赦もなく死を与えるほどの衝撃的な事実である。だからこそ弓沢は、たか子の死から真夜子を遠ざけようとした。

そう考えると、弓沢征吾の死は、まったく別の側面を持つことになる。かつてツタンカーメン王の墓を発掘した学者等が、こぞって死の翼に触れねばならなかったように、幻の詩人の死の真相に近付いたものは、みな破滅する。

「馬鹿なことを」と声に出したものの、笑う気にはなれなかった。

——では、どうして弓沢さんはそのことを言わなかったの。

真夜子のなかに巣食う好奇心と危険性を、十分に理解していたからではないのか。

「樹来たか子。あなたはいったいどう理解すれば良い人だったの。殿村さんはいつだったか、あなたの童謡詩は優しいだけではないといったわ。死の淵に立った弓沢さんは、あなたの童謡詩が、死者の側から理解することのできる詩であるといった。けれど私は、あなたが最後まで残した『ビードロ玉』から、あなたの親としての痛々しいまでの愛情を感じている」

メモの最後は、こう締め括《くく》られている。インクの色が明らかに違うことから、静弥の言葉の収集とは別の時期に書かれたものと思われた。

『私は親として、静弥になにを残してやれるだろう。重二郎は私にとって大切な夫。けれどそれが静弥にとって最良の父親であるということではないかもしれない。私は静弥に、人として真直ぐに生きてほしい。そのためには夫の持つ弱さや、だらしなさを受けついではほしくない。女としてならそうした欠点さえもときに愛情に変えることができるけれど、母親としては絶対に認められない』

一口、コーヒーをすすって真夜子はつぶやいた。

「あなたの真実は、いったいどこにあるのですか」

きっと、自分は深みにはまってしまったのだ。樹来たか子という深淵に、首までどっぷりと漬かったに違いない。

「だって、こんなにも死が恐くないなんて、おかしいじゃない。もっとも……」

殿村や弓沢がいなければ、自分はいまでも表面的な部分でのみ、たか子の詩に触れ続けていることだろう。

風景　2

――その時のことを、なるべく詳しく話してください。

前の晩、竜おじさんの所に泊まったわたしは、あさ七時すぎに母の待つ家へと戻ってきました。だって不安で不安で仕方なかったのです。なんだか母がいなくなってしまうような気がして、わたしは駆けるように戻ってきたのです。竜おじさんの家では、朝ご飯まで用意してあったのですが、それも断りました。おじさんの家ではいつもご馳走です。朝ご飯だって、わたしが日頃口にしているものとは段違いです。けれど、わたしは、母の作る朝ご飯が一番好きでした。母が台所でなにかを作る気配で目をさます朝は、いつだってその日一日が良いことに満ちあふれているような、そんな予感がします。

家に入った瞬間、わたしの目に映ったのは赤い色でした。いえ、もうすでに黒みがかっていたのですが、わたしには本当に真っ赤に見えたのです。

母は火鉢《ひばち》にもたれ掛かって眠っているように見えました。顔が見えたのです。火鉢の縁に手枕をつき、こちら側に向けた母の寝顔の半分が、わたしには見えたのです。その顔があまりに優しげで、ええ、母だって人間ですから、ときにはわたしを叱ることもありましたし、父のことで竜おじさんからなにかを言われると、ひどく哀しげな表情をしたものです。けれどその時の母は、まるで、なんというのか、幼い少女のように思えるほど安らかでした。ですから、最初に目に飛びこんだ赤が、よもや母の体内から流れ出た大量の血液であるなどとは思いませんでしたし、赤は赤、母は母と、まるで別物と考えていたわけです。

別物と考えていたと言いましたが、もしかしたら人間のもっと本能的な部分で、すでに母がこの世にいないことを感じていたのかもしれません。なぜならわたしは玄関口に立ったまま、一歩も屋内に入ることができませんでしたから。言葉さえも、どこか体の奥深いところにしまいこんで、わたしは玄関に立ちすくんでおりました。

わたしの後から、竜おじさんの所で働いている人がやってきました。おじさんからわたしを無事、送り届けるように言い付かっていたのです。もう老人といってよい年の人で、わたしの小走りの速度にはとても付いてくることができず、少し遅れて玄関口に辿《たど》り着いたのです。

「どうしんさったね、静弥さん」

たしかにお爺さんはそう言って、立ちすくんだわたしの背後から覗き込むように家の中を見ました。

そこから先のことが、どうしても思い出せないのです。

わたしを抱きすくめたお爺さんの懐のぬくもりや、騒ぎを聞き付けて集まった、近くの人の気配。竜おじさんの叫ぶ声や、ばあちゃんの真っ赤に濡れた目。黒と白とに家中が覆われ、なんだか吐き気をもよおしそうな線香の煙が充満した部屋。人がたくさん集まり、消え、そしてまた集まりました。そうした記憶が、まるでどろどろとした味噌汁に浮かぶ具のようで、まるで判然としないのです。

「たか子は、死んでしもうたよ」

その言葉が、おじさんの物であるか、それともばあちゃんの物であるかさえはっきりとはしません。

「かわいそうに、胸を突いて死んでしもうた」

「よほど静弥を手放しとうなかったんじゃねえ」

「あれの連れ合いは、ひどい男じゃったけ、の」

いったいなんのことを話しているのでしょうか。わたしにはわかりません。母がいなくなったことだけは確かなようです。警察官が何度かやってきて、わたしにも話を聞きたいといったようなことを話していましたが、竜おじさんが絶対に許さないと、怒鳴っている声が聞こえました。

「ですが、あくまで形式的にでも」

「そげなことをしたらあ、警察署でもどこでも若いもんに言うて、店の車を突っ込ませちゃる」

「無茶あ、言わんといてくださいよ」

「なにが無茶か。母親が死んで、右も左もわからんような子供に、オイコラ！　の警官がなにかを聞き出そうとするほうが、よほど無茶じゃないかの」

「ですが、自殺にしては遺書もないし。もしかしたら子供になにか言い聞かせとったかもしれんじゃないですか」

「じゃったら、わしが聞く。わしが静弥に母親のことを言い聞かせ、その時に聞く」

こうして、わたしは竜おじさんの元で、その家族と、ばあちゃんと共に暮らすことになったのです。その時のわたしが、母親の死を認識していたかどうかはわかりません。悲しいとか、切ないとかいった感情を完全に理解するには、わたしはあまりに幼かった。ただ、それまでいつも側にいてくれた人が、急にいなくなった喪失感だけはあったようです。

母が亡くなって一週間ばかりも経った頃でしょうか。

わたしは、屋外にいても空を見ることが多い子供になっていました。あるいは頬にぶつかる風の匂いを嗅ぎ、目を閉じてなにごとかに耳を澄ますことの多い子に。ある時ばあちゃんが、わたしの肩にぽんと手を置き、

「そうしていると、まるで小さかった頃のたか子を見ているようだ」

と、言いました。そして、

「自殺なんぞせんでも、竜一郎がなんとでもしてくれたはずじゃったのに」

また、いつものように啜《すす》り泣くばあちゃんの背中を見て、不意にわたしのなかに、ある言葉が浮かび上がりました。

――ちがう、ちがう。母さんは自殺なんぞしとりゃせん。

だが、わたしはそれを言葉にすることができませんでした。なぜだかわかりません。わたしの思いに反して、周囲ではすっかり母は自殺したことになっておりました。事件の前日、父親から届いた手紙が、決定的な証拠になったようです。親権を頑として要求する夫に対する、死の抗議。

警察では、父の行方もずいぶんと探したようです。ですが、それ以上のことはわかりません。わたしにはなにひとつ知らされなかったのです。

さらに二日が経ちました。

わたしの前に、見たことのないお兄さんが立っています。

「きみが、樹来静弥君かい」

「はい、そうです。お兄さんは？」

「ぼくは＊＊＊＊だ。浜尾竜一郎さんの所で働いている人の親戚にあたるんだ。ちょうどこちらに遊びにきていてね」

その人が告げたのは、あの日わたしと一緒に母の死体を見つけた、お爺さんの名前でした。

それはたしかなのに、どうしても、お兄さん本人の名前を思い出すことができないのです。ひどく変わった名前であることは覚えているのですが。ああ、どうしてでしょうか。本当に喉のすぐ近くまで出てきているのです。だのにわたしはそのお兄さんの名前を思い出すことができないのです。
仕方がありませんから、これから先はお兄さんのことをこう呼ぶことにしましょう。
名探偵。
そうです。彼は母親に関する事件で、見事な名探偵役を務めてくれたのです。

第三章　伝説の交差点

1

『詩という文章作業が、自らを主体として、あるいはフィルターとして事象を表現するものであると仮定するならば、夫・重二郎によって詩作を禁じられてのち、樹来たか子の童謡詩人としての命は、そこで終わったと断言して良い。これまで、多くの研究者がその点を指摘している。

しかし、詩が言語の発見という側面を持つとき、この仮説は大きく崩れることを私は発見した。それがこれまで発表してきた、樹来たか子の最後の創作メモである「ビードロ玉」である。幼い子供の発する言葉のなかに、無垢《むく》の感受性を見いだした彼女は、自分をその記録者とすることで、詩の世界に新たな地平線を見いだしたのではないだろうか。同時にそれは、愛する夫の言葉に従うことでもあった。子供の言葉を記録するだけならば詩作にはならない。ふたつの矛盾する定義は、幼い樹来静弥のなかで見事に融和したのである。

歴史にもしはありえないが、もしも彼女がこれから先も詩人としての生涯を全うして、文壇に咲き続け、作品を発表していたとしたら、どうなっていただろうか。年を経た彼女の感受性がどのような言葉を編んでゆくか、それを知ることは、永遠にないのだという事実のみが、わたしたちの前にはある。

簡単に、この幻の童謡詩人の最期について語ろうと思う。

昭和四十七年十一月五日。この年は例年にない、豊作の年であったという。彼女の元に、死の数日前に、失踪した重二郎から手紙が届く。そこには、離婚に応じる代わりに、静弥の親権を重二郎側に譲渡するように書かれてあったという。そして事件当日。その日は、手紙のなかで、重二郎が面談を指定してきた日時であった。夕方には静弥を親戚の家に預け、たか子は一人、夫が帰ってくるのを待っていた。果たして、話し合いをする気持ちが、当時の彼女にあったかどうか、調べるすべはない。重二郎がやってくる前に、彼女は自分の胸に、あらかじめ用意してあった短刀を突き刺し、自殺してしまうからである。

記録によると、結局その夜、重二郎はやってこなかった。一説には、親権云々の話はすべて、離婚の条件をよくするための策略であった、とある。いずれにせよ、樹来たか子が童謡詩というジャンルにおいて特殊な手法を編み出し、瓦解《がかい》させてはまた新たな手法を編み出すといった、ある種の巨人であったことには変わりがない。

中央文壇にデビューしなかったことを考えると、半巨人というべきか。

果たして彼女は死の間際に、「秋ノ聲」に歌ったあの不思議な音を聞くことができただろうか。ふと私はそんなことを思うのである。

（了）

（参考文献等については、別頁参照）』

十二月三日。長い論文にエンドマークを打って、桂城真夜子はふうっと肩で息をした。机の端に置いたコーヒーカップに手を伸ばしたが、それがいつ淹《い》れたコーヒーであるかを思い出して、思わず手を引っ込めた。仕上げまでの数日間というもの、ワープロの付属品さながらの作業が続いていた。机の周辺にはいつ食べたのかもわからない、弁当の容器が無数転がっている。頬を撫《な》でると、乾燥しきった肌がガサゴソと音をたてそうである。

それでも、思いのほか疲労感がないのは、気持ちが覚め切っているからである。卒業論文にはエンドマークを打ったが、それだけのことだ。これは途方もなく長いプロローグにすぎない。

樹来たか子が自殺ではなく、殺害された可能性があることに行きついたとき、真夜子の前にはふたつの道が開けた。ひとつは、殺された弓沢征吾の意図を汲《く》み取って、卒論を完成させること。

大きく伸びをすると、背骨のいくつかの場所で、乾いた音がした。その意外な大きさに、全身をぴくりと緊張させ、すぐに大きく息を吐いた。

千曳山にドライブにいって以来、洲内一馬とは会っていない。殿村三味もまた、然りである。殿村には何度か連絡を試みたが、いつも不在であった。

——樹来たか子は自殺したのではなかったのですね。

その一言を聞いてみたかったのである。もしかしたら真実を知っていたであろう弓沢は、もう二度と答えることができない。たとえ山口県に出向いて樹来たか子の遺族に会うことが叶《かな》ったとしても、一笑に付されるのが関の山だろう。真夜子の前に開けた二つ目の道、樹来たか子の死の真実に迫るという道は、殿村のアドバイス抜きには歩きだすことさえできないのである。

何気なくつけたテレビでは、なんの屈託もない顔のアイドルがスローバラードを歌っている。こんなに楽しそうに歌われたのでは、どれほど切ない恋の歌も、その魅力は半減する。チャンネルをニュース番組にあわせた。

——樹来たか子は……彼女は殉教者をめざして聖母となり……。

「どうしてまた、殉教者にならねばならなかったのだろう」

ひと呼吸おいて、

「もちろん、それは御子《みこ》ゆえにこそだ。静弥のためにのみ、彼女の命は捧げられなければならない」

真夜子は、声帯を震わせる自分の声を聞いた。樹来たか子を題材にした卒業論文に取りかかるようになってから、真夜子の身にはこうしたことがたびたび起こる。ある種のシンクロニシティーである。二十五年という歳月と空間を超えて、たか子の行動や思考が直接飛びこんでくる。

こうした現象を、錯覚と切り捨ててしまうことはたやすい。

たとえば、真夜子はたか子が、自分の詩に即興で曲をつけ、静弥に歌って聞かせたであろうと信じている。たか子が美声の持ち主であったことは、級友たちの証言からわかっている。そしてたか子の詩は独特の七五調のリズムを持っている。さらに「童謡詩」という形式を加味するなら、彼女はかなり高い確率で、自らの詩を静弥への子守歌にしたと考えることができるのではないか。

もっとも、これらはすべて最初にインスピレーションありき、あとを理屈が追いかける形式の思考で、論として成り立たせるにはあまりに不十分である。だから論文にも載せてはいない。

「もしも、樹来たか子が静弥のために殺されたとしたら」

つけっぱなしのテレビから、ニュースキャスターの声が、淡々と事件のニュースを伝えた。

『本日午後九時二十分頃、遠誉野市北王子町交差点付近の路上で、ひき逃げと見られる事件が発生しました。死亡したのは東京都世田谷区に住む会社員で……』

真夜子の耳の深いところに、その声は届かなかった。どこかでひき逃げされた会社員のことよりも、まずは樹来たか子の死の謎である。そうでなければ、どうして世田谷区に住む会社員が遠誉野でひき逃げされなければならなかったのか、疑問に思ったかもしれない。疑問をもってテレビを見たなら、そこに映った被害者の顔に、見覚えがあることに気が付いたかもしれない。けれどその夜、真夜子の集中力は一点に向けられていて、他を顧みることがなかった。

十二月五日。卒業論文を学生課に提出すると、あとは年明けの口頭試問を待つばかりとなった。他の単位はすべて取得してある。年が明ける前に、山口県に旅行に行ってみるつもりだった。卒論が終盤にかかるにつれ、真夜子のなかで、弓沢征吾が見た風景を追いかける気持ちが強くなっていた。

——そうなると、

どうしても殿村三味に会って、話を聞かないわけにはいかなかった。話が聞けなければ、一言でいい。「樹来たか子は自殺などしていない」と、断言してほしかった。

図書館に資料を返却し、キャンパスを出ると市街地に向かった。殿村の自宅兼研究室は、遠誉野市街地を中心において、彩京大学キャンパスとほぼ反対側になる。真夜子にとって初めての訪問である。同時に、三味の自宅のある色泉町《いろずみ》を訪れることそのものが初めてであった。遠誉野は決して大きな都市ではない。また真夜子が取り立てて出無精というわけでもなかった。にもかかわらず、自分が色泉町を初めて訪れることに気が付いて、真夜子は不思議な気持ちになった。

——もしかしたら、町との相性などというものがあるのかもしれない。

最初に会ったときにもらった名刺で何度か住所を確認し、殿村の自宅までやってくると、二人組の背広姿の男たちが出てくるのが見えた。男の一人が、真夜子を見てはっとした表情を見せた。男の唇が次になにかの言葉を発しようと、ぴくりと動いたところで、もう一方が手の小さな動きでそれを止めた。そして、真夜子の横を軽い会釈で、過ぎていった。そのひどく慇懃《いんぎん》な態度と、二人の全身から吹き出す威圧感とで、この男たちが警察官であることがすぐにわかった。

ふと、洲内一馬のことを思った。洲内には、先の男のような威圧感がない。だからこそ、公務員といわれて、その言葉をそのまま信じてしまった。もっとも、一馬には一馬の考えがあってのことだろう。少なくとも公務員という言葉に嘘はない。コンパに誘う同級生の男と、どこか異質な匂いを真夜子自身も感じ取っていたに違いない。そこに引かれて付き合いをはじめたのだ。

玄関のベルを押すと、間髪をいれずに殿村三味が顔を出した。「おや」と声をあげ、すぐに破顔した。

「どうしましたか」

「あの、いま警察の方が？」

「ああ、弓沢征吾氏のことで、ネ。ずいぶんと捜査が難航しているようですね。もう一度病室でのやりとりを聞きたいと……それよりも立ち話ではなんですから、どうぞお入りください。年寄りの一人暮らしで散らかし放題ですが」

散らかし放題ですが、という言葉は、玄関を入るとまもなく、実感として伝わってきた。廊下の一隅に、本を束ねたものが三つ、四つ置かれている。表紙をちらりと見ただけで、かなり高度な専門書であることがわかる。

「どうしたのですか、これ」

「ああ、大学の図書館か、町の図書館にでも寄付しようと思いまして」

「もったいない。研究に使うのではないのですか」

殿村は困ったように鼻の頭を掻《か》き、言葉を探しあぐねる顔つきになった。

「それはそうなのですが……なにせ、部屋の広さには限界がありまして」

六畳間と八畳間の仕切りを外して作ったという書斎に案内され、真夜子は殿村老人の言葉の続きの意味を知った。およそ個人の書斎のイメージをはるかに超えた、蔵書量なのである。作り付けの木製の書棚と、重厚なデスク以外はなにもない部屋である。日々、このデスクに座って書物と会話し、次の日も次の日も、同じ毎日を繰り返す殿村の姿が想像された。

――この人は、書物の中でしか生きることのできない、別生物なんだ。

真夜子の思いを継ぐように、殿村がデスクの脇の椅子を勧めながら笑った。

「若い頃から、古本屋へ行くとなにかを買って帰らずにはいられない、悪い癖がありましてね。妻が生きている時分にはよく言われました。『あなたの本は、まるで自己増殖をしているみたいだ』と」

「たしかに、多すぎる本は始末に困りますものね」

「ですから、定期的にどこかへ寄付をしないと、家中が本で溢《あふ》れてしまうのですよ」

その言葉には、ユーモアと実感とが共存していた。

「やはり調べものがお好きなのは、新聞記者だったからですか」

「どうでしょうか」

殿村がいったん立ち上がり、部屋から消えた。

「あの、どうぞお構いなく」

しばらく経《た》って、殿村はティーポットとカップを持って現れた。部屋の入り口に殿村が立つだけで、濃い、そして豊満な紅茶の香りが書斎に溢れる。

ティーポットをデスクの空いたところに置いた。

「紅茶だけは、なるべく良いものを置くことにしています。私の唯一の楽しみでして」

「おいしそうですね」

「ストレートのまま飲むのが一番ですが、お好みでミルクでも、レモンでも。そうそう、そのジンジャーはなかなかいけますよ」

レモンの薄切りの他に、なにかのスライスがのっていた。それがジンジャーであった。試しにカップに入れると、思いがけない上品な香りが鼻孔をくすぐる。

「風邪のときにも、よく効きます」

「いいことを聞きました。覚えておきます」

改めて書斎を見回すと、無数の書籍が二人の居場所を今にも占拠しようと、襲いかかってくる気さえする。

「どうやら警察では、弓沢氏が病室を抜け出した理由に興味を持っているようです」

「それについては、わたしもおかしいと感じていたんです。わたしの見るかぎりでも、弓沢さん、病室を抜け出せるような状態ではなかったはずです」

「理由はいくらでも付けられます。たとえば最末期の錯乱。おや、たしかこれは氏の葬儀の折りに、あなたが言ったことではなかったかしらん」

「はい、そうです。でも……」

「なにか気になることでも？」

真夜子は思い切って会話の手順を省き、核心に迫る質問をした。

「弓沢さんはきっと、樹来たか子の死が自殺ではないことを知っていたのですね」

殿村の顔つきが、変わった。孫の訪問を楽しむ老人の笑顔が、突然、若い研究者に対《たい》峙《じ》する老教授のように、皮肉と、鋭さと、その他もろもろの老獪《ろうかい》さを前面にうちだした表情に。

「その件と警察の質問と、関係がありますか」

「あるか、ないか、わたしには判断できません。けれど、きっと弓沢さんはわたしが樹来たか子の死について触れることを望んでいなかった。いえ、弓沢さんの意思ではなかったかもしれません。たか子の遺族がそう望んだのかも。だからこそ、あの『ビードロ玉』のコピーが氏の手を経てわたしにもたらされたのでしょう。だとすれば、彼の試みは成功したことになる」

殿村の視線が、自分の口元にじっと注《そそ》がれていることに気が付いた。言葉ひとつ聞き逃すまいとする、老人の意思がそこにある。

「今日卒業論文を提出してきました」

「それはよかった。道理で晴れ晴れとしていると思った」

「晴れ晴れとなんてしていません！　わたしは、これからたか子の死について追求しようと思っているんです。卒業論文でそのことに触れなかったのは、弓沢さんの遺志だけは尊重してあげたかったからです」

「なるほど、ようやく真夜子さんの言わんとすることが理解できました。つまり弓沢さんはあの日の病室で、樹来たか子の最後のメモを渡すことであなたの目標を巧妙にずらし、その死について触れないようにすることができたと、確信したはずだ」

「そうです」

「つまり、目的を十分に達して、その心は平穏そのものであったはずだと」

「そう考えると、急に精神に変調をきたしたという自分の考えに、自信が持てなくなりました」

殿村は左の腕で自分の胸を抱き、右手は左の腕にちょこんと乗せて、さらにそこへ自分の顎を乗せた。そんなポーズをどこかで見たことがなかったかとしばらく考え、これで半跏《はんか》を組めば弥勒菩薩像《みろくぼさつぞう》ではないかと思い当たった。

「弓沢氏の、殺害現場ですが……血痕がね。そう、とても奇妙な血痕が残されていたそうですよ」

殿村の言葉は唐突だった。言葉を選びあぐねていると、

「刺殺にもいろいろあるそうで、ええ、これはもちろんさっきの警察官が言ったことなのですが。失血死をするほどの傷を負うといっても、その部位によって情況が違うそうです。もっとも大きなものが返り血の問題だそうです。たとえば頸動脈のように、皮下の浅いところにある血管が損傷を受けると、周囲に飛び散る血液の量は莫大です。人間スプリンクラーのようだといったのは、警察官の一人ですが、悪いジョークですね。では弓沢氏の場合はどうであったか。彼は腹部を数か所刺されていたそうですから、出血量は相当なものであったようです」

その声を聞きながら、真夜子は別の感覚を覚えていた。

——耳の奥から潮が満ちるような、あるいは首のはるか下から別の液体が頭蓋骨内に溢れるような。

樹来たか子の童謡詩に触れてからというもの、しばしば感じることの多くなった、特別な感覚であった。自分の意識が、同調しようとしているのである。

——どこに！　誰と？

視界が小刻みに揺れた。殿村の上半身をとらえながら、その背後に別のビジョンが姿を現す。視界の端が闇に浸食されて、そこは、夜の風景に変わっていた。路上である。そこに横たわっているのは、ハーフコートを着込んだ弓沢征吾だった。腹部が黒々と濡れているのは、生命の潤滑油である血液が、衣服にも路上にも、無造作に撒《ま》き散らされているからだ。時折、弓沢の体がぴくりと震え、それが最後の生命活動の証しなのかと見ていると、また、ぴくりと震えた。

その場を立ち去る人の気配に、意識の集中点を変えた。その後ろ姿は、ひどく朧《おぼろ》げではっきりとしない。

——もう少し、もう少しだけ意識を集中すれば。

「どうしたのですか。真夜子さん、桂城さん」

きっと、ひどく奇妙な表情をしていたことだろう。殿村の声が、焦り気味に聞こえた。

ビジョンは完全に消えた。

「気分でも悪いのですか」

真夜子は「少し考え事を」と、誤魔化した。

「続きを聞かせてください」

「そう。腹部を刺された弓沢氏の出血量は、相当なものでした。内臓の血管を損傷した場合、出血のほとんどは腹腔内に溜められます。ただし凶器を引きぬくとそれなりの外部への出血もあるのです。警察が言うには、そうして外部に吹き出した血液の痕跡に奇妙な形が見えるそうです」

先程のビジョンの欠片《かけら》がよみがえった。逃げる人影の映像である。

「吹き出した血液の勢いを、なにかで止めようとした痕跡があるそうです。わかりますか、この説明で」

殿村の顔ではなく、意識の底のビジョンを見ながら真夜子は答えた。

「ええ、十分に。つまり犯人は、あらかじめ返り血を浴びないように、なにかの防具を用意していたと」

「その通りです」

ビジョンが急速に遠ざかった。

「そうなると、通り魔による犯行という可能性は薄くなりますね」

「警察の話によると、完全に無くなったわけではないそうですが。弓沢征吾氏は誰かに計画的に呼び出され、そして計画的な犯行によって命を落としたと考えるほうが、素直なようです」

唐突に訪れた弓沢の死は、樹来たか子の死となにか関係があるのか。

「弓沢さん、樹来静弥に会っていたそうです」

真夜子は、自分がぽつりと洩らした一言が、それほどの効果をもちえようとは想像もしなかった。

「弓沢氏が、静弥に会っていた……！」という殿村の声は、うめき声にも似ていた。

「それがどうかしたのでしょうか」

「いや、仮説を立てていたのです。もしも、弓沢氏が死の床をおしてでも会うべき人物があるとすれば、それは樹来静弥以外にはありえないだろうと。仮に病魔に精神を侵され、正常でなくなっていたとしても、彼が目指した相手が樹来静弥であるなら、説明がつく」

そう言いながら、殿村は再び、表情に笑顔を取り戻していた。

「もっとも、この仮説ははじめから存在していないのも同じです。殺人者がなんらかの計画を立てて弓沢氏を呼び出したとするかぎり、この仮説は成り立たない」

「つまり、弓沢氏がどうしても会いたいと思っている人物と、殺人者が同一人物でなければなりませんものね」

動機の一点はともかくとして、樹来静弥が弓沢征吾の殺された時間に、はるかに離れた場所にあるレストランにいたことは証明されているのである。少なくとも、洲内一馬の話を聞くかぎりは、だが。

——少なくとも？　どうして私はそんなことを思うのだろう。

「そういえば、変わったことを言った人がいました。樹来たか子の童謡詩に触れたものは、不幸になるって。おかしいですね、別にそんな事例がかつてあったわけでもないのに」

そう言って自分のなかの言葉を打ち消すために話題を変えると、

「典型的な都市伝説ですね。どこの世界にでもタブーは存在します。人はタブーの扉を開けるための鍵と、近付かぬための逸話を常に用意しています」

真剣ともジョークともつかない表情で、殿村が言った。

「でも、わたしが樹来たか子が参加した同人誌を開きさえしなければ、弓沢氏は死ぬことはなかったのでしょうか」

「それは、あまりに話の次元が遠すぎて、なんとも答えかねますな。第一に、弓沢氏の事件が、樹来たか子に関係するなど、まだなにも証明されてはいないし、そこまで事件の根が深いとも、思われません」

「でも、弓沢氏は樹来静弥に会っています」

「偶然でしょう」

「必然である可能性は？」

「この世に完全なものなどありませんから、幾千もの偶然の編目から、こぼれ落ちた要素が絡み合うことだってあるかもしれません。しかし」

しかし、といってまた、殿村は黙り込んだ。また、弥勒のポーズで。

そうして誰に言うでもなく、

「かつて、この遠誉野について、荒唐無稽《こうとうむけい》な仮説を立てたことがあります。千曳山にドライブウエイがあるのはご存じですか」

「ええ、ついこないだ行ってきました」

「あれは、古い山道をなぞるように作られたものでしてね。前々から、旧道についてはっきりと書かれていますね。古地図にもはっきりと書かれている道ですから、相当の広さがあったことでしょう。当時の技術力を考えると、莫大な資財と人材が投じられたと考えられます。ところが、です。石積沼まで行くと、製作者は急にすべての意欲を無くしたように、その先を作ろうともしていない。あと、谷をいくつか越えさえすれば、そこはもう隣国の中心地なのですよ。

　まるで、ね。まるで道はそこで途絶えていることを、敢えて人に知らしめるような、そんな感じさえするじゃありませんか」

　いったい、殿村三昧という人の頭脳の仕組みはどうなっているのか。真夜子はのぞいてみたい気持ちになった。話がまたどこか遠くへ飛んでいきそうでありながら、その矛先はいつか自分の足元に着地する。

「あるいは、千曳山という地名です。これは黄泉平坂でイザナギ・イザナミが、残酷極まりない別れをした場所と発音が同じです。その外《ほか》の要素を考えあわせると、どうやら千曳神社に祭られた黎香姫は、イザナミノミコトが民俗学的に転化されたものであるらしい。

　では、どうして遠誉野市内にはイザナギノミコトを転化した神が祭られていないのか。これはいかにもバランスが悪く、不吉でさえあるのです。

そこでわたしの仮説です。真夜子さん、宗教にとって寺院や神仏の像とは、いったいどのような意味をもっていると思われますか」

「さあ。深く考えたことはありません」

「当たり前ですね。もともと宗教とは形を持たない思想体系のひとつの形式です。けれど、哲学であれば形のないものでも、それを意識下で自由に姿を変化させることができますが、宗教はその内側に『普及性』を持たねばなりません。わかる人にはわかる式の考え方はそぐわないのです。ですから、布教者は教えに少しでも具体性を持たせるべく、あるものは仏像を彫り、あるものは寺院を建築し、またあるものは教典を歌にたとえるなど、多くの努力を重ねてきました。その規模は小さいよりは大きいほうが良い。大きいものはより大きく、細密なものはより細密を目指しました。ことに、為政者がからんだ場合は、特別です。中には、この現世に極楽を再構築するものさえ現れたのです」

その名前には覚えがあった。中学校の日本史の教科書には、その建物の写真と名前がかならず掲載されている。

「……宇治平等院鳳凰堂《ほうおう》……ですね」

真夜子の言葉に、殿村が大きくうなずいた。同時に真夜子には殿村の言わんとすることの輪郭《りんかく》が見えて、ぞくりと震えた。

「ある、狂信的な為政者がいて、彼は現世に架空空間を作り上げようとした。今風に言えばバーチャルリアリティ、とでもいうのですかね。ただし、平等院鳳凰堂の作り手のようにプラスの精神エネルギーを彼が持っていなかったとしたら」

「マイナスの精神エネルギーですか」

「それも、建物ひとつどころではない。空間そのものを歪めてしまうほどのマイナスエネルギーが、この山間の地の一点に集中したとしたら」

恐ろしい仮説であった。人の残虐性を、見せつける仮説でもある。そうした真夜子の考えを置き去りにするように、殿村は結論を急いだ。

「彼が心血を注いで作ろうとしたもの。もしも、黄泉の国を現世に作ろうと考えたら、果たしてどのような作業が現実に行なわれたでしょうか」

「その町を、まず閉鎖空間にします。外部との道を閉ざし、さらにはきわめて残酷な宗教を作ります」

それが、いつの時代に行なわれたかは、わからない。すでに具体性を示す歴史は何一つ残されてはいないのだから。

「もしかしたら、流刑の地の意味もあったかもしれません。とにかく為政者は、遠誉野という名の黄泉の国をここに作り上げた。もしも常世の呼び名の変形である『遠誉野』という名前まで、彼によって作られたとしたら、それはまさに狂気の天才の為せる業ですね。そこに住む人間は、生きながら黄泉の住人とされたのです」

殿村の口調はあくまでも淡々としている。だからこそ、話は余計に陰惨になるのだと、真夜子は密かに思った。その思いを汲み取ってか、殿村は「あくまでも仮説ですよ」と、言葉を重ねた。

「けれど、そうして作られた人工空間には、やはり人のマイナスエネルギーが集中してしまうのかもしれません。溜まりに溜まったマイナスエネルギーが、果たしてどのような結果をもたらすものか……神ならぬ身のわたしたちに知るすべもない」

「遠誉野に潜在するマイナスエネルギーが、今回の事件の要になると、お考えですか」

「わたしは、歴史研究者であって、錬金術師ではありません。そうしたオカルティズムは、時として憎悪の対象でさえある。しかし年を経るにしたがって、人知の及ぶ範囲がいかに狭いものであるか、知ってしまったこともまた、事実です」

その言葉を聞きながら、真夜子はまったく別のことを考えていた。

——樹来静弥に会おう。会わねばならない。

幻の童謡詩人の遺児に会うことで、なにがどう展開するのか、それこそが人知の知るべきところではない。けれど、真夜子は熱病に浮かされでもしたかのように、胸のうちで同じ言葉を繰り返していた。

翌日と翌々日。真夜子は静弥の勤務する中学校の校門近くの喫茶店で、彼の姿を待った。もっと別の、段取りの良い方法があるかもしれない。が、真夜子は待った。待つことで、考えをまとめる意味もあった。

＊遠い親族以外に、家族のいなかった弓沢征吾が、死の床を抜け出してまで会おうとしていたのは、誰か。
＊弓沢を呼びだした人物Aと、殺人犯Bは同一人物か。
＊人物Aは、どのような手段をもって、弓沢を呼びだすことができたのか。
＊AおよびBは、樹来たか子・静弥親子とどのような関係を持つのか。

四つめの疑問を強く念じた。答えを見つけるために。それができうるかぎりの努力であると信じて、真夜子は強く念じた。もしも、AおよびBが静弥たちと関係があるとすれば、今回の犯罪の幕を開けてしまったのは、他ならぬ真夜子自身である。二十五年の時間を経て、たまたまたか子の童謡詩に触れた真夜子、その真夜子に偶然に出会った弓沢が、事件に巻き込まれてしまったと考えるだけで、狂おしい気持ちになった。なぜ弓沢なのか、なぜ、真夜子本人ではないのか。

——それはつまり、山口県で弓沢が真夜子の知りえない何事かの真実に触れてしまったからだ。

何事かの真実とは、すなわちたか子の死に関する秘密である可能性が一番高い。そこに、今現在、樹来静弥の姿を待つ真夜子自身の存在理由がある。

——私は静弥に会わなければならない。そしてたか子の死の真相をその口から聞き出さなければならない。

校門の右端に、人影を確認した。グレーの背広は地味で、その他の人影とほとんど差異がない。しかし真夜子は、それが樹来静弥のものであることを瞬間的に知った。癌性の腫瘍を今年になって切除している静弥は、心なしか前かがみに歩く癖がある。初めて静弥を病院で見かけ、密かにあとを尾《つ》けて、真夜子は校門の近くで静弥に声をかけたことがある。もちろん、静弥は覚えていないだろう。その時、静弥の背中を見ながら、その癖に気が付いたのである。前かがみというよりは、いつもなにかを抱きかかえているような、そんな歩き方である。

急いで精算をすませ、喫茶店をでた。学校の近くで声をかける気はなかったので、そのままあとを尾けた。あとを尾けながら真夜子は我知らずのうちに、殿村と話した折りに幻視した、弓沢殺害現場から立ち去る人物のビジョンと静弥の背中を重ね合わせていた。

似ているようでもあり、また、まるで違う人物でもあるようだ。少なくとも事件当夜の静弥のアリバイは確かである。

バスに乗り込んだとき、背後の客に押されて、思いがけない至近距離にまで近付くことができた。「どうも」と小さく声をかけると、静弥は柔らかな笑みを返してきた。そのことで、以前に声をかけた日のことを、静弥がなにも覚えていないことがはっきりとした。

——これが樹来静弥の匂い。

バスの急停車のために、その背中に顔を押しつける結果となった。羊毛繊維独特の匂いに交じって、樹来静弥の体臭と、揮発油に似た匂いが、鼻孔に感じられた。「本当に混みますね」と、今度は静弥のほうから話しかけてきた。

「初めてです、このバスに乗るのは」

「そうですか。この線のは、いつもこの調子ですよ」

とくに親しみがある口調ではない。けれど、そこには不思議な音律が交じって感じられた。その正体がなんであるか、真夜子には説明することができない。だが、明らかに常人とは違う響きが、あった。

やがて市街地を抜け、郊外の停留所でバスを降りた樹来静弥はそこで若い女性と待ち合わせをしていた。

――あれが主治医で、恋人の美崎早音、か。

洲内一馬からの予備知識がなければ、とても医者には見えない魅力的な女性であった。このことを予想しなかったわけではない。樹来たか子の死に触れ続けることによって、自分が静弥にたいして非常に近しい気持ちを持っていることは、たしかである。自分が嫉妬めいた気持ちを抱くことが恐ろしかった。

だが、気持ちは意外なほど静かなままだった。

二人は腕を組み、歩き始めた。長い散歩の果てに入ったのは、「R」というイタリアンレストランであった。弓沢征吾殺害の夜、樹来静弥はこの店にいたことになっている。

二人の食事を横目で見ながら、真夜子は店の人間に「向こうのお客さん、樹来先生ですよね。よくお見えになるんですか」と、さり気なく聞いてみた。

「ええ、いつも予約をされるので。お時間にも正確でいらっしゃいます」

その口調から、樹来静弥がこの店にとって常連であり、また上客であることがわかった。このまま二人が食事を終え、どこかのホテルか互いの部屋に向かうと、

——今日の行動は無駄になる。それも仕方がないか。

その予想は外れた。二人は食事を終えるとあっさりと別れて家路に着いた。

「あの、すみませんが」と、真夜子が静弥に声をかけたのは、そのマンションの入り口近くであった。

「はい？」

ふりかえった静弥の笑顔に、なぜだかとてつもなく不吉なものが感じられた。静弥が振り返ったとたんに真夜子は心底寒いものを感じ取った。たとえるなら、それは如来像の笑顔に似ていて、崇高《すうこう》でありすぎるのかもしれなかった。

声が、喉のどこかに引っ掛かってしまったのか、「先程、バスでお会いしました」という台詞がでてくれなかった。

「どうかしましたか。それともどこかでお会いしましたか」

思い切って、声を上げると、それは次の言葉になった。

「い、いいえ。わたしは桂城真夜子といいます。実は彩京大学の文学部の学生で、今、あ

なたのお母さまのことについて調べているのです」

「母の？」と、初めて静弥の顔に、人間らしい表情が浮かんだ。

「というよりは、童謡詩人の樹来たか子について、ですが。偶然にお母さまの詩に触れることができました。それで、卒業論文の題材に」

静弥の表情は再び仏像の笑顔に戻っていた。

「卒業論文に、母の残した童謡詩を」

「はい。それで息子さんであるあなたに、お母さまのことについて、お話を伺えないかと、夜分を顧みずにお邪魔しました」

なるほどとつぶやいたあとで、

「立ち話で済ませる内容ではありませんね。汚い部屋ですが、よろしかったらどうぞ」

そう言って、静弥は自分の部屋へと案内してくれた。

部屋は、予想したとおり簡素なものであった。部屋というよりは、アトリエにベッドを持ち込んだようなものである。冷蔵庫から、静弥はノンアルコールのビールを取り出して、勧めてくれた。

——けれど。

やはり、この部屋にも違和感が色濃く淀《よど》んでいた。どこかが作り物めいていて、生活感がひどく希薄なのである。絵の制作を中心に考えた部屋の作りであるという一言では説明のつかないもどかしさがある。この部屋で過ごす樹来静弥の毎日は別の空間での出来事にも思えた。見ることができても手を伸ばすことはできない。触れようとすると、背後の空間にまで届いてしまいそうな、希薄なイメージである。

「せっかく訪ねていただいたのですが」

そういう、静弥の背後の壁に黒い礼服が掛かっていた。ハンガーに、礼服とともに所在無げにぶらさがった黒いネクタイが、その目的を雄弁に語っていた。

「ぼくは、母のことをあまり覚えていないんです」

「でも、ずっと一緒に暮らしていたのでしょう？」

静弥の顔が、少しつらそうなものになった。

「すみません。いやなことを思い出させたでしょうか」

「そうではないのです。きわめて個人的な話なので……さて、どこまでお話しして良いものか。母が、特殊な死に方をしたことは？」

いきなり話の核心に近付いたことで、真夜子は当惑しながらもうなずいていた。話を続ける静弥には、人をミスリードしようとか、誤魔化そうとかといった意思はまるでないらしい。いみじくも、洲内一馬が「宗教的でさえある」といった言葉が、なんの抵抗もなく、真夜子の心に染みいっていた。

「遺体を発見したのは、ぼくです。どうも、その時の衝撃があまりにひどかったためか、記憶に障害がありましてね」

「記憶に、障害？」

「日常生活に支障をきたすようなものではなかったのですが、事件に関することが一切記憶から抜け落ちているんです。それから、母親に関する記憶も一部が、ありません。優しい人で、よく、ぼくに子守歌を歌ってくれたことなどは覚えているのですが、あとは具体的な思い出がほとんどないのですよ」

真夜子には、自分がたか子の死に触れ、精神的なシンクロを経験して得た情報が正しかったことなどは、どうでもいいことのように思えた。

——樹来静弥は、たか子の死について記憶がない。

それを証明する手立ては、ない。が、静弥の表情も声も、嘘を言っている気配がまるでない。それを考えると、弓沢征吾が病室を抜け出した理由が、ぼんやりと見えてきた。

——なんらかの理由で、あなたも知ったのですね。樹来静弥に母親の死に関する記憶がないことを。だからあなたは自分の最後の使命として、樹来静弥に会いにゆこうとした。

それがどうして、殺されなければならなかったのか。

「あの、覚えていないのですか。お母さまが亡くなったときのことを」

「ええ。その前後数日間の記憶がぽっかりと抜けています。高校生のときに、一度精神分析をしてもらったのですよ。それではっきりとしました。記憶とは、脳細胞に蓄積された記憶の要素と、それぞれを結ぶ電気的なネットワークとによって成り立っているそうですね。ところがひどい精神的なダメージを受けると、ネットワークが断線状態になるのです。結果、記憶はあっても、それを取り出すことができなくなってしまう。いうなれば、暗証番号を忘れた貯金のようなものです」

掌を汗が伝った。かすかに胸に痛みを覚えた。

自らの記憶の欠陥さえも、淡々と話すことのできる樹来静弥という人物に対して、真夜子は再びいやな予感を覚えた。それは金属質で冷たい、デフォルメされた恐怖である。

「母の詩集ですか。見てみたいですね。もし良かったらコピーを譲っていただけませんか」

「もちろん、お渡しします」

といいながら、何ものかに押されるように立ち上がり、壁ぎわの礼服のところへと向かった。

「これは？」

静弥の声がわずかに歪み、すぐに矯正《きようせい》された。

「なんでもありません。私的な用事です」

礼服の横の壁に、小さな紙切れが張ってあった。新聞の切り抜き記事である。

——どうしてこんなものがこんなところに張ってあるのだろう。

何日か前に、ニュースで聞いた覚えのある、ひき逃げ事件の記事であった。そこに掲載された被害者の顔写真は、写りが悪くて、正確なところはまるでわからない。それでも誰の顔であるかは、わかった。

『被害者・高梨幸太郎さん』

礼服の横に張られた新聞の切り抜き記事には、いつだったか校門の前で静弥に声をかけたおり、側にいた男の顔が写っている。その時、かすかに聞いた会話の欠片《かけら》から、静弥と高梨幸太郎が友人関係にあることは確かであった。

脳裏に洲内一馬の顔が浮かんだので、声にださない声で思いっきり罵《ののし》ることにした。

――樹来たか子の童謡詩に触れるものは、不幸になる？　冗談じゃない。どこからそんな与太話を持ってきたんだろう。

いったい、どのような意図があって樹来静弥は、この新聞記事を壁にピンナップしているのか。まるで自分の獲物を何度も愛玩《あいがん》し、また他人に見せびらかしているようにも思える。

樹来たか子は御子《みこ》ゆえに死んだ。

弓沢征吾は、母の死の真相を静弥に報せようとして死んだ。

では、高梨幸太郎はなんのために？　ひとつだけ動かしがたい真実があった。どうしてたか子の詩に触れた真夜子に死は訪れず、弓沢に訪れたのか、という疑問への答えでもある。

――不幸になるのは、樹来たか子の詩に触れたものではない。樹来静弥こそがすべての中心に位置している。

振り返るとそこに、仏像めいた笑顔があった。

2

洲内一馬は苛立《いらだ》っていた。ここ数日、神経を逆撫《さかな》ですることばかりが起きている。弓沢征吾殺人事件の捜査がなんの進展も見せないというのに、追い討ちをかけるように、今度は市内でひき逃げ事件が起きた。しかも、身元確認捜査の段階で、被害者の高梨幸太郎が樹来静弥の友人であることが判明したのである。

——また、樹来静弥か。

その名前が出たとき、捜査班のメンバーはみな色めきたった。正確には、洲内一馬をのぞいては、であるが。洲内は、樹来静弥の名前を聞くと、我知らずのうちに深いため息と共に舌打ちをする。なんとも遣り切れない、袋小路に入った気分になるのである。

事実、まもなく捜査は手詰まりになった。

世田谷に住む高梨幸太郎は、この半年足繁く遠誉野市に通いつめていた。大口の契約をとることが目的で、それ自体は商社の営業マンとして、行動になにも不審な点はない。事件当日の十二月三日も、午後九時近くまで取引相手の接待で市内の小料理屋で酒を飲んでおり、そこから駅に向かう最中の事故である。事故であるか、事件であるか、まだ明確な判断はできない。もちろん、ひき逃げという点においては明らかに事件であるが、樹来静弥に関連する事件であるか否かが現在、捜査班内での論議の対象となっている。

情況の多くは、樹来静弥と、あるいは弓沢征吾殺害事件との関連について否定的であった。そうなれば捜査班を二手に振り分けねばならないし、そのことが各捜査に影響を与えることも考えねばならない。遠誉野署内は、ちょうど判断の端境期にあった。

「やはり、樹来静弥の犯行は無理でしょうか」

佐々本の声に、手のなかの鉛筆がぽきりと折れた。

「ひき逃げの件か？」

「両方です」

高梨幸太郎の交友関係に樹来静弥の名前が挙がったことで、洲内は再び静弥の元を訪れている。事件当夜は勤務が終了してから部屋に戻り、作品の制作に没頭していたという。アリバイはない。なんの罪悪感もない口調。静かな笑顔。何度か挑発的な質問をしても、覚えていないことは覚えていないといい、確認できることはわざわざ電子手帳を取り出して確認をする。実に誠実な答え方で、そこにわずかな瑕疵《かし》もない。その後、周辺の聞き込みから、午後九時すぎに近くのコンビニエンスストアに出掛けたことがわかって、アリバイは完全なものになった。また、樹来静弥は運転免許証こそ持ってはいるが、ほとんど運転をしたことのないペーパードライバーであることも、わかった。

なによりも、弓沢征吾殺害事件にせよ、高梨幸太郎のひき逃げ事件にせよ、樹来静弥には動機がない。

「弓沢征吾の事件ですが、本当にレストランから事件現場に向かうことは不可能でしょうか。だってレストランはいつだって混んでいます。もしも途中で抜け出したとしても、わからないでしょう」

「おかしな推理小説の読みすぎだ。犯行現場とレストランとを往復し、なおかつ犯行時間を考えるなら一時間ではとてもすまない。仮に、だ。一緒にいた女医を共犯と考えても、あまりに無理がある」

「どうしてですか」

「二人はコース料理を頼んでいるんだ。静弥が抜け出し、その間に料理を食べる人間がいなければ、店の人間がかならず気付く。それともなにか、女医が二人分の料理をこっそりと食べたとでも、言うのか」

「イタリア料理は、量が多いですよね。やはり無理でしょうか」

そのことは、伝票にはっきりと記録が残されていた。

「弓沢の事件ではアリバイが確実。その後のひき逃げ事件では、関係があるかないかさえわかってはいない。ひき逃げ現場から発見された遺留品は？」

「それが、あまりぱっとしないようです」

「妙だな」

「たしかに、あまりに遺留品が少ないというのは……」

人を跳ねとばした衝撃は意外に大きい。ヘッドランプやその他自動車の付属品に損傷を与える。その結果、鑑識が「お土産品」と称する遺留品が現場に数多く残されること

になる。それが少ないのは、

――あらかじめ、準備をしていたか。

ここ数年、交通鑑識課の仕事ぶりは、たびたびテレビの特別番組で紹介されるようになった。もしも、故意に人を跳ね殺そうとするなら、そうした番組を参考にすることは、おおいに考えられる。いまどきの犯罪者が、指紋を残さないのと、同じである。ヘッドランプの周辺を透明なビニールテープで補強するなど、処置の方法はいくつかある。

「やはり、謀殺ですか」

「ブレーキ痕もないのか」

「はい、ほとんど。路上の保存状態も良くなくて、鑑識がこぼしていましたよ」

洲内は、得体の知れない焦燥感に苛《さいな》まれていた。弓沢征吾の事件でも、鑑識は奇妙な見解を示している。そういえばと、佐々本が洲内の気持ちを読み取ったかのように話題を変えた。

「鑑識の木村さんが、うちの課長におかしなことを言っていましたよ」

木村は、弓沢征吾の現場を担当している。

「例の血痕のことか」

「それもあります。でも、その……」

笑い上戸の警察官は現場職には向かない。佐々本の無邪気な笑顔を見ながらそんなことを思い、言葉の続きを促した。

「だいたい、いまどき畳針状の凶器なんてもの自体が、珍しいでしょう。中学生だってバタフライナイフくらい持っていますよ」

「たしかにそうだ」

「しかも刺殺痕が三箇所です。傷はいずれも内臓に達していて、どれが致命傷になったかもわからないほどだそうです」

最初に、捜査員が奇妙な点に気付いたのは、鑑識課員の何気ない一言だったそうだ。遺体の検分を行ない、傷が相当に深いことに気が付いた課員の「返り血を浴びなかったのかな」という一言が、現場に残された血痕の奇妙さを浮かび上がらせる結果になった。被害者の腹部から噴き出した血液の飛沫《ひまつ》のあとが、なにかで遮《さえぎ》られたような形になっていたのである。常識的には加害者の肉体が遮蔽物《しゃへいぶつ》になったことが考えられる。

「加害者は相当量の返り血を浴びたことになりますよね」

現場は人通りが少ない児童公園だが、そこから数十メートルも歩くと、駅前の繁華街に達する。午後の十時すぎではまだ人通りが多く、とてもではないが血塗《ちまみ》れで歩ける場所ではないのだ。そこで捜査会議では、殺害後近くに停めてあった車にでも乗り込んだのではないかという意見が大半を占めていた。

「いい加減に、木村さんの卓見とやらを聞かせてくれないか」

「フフ、木村さん、こういうんです。『もしかしたら凶器は……』」

その時背後から「楽しそうな話をしているじゃないか」と、声をかけてきたのが、鑑識の木村本人であった。署内でもひときわ目立つ巨体を、洲内の隣の椅子にどっかと降ろした。

「木村さん、聞いていたんですか」と、佐々木がバツの悪そうな声を出し、「お茶を」と、席を立っていった。

「で、どうなんです。木村さん」

木村が煙草を取り出したのへ、火を点《つ》けてやりながら洲内は聞いた。

「傘じゃないかと思うんだ。傘の石突きがあるだろ。アレを思いっきり研《と》いで針状にすれば、あんな傷跡になるかな、と」

「それはまた、随分と突飛《とっぴ》ですね」

「おまえさんのボスにも、同じことを言われたよ。だが、傘の石突きで刺殺し、こうしてだな」

木村がちょうど槍を引きぬく仕草《しぐさ》をした。

「引きぬきながら傘を開くと、返り血を浴びずにすむのではないかな」

「それを三度も繰り返した？」

「すると、血痕の情況もうまく説明がつくんだ」

木村が、煙草の煙を大きく吸い込み、吐き出した。幅二十センチほどの煙の帯が、木村の顔を半分あまりも隠した。その煙をスクリーンの代わりにして、洲内は木村の説明を映像化しようと試みた。

午後十時の、人通りのほとんどない児童公園である。なにかに憑《つ》かれたように、必死の形相で弓沢征吾が歩いている。その背後から、声をかける加害者の影。

——加害者は、弓沢の顔見知りだろうか。

事件当日、朝から天候は安定していた。傘を持ち歩くような天候ではないし、石突きを研いだものを用意していることからも、犯行が刹那《せつな》的なものでないことは確実なようだ。だとすれば、顔見知りである可能性は高い。振り返った弓沢に、加害者は傘を突き出す。その手応えを十分に確認して、石突きを引きぬきながら傘を開く。飛び散る血液は、傘に邪魔されて加害者の元には届かない。血潮を避けながらもう一度突き刺す。さらにもう一度。想像の世界では加害者に顔がない。そこへ樹来静弥のイメージを重ねようとした。

——そうであれば、どれほど楽かしれない。

が、樹来静弥の仏像を思わせる笑顔は、どうしても殺人者のイメージとはうまく重なってくれなかった。

「ですが」と、洲内は言葉を挿《はさ》んだ。疑問点がいくつかあった。

「事件当日、雨が降ったという記録はありません。そんな日に傘を持ち歩いていたのでは、かえって目立つのではありませんかね。それに被害者の返り血を防いだとしても、傘にはかなりの量の血液がかかっています。やはりそこから血が滴《したた》るのではないでしょうか。その痕跡はあったのですか」

木村は、首を横に振った。

「車を使った可能性については、捜査会議でも話し合ったのだろう。あるいは」

佐々本が淹《い》れた日本茶を、木村がすすった。しばらく考え込んで、

「たとえば、なにかの容器に入れて運んだことも考えられる。ほら、彩京大学の地理学科の学生が持っているじゃないか。製図を入れるための、円筒形の樹脂製の筒」

「ああ、かなり大きな」

「アレなら、傘くらいは隠せるだろう。血塗れの傘を入れたとしても、容器のまわりに付着した血液程度なら、簡単に拭《ぬぐ》うことができる」

「たしかに、それなら可能でしょうが」

「納得がいかないか」

佐々本の「いまどき、中学生でもバタフライナイフくらいは持っている」という言葉が、頭にあった。

「もっと、簡単な方法がなかったか、とね。返り血を心配するなら、折り畳み式のビニールコートを用意することだってできるだろうし」

「たしかに、作為が過ぎる面がある。だが、逆にそれが犯人を特定するうえでの、特徴にならないだろうか」

「頭で犯罪を考える人間、ですか」

そうした例が、アメリカあたりの犯罪例として紹介されている。また、すでに日本で

もいくつかの犯罪例のなかに、そうした犯罪マニアといっても良いパターンがなくもない。

「本人はひどく真面目に完全犯罪を狙っているんだ。が、周囲から冷静な目で見ると、実にちぐはぐで、わざとらしい」

「まるで流行の、プロファイリングですね」

「からかうなよ。これでも大真面目なんだ」

きっとそれは、犯人にしても同じであろうと洲内は思った。実は同じことを洲内も考えていた。同じといえば、語弊《ごへい》があるかもしれない。捜査のプロとしての勘が、弓沢の事件と高梨の事件へ拭いようのない違和感を覚えさせていた。それが木村の言葉によって、ようやく実感となったのである。

「理性と滑稽さを兼ね備えた犯罪、ですか」

その時、背後が騒がしくなったのを機会に、木村が「下へ行こう」と声をかけた。どうやら、若い女性の失踪らしい。母親とおぼしき中年の女性が、半狂乱で担当係員に食って掛かっている。

「まったく、事件が重なりますね」

「殺人事件にひき逃げ事件に、失踪事件か。これで誘拐が加わったらうちの署はパンクだな」

その言葉に呼応するように、母親の声が「これが誘拐だったらどうするんですか」と、係員に詰め寄るのが聞こえた。もちろん、その可能性がないわけではない。しかし、若い女性が失踪したから即、警察が誘拐捜査で動くことなどはありえない。捜索願いでさえ「しばらく、待ってみてはいかがですか」と、アドバイスをして後日に延ばすほどだ。それだけ、若い女性の失踪には衝動的なものが多い。複数の捜査員を投入して、挙げ句失恋旅行であったなどという結果になれば、建前論はともかく、税金の消費者である警察官にはあらゆる非難が集中する。

二人は、喧騒を避けるように場所を移動した。

「先程の話だが、別の可能性がないわけではないんだ」

「へっ？」

「傘だよ。雨も降っていないのに、目立つことなく傘を持ち運ぶ方法だ。別のことをおれは考えていたんだ」

「やはりなにかの容器ですか」

「そうともいえる。ずいぶん前のことになるが、あるテレビ番組で、面白いものを紹介していた。なんだと思う？」

「すみません。想像力が豊かじゃないんで」

「捜査に想像力は必要だぞ」

そうではないと、新人時代に散々仕込まれたとは、反論しなかった。

「ステッキだ。イギリスじゃ、ステッキは紳士の必需品なんだ。そこで専門のメーカーがいくつもある。中には面白いものを作るメーカーもある」

「ステッキ、ですか」

「うん。変わり種のステッキがいくつも紹介されていた。中にはスコッチのボトルとワンショットグラスが、ステッキの中空部に内蔵されたものもあった」

「ははあ、同じタイプで、傘が仕込まれたものが」

「イギリスは雨の国でもある。ステッキ同様傘もまた必需品なんだ」

木村はいかにも楽しげに話を続けるが、さすがに、洲内はそこまで話が飛躍すると反応のしようがなかった。ステッキに仕込まれた傘を凶器にして、すでに棺桶に片足を突っ込んだ状態の弓沢をわざわざ殺害する犯人の像を、具現化できない。もしも可能性があるとすると、さきほどの「理性と滑稽さを兼ね備えた犯罪」という一点である。

「でも、ステッキも十分に目立つと思いますし、それに犯行後、血塗れの傘を果たしてうまくしまうことができるでしょうか」

「それを調べるのが、きみたちの仕事だ。それに特殊なステッキが使われたとすれば、捜査の焦点をかなり絞り込むことができる。うまくいったときは、おれに感謝の気持ちを忘れるなよ」

そう言い残して職場に戻ってゆく木村の背中を見ながら、

――現場職でない人間は、好き勝手なことをいう。

洲内はそんなことを思った。

一週間後。捜査に思いがけない展開があった。

遠誉野市をカバーするミニＦＭ放送局から情報がもたらされたのである。

山梨県との県境近くにある、そのＦＭ局を洲内と佐々本が訪ねると、さして待たされることなく番組のディレクターがあらわれた。金縁の、目をようやく隠す程度の大きさのフレームを鼻のうえにちょこんと載せた小男は、「栃尾《とちお》です」と名乗ると、外見そのままの薄っぺらなしゃべり方で、

「実は、リスナーから投書がありましてね。ひき逃げにあった高梨幸太郎さんですが、事件の少し前に、うちの番組に葉書を寄せてくれています」

ラジオ番組に寄越した葉書、その言葉を聞いて洲内の注意力が栃尾に向いた。

「その内容が、なにか」

「高梨さん、投書の常連なんです。番組で『冬の怪談』という特集を組んだところ、やはり投書をいただきました。その内容が、実は彼の事件に関係があるのではないかと、リスナーから指摘がありまして。まあ、それ自体が怪談めいているんで、あまりこちらとしても本気で取り扱ったわけではないのですよ」

「怪談……高梨さんは怪談を送ってきたのですね」

「ええ、その内容がちょっと……」

栃尾の話は、ひどく歯切れが悪くて洲内を苛立《いらだ》たせた。

「とりあえず、その高梨さんの投書というのを見せてくれませんか」

「それが、実は」と、栃尾は頭を掻《か》いた。

「投書を保存するシステムはうちにはありません」

「じゃあ、どうやって……」と、佐々本が呆《あき》れたような声を上げた。

洲内は「ちょっと失礼」と、葉書を取り上げて続きを読みはじめた。

『遠誉野市には、明治時代まで【一夜祭り】という奇祭があったそうです。これは市の外れにある千曳山に、年に一度、官女の扮装をした少女が登って一晩を過ごす祭りだそうです。けれど、現実には悪い人買いなどがいて、少女を連れ去ることも多かったそうです。そんなこともあって、いつのまにか消えた祭りですが、こんな話が残っています。千曳山の中腹の目立たないところに、小さな石仏があるそうです。これは人買いにさらわれた少女が逃げ出し、崖に追い詰められてそこから飛び降りた場所なのです。しかも逃げ出す少女は一人や二人ではなかったはずなのに、なぜかみんなが揃ってこの場所まで逃げ、そして崖を飛び降りて死んでゆくのだそうです。そればかりでなく、いつしか人買いまでもがこの場所にやってくると、憑物《つきもの》が憑《つ》いたように不幸な最期を遂げたとも聞いています。

　先日の放送を聞き、そして高梨幸太郎さんがひき逃げで死んだことをニュースで知って、わたしはこの話を思い出しました。あの話の中で、高梨さんが怪奇現象に出会った場所は、もしかしたらその石仏の近くではなかったでしょうか。あるいは、高梨さんの遠縁のかたが、人買いのような仕事をしていたのかもしれません。いずれにせよ、彼は石仏と一夜祭りの呪いで死んだのではないかと、思うのです』

葉書に、小さな文字がびっしりと並んでいる。これほどの文章量ならば、手紙の方が書きやすかったのではないかと、思えるほどだ。ひどく神経質なものと、それを越える精神病質のものを同時に感じた。

差出人の氏名と住所を手帳に控え、

「放送のテープはあるのですか」

栃尾が、セカンドバッグからカセットテープを取り出した。

「お借りできますね」

「もちろん。それで、どうでしょうか。やはりなにか関係が……」

「それはなんとも。とにかくテープを聞いて、内容を一つ一つチェックしていかないと」

栃尾の目に、別の光がともった。

「あの、実はご相談があるのです。この投書を元に警察が捜査をする過程を、リアルタイムで取材させていただけませんか。我々が特集番組を組むという形で」

こうして情報を提出するかぎり、それが当然の権利であるという栃尾の口振りに、洲内は神経を逆撫でされた気がした。自分の目付きが、一般市民に接するそれではなく、犯罪者に向ける視線モードに切り替わるのを感じた。が、栃尾はまるで気が付かないようだ。その饒舌《じょうぜつ》に、ますます磨きがかかる。

「まず、警察がテープを聞くところから始まります。もし必要でしたら、高梨氏の友人関係の話を入れてもいいですね。現実の殺人事件に、怪奇色を入れることで……」

栃尾が、ようやく洲内の視線の変化に気が付いたようだ。唇の動きが、ぴたりと止まった。

「あんた」と、洲内。口調に侮蔑《ぶべつ》と怒りの感情をこめた。

「まさか、ヤラセではないだろうな」

「そんなことは」

「だったらいい。基本的に我々の捜査は一般公開などしない。ラジオドラマの制作とも違う。そこのところを、よくご理解願いたい」

「ですが」

「このテープをお借りします。テープの方はすぐにダビングをしてお返ししますので」

そういって、洲内は佐々本を促して立ち上がった。「待ってください」という栃尾の言葉を背中で聞いて、放送局を後にした。

帰りの車内で佐々本が話し掛けてきた。

「本気ですか。そんなものを詳しく調べるなんて」

「不満か？」

「だって、荒唐無稽がすぎますよ。怪談と事件が結びつくなんて」

「確かにな。だが、このテープを聞いてから判断してもいいじゃないか。もしかしたらとんでもない内容が含まれているかもしれん」

「かなわないなあ。ぼくは絶対に空振りだと思いますね」

そういう、佐々本の言葉は、的中した。


その夜。持ち帰ったテープを洲内は自室で聞いた。

さすがに放送局が記録用に録音したものだけに、音質はきわめて良い。

『あれは一週間ほど前の……』

ただ、テープが思ったより長いことにまもなく気が付き、いったん中断してコーヒーを淹れた。その香りをかぎながら、ふとこれは殿村三味の領域の事件ではないかと思った。

——協力を要請するか。

そう思いながら、デッキのスイッチを入れなおした。

『ある日曜日のことでした。久しぶりの休日を、何をするでもなく過ごしていたぼくのアパートに、友人のKが訪ねてきたのです。しかもKは新車に乗っているではありませんか。彼とは古い友人ですが、どこに勤めても長続きせず、したがって給料もぼくよりはかなり低いはずなのですが。

「どうした、宝くじにでも当たったのか」

「ばかをいえ。中古車だ」

中古車というにはあまりに新しい、しかも流行のＲＶ車です。さっそくぼくたちは千曳山にドライブに出掛けました。「千曳山か……」なぜだかＫは少しためらったようですが、ぼくが強引に誘ったのです。

もう、紅葉を楽しむには遅い季節です。しかも国道からドライブウエイへの入り口には、一部通行止めになっているとの立て札まで立っているではありませんか。どうしようかとＫと話し合った挙げ句、ぼくたちは、行けるところまで行くことにしました。それまで、晴天であった空が、何となく薄暗くなっているのも気掛かりでしたが、やはり真新しい車で走ってみたいという気持ちの方が先に立ったのです。

決して季節にも気候にも恵まれたドライブではありませんが、ただひとつ気持ちが良かったのは、ぼくたち以外にただ一台の車もなかったことです。正確には展望台のところにバイクが一台止まっていて、アベックらしい二人連れがいましたが、それ以外はドライブウエイにも石積沼にも人影はありませんでした。そこで、いろいろな話をしましたが、よく覚えてはいません。お互い三十歳を過ぎて独身の身ですから、きっと殺伐とした話をしたことでしょう。けれど、もしかしたら、それから起きることをどこかで予測していたのかも知れません。どうにも落ち着かず、ぼくはＫに、

「天候も怪しいし、もう帰ろう」

と促しました。Kも同じことを考えていたようです。二人で車に乗り込んだその時でした。空が急に暗くなり、まもなく大粒の雨が降りだしたのです。大雨どころではありませんでした。数メートル先の視界も不明なほどの豪雨でした。Kの運転も、いつになく慎重でした。ヘッドライトを上向きにし、雨の山道を進むのですが、不安な気持ちはますます強くなってゆきます。

「あのな」と、先程からなにかを話したがっている様子のKが、ついに口を開きました。

「頼むからよそ見をしないでくれよ。男同士で崖下に転落だなんてぞっとしない」

「そうじゃなくて、この車のことなんだが」

「ん？」

「事故車なんだ。だからひどく安くて、俺にも買えたんだが」

「なんだよ、縁起の悪いことをいうなよ」

「若い女性をひいてしまったらしいんだ。ちょうどこんな雨の日だったらしい。視界が悪くて傘をさした女性の姿を見落としてしまったそうだ」

「だから、おまえも注意をしてくれよ」

「ああ、もちろんだ。もちろんだが……」

「どうした？　なにを怯《おび》えている」

「事故現場が、ドライブウエイの入り口近くだった。しかも、酷《ひど》い事故だったらしい。

何百メートルも引きずられて。女性の長い髪がアルミホイールにびっしりと絡み付いていたそうだ。しかも」

「しかも、なんだ、おいどうした」

「さっきからハンドルがうまく操れないんだ！」

その時、助手席のぼくにもはっきりとわかるほどの、鈍い衝撃があって、車が急停止しました。なにかがフロントバンパーにぶつかったことは確かです。

「人か！」

「まさか、そんなものは見えなかった」

確かに、わたしも前方をずっと見ていたのですが、人影はありませんでした。けれど確かめてみなければなりません。たとえ小動物をひき殺したのだとしても、それを捨ててゆける気分ではなかったのです。

「たぶん狸かなにかだろう」と、二人で表に出てみました。たちまちぐしょ濡れになるような大雨のなか、ぼくたちは車の前に出て、バンパーと周囲を確認しました。ところが、なにかがぶつかった形跡がどこにもありません。底知れない恐怖感が、我々の体に、心に降ってきました。夢中で車に戻り、エンジンを回そうとしたのです。しかし、何度セルモーターを回しても、エンジンはかかってくれません。ぼくたちは完全に雨のなかにとり残されてしまったのでした。

考えたくはありませんが、なにか超常現象が起きたことはまちがいありません。それがはっきりとしたのは後日のことでした。車を修理にもってゆくと、ボンネットを開けた店屋の親父が、ひっと悲鳴を上げて腰を抜かしてしまったのです。エンジンに、長い黒髪がびっしりと絡み付いていたのです』

高梨のペンネームが紹介され、録音は終わった。

千曳神社の宮司は、それらしい石仏の位置こそ知っていたが、由緒来歴については、何も知らなかった。実は、その時も洲内は殿村三味に相談することを考えていた。テープを聞き終わり、冷めたコーヒーをのみながら洲内は自分の脳細胞を叱咤《しった》した。よくある怪談噺である。しかし脳細胞の思考回路に、引っ掛かる部分を持った話である。

――どこが？

その答えを求めて一晩中テープを聞いてみたが、いくつかの引っ掛かる箇所を指摘できただけで、他に目覚ましい発見はなかった。

3

「フム、怪談ですか」

喫茶店であった殿村三味は、洲内の話を聞くなり、非常に強い興味を示した。

「意外です。殿村さんは殺人事件などには興味はないと思っていましたが」

「興味があるのは、その怪談の方ですよ。あるいは葉書の指摘」

「一夜祭りというのは、本当にあったのですか」

「ええ、ありました。葉書の指摘の通りです。いろいろ問題があって、そうですね少女が人買いに攫《さら》われたということもあったかもしれない。あるいは不埒《ふらち》なことを考えた若い男が、こっそりと忍んで少女の貞操を奪ったかもしれない」

そういいながら、殿村は喫茶店のテーブルに何冊もの資料を広げた。遠誉野の古地図に古い伝承集。江戸時代の物産誌、現代の地図。その他研究書が何冊か。コーヒーカップを置くスペースがなくなることなど、殿村は少しも気にならないらしかった。

「ドライブウエイの途中の石仏ですか。それはたぶん展望台近くの馬頭観音像でしょう。それにしてもあの石仏が、少女の怨念の象徴だとは」

そういいながら、何が楽しいのか笑みを絶やさない殿村に、洲内は軽い反発心を抱いた。

「おかしいですか」

「少女の怨念を象徴するなり、鎮《しず》めるなりするならもっと別の像がふさわしいでしょう」

「というと?」

「たとえば子供の霊を慰めるのであれば、地蔵菩薩がもっともふさわしいですね。少女の霊であることを考えると、聖観音像も悪くない」

「そんなものですか」

そういいながら、洲内は殿村に相談をもちかけたことを、少しだけ後悔した。

「馬頭観音像は、実に謎の多い像です。たぶんインド辺りの古い宗教を飲み込んだものでしょうが……もしかしたら、千曳山の場合はなにかの結界を示すものではないかとわたしは思っております」

「すると、葉書の指摘するような呪いは」

殿村の眼が、糸のように細くなって、かすかに笑った。人の悪そうな声で、

「おや、わたしは呪い云々などという話は、最初からあなたの眼中にないと思っていましたが」

「そういわれると、困るのですが」

「あなたは、わたしに何をせよと、おっしゃるのですか」

「単刀直入にお聞きします。殿村さんは高梨幸太郎が作った怪談について、どうお考えになりますか」

殿村が、自分の胸を抱きかかえる形で考え込んだ。沈黙の合間にコーヒーに砂糖を入れ、かき混ぜるだけでまた考え込む。やがて、

「どうやら、わたしの知らない事実をあなたはいくつかお持ちのようだ。それをまずは公開していただけませんかな。あなたは高梨氏の作った怪談について、民俗学的なアプローチをすることを、わたしに望んでおいでのようだ。怪談というエンターテインメン

ト色の強い話の中から、真実の欠片を取り出す。それがわたしの仕事だ。違いますか？」

洲内は、表情に出すことは決してしないが胸の中でひそかに舌を巻いた。この老人は単に資料に当たり、並べ立てるだけが楽しみの学者気取りの人物ではない。

これまで調べた事実について、どこまで話すべきかを考えた。そして、結局、手持ちのカードをすべて曝《さら》け出すことにした。ＦＭ放送局のディレクターからの情報が入って、局を訪ねたところから話を始めた。

話はやがて、洲内が独自に調べた事柄に及ぶ。

「彼が放送局に送った怪談噺には、いくつかの創作部分があります。もっとも大きな部分は、問題の中古車ですが、それを購入したのは彼自身であるということです」

「なるほど。もしかしたら友人のＫ氏というのも、彼の創作ですか」

「それはわかりません。ただ、彼が新車に近い中古車を、かなり安い値段で購入したことだけは確かです」

「事故車であるというのは？」

「これは、別の中古車業者から聞いた話ですが、とくに人気の車種については、業界内でも相場値段があるようです。もしも相場よりも安い車があるとすれば、事故車である可能性はかなり高いそうです」

高梨が世田谷区内の中古自動車販売会社で購入したのは、現在二十代、三十代のドライバーにもっとも人気のある車種であった。販売記録から、相場の半値近い値段であったことを調べ、追及しても当の販売会社の社員は口を濁《にご》すばかりであった。

「エンジンの機械番号から、車が盗難車を経てひき逃げを起こしていることが判明しました。盗んだ男が事件を起こしているんです」

「やはり被害者は若い女性ですか」

「そこがまた、怪談とは違う点なんです。ひき逃げされたのは渋谷区内の五十八歳になる高校教師です。男性で、しかも左足を骨折していますが死亡してはいません」

洲内の内ポケットで携帯電話が鳴った。話を中断し、通話スイッチを入れると、予想したとおり、佐々本であった。「どこにいるんですか。課長の機嫌が最悪です。あと少しでデッドゾーンに飛び込みそうです」

ついでにおまえに向かって爆発すればいいと思いながら「なにかあったのか」と、声を低くしていった。

「例の怪談に登場する、人物が割れました」

「わかった。すぐに当たってみてくれ。課長にはきちんと報告したうえで、な」

携帯電話を切って、殿村の方に向き直り、

「どうやらK氏は実在したようです」

と告げた。先程から広げているメモ帳に、殿村が「K氏実在」と書き込んだ。

「整理してみましょう。まず、

＊中古車を購入したのは、高梨幸太郎自身である。
＊中古車は実際に事故車両であった。しかしそれにまつわる因縁話は、高梨の創作であった。
＊創作に登場するK氏は実在する。
この三点は確かなようです。問題は、果たして二人が千曳山のドライブウエイに行ったかどうかです」

殿村は、冷めたコーヒーをすすり、腕を組んだ。どうやら考え事に没頭するときの、この老人の癖であるらしい。ただ、まだ殿村に沈思黙考を促すときではなかった。あわてて洲内は「まだあるんです」と、言葉をつないだ。

「はい？」

「たぶん、二人は千曳山に行っています。その日時もわかっているんです。詳しいことは、他の警察官がK氏のところを訪れていますから、いずれはっきりするでしょうが、わたしは千曳山のドライブはあったと確信しています」

「ほお！　それは興味深い。どうしてそう思うのです」

「調べてみたんです。例の怪談の中で、ドライブウエイが一部通行止めになっている云々という件《くだり》があったでしょう」

「ああ、わたしも少し気にはかかっていたんだが」

「あの部分が奇妙にリアリティがありすぎて。だって創作だとすれば、別に必要のない要素でしょう。そこで調べてみると、確かに十一月の後半に、三日間だけ通行規制を敷いたことがあったんです。ただしそれは、彼が言うように一部規制ではありませんでした。ドライブウエイは全面通行止めでしたし、そのことは一部ニュースでも流れたそうです」

「だとすると、他の日時である可能性は？」

「たぶんありません。ここ数年の間で、千曳山ドライブウエイで通行規制が敷かれたことはないんです。なによりも、怪談で語られる豪雨ですが、たしかに十一月二十一日に記録されているのです」

「すると、ドライブもまた事実である、と」

「たぶん、通行止めになった原因が、道路の一部破損ですから、それでも見にいったのでしょう。そうした野次馬根性は、だれもが持ち合わせていることですから」

「わかります」と、殿村がうなずいた。

「これが現在、わたしの持っているカードのすべてですよ」

殿村が、上目遣いで洲内をみて、

「そこまで事実関係がわかっていながら、いったい何をせよと？」

と、尋ねた。

「一般市民に協力を仰ぐことは珍しくはありません」

どうして殿村にこんなことを依頼するのか、自分でもよくわからない部分があった。

この事件にかかわって以来、頭の芯《しん》に鈍い痛みや熱が宿っている。それが、いつもとは違った行動様式を洲内に与えている。

「我々は、事実にたいして常に冷静な取調官です。猟犬といっても良いでしょう。形ある証拠は我々の眼を逃れることはできない。けれどこうした問題に関しては……つまり誰かが創作したものから真実の欠片《かけら》を拾いあげるといった作業に直面したことが、ないのです」

「なるほど、まさに民俗学の領域ですね」

「だから、わたしたちの持ち得ない眼で、この問題を考えるにはあなたの力が必要なのです」

「ところで、あなたは今も樹来静弥氏が事件に関係していると考えているのですか」

今度は洲内が沈黙する番であった。

「わたしは、樹来静弥氏に会ったことがありません。あなたは会っていますね。どうなのですか？　樹来静弥氏は相当に怪しいのですか」

畳み掛ける殿村に、明快な答えを用意できない自分に、洲内は苛《いら》ついた。

「刺殺された弓沢征吾氏は、樹来静弥の母親のことを調べるために、山口にまで出掛けています。そして、ひき逃げされた高梨幸太郎氏は樹来静弥の、大学時代からの友人です」

「そうですね」

「どちらの被害者についても、樹来静弥の名前が出てきます。これは偶然でしょうか。先程の話に戻りますが、我々はこうした偶然性にたいして、きわめて懐疑的です。なんらかの形で彼が事件に関係していると考える人種なのですよ」

「やはり、相当に怪しいのですね」

殿村の声が、感情で湿った。少なくとも洲内にはそう思えた。

「誤解のないように申し上げますが、いずれの事件でも彼は完璧なアリバイを持っています」

「ですが、アリバイはかならず崩せると、あなたは考えている」

「現実とは、そうしたものですから」

仕方がないといった顔で、殿村がメモ帳を手元に引き寄せた。もしかしたら気分を害して、協力を得られないのかとも思ったが、そうではなかった。やや考えたのち、殿村は「わかりました」と、うなずいたのである。

「こうした問題については、因果律の引き算を用いるのが有効です」

「因果律の引き算？」

「民間伝承における民俗学的なアプローチを試みる際の手法です。といっても、わたしが独自に考えたものなので、どこまで考察できるかは、不明ですが。

まず、大前提を定めます。これを考察上の定点といいます。この場合は『高梨幸太郎氏が創作した怪談のなかに、彼の死に関するサムシングが隠されている』ということですね」

いいですねと念を押す殿村に、洲内はうなずいた。

「ではここを定点に、事実関係のみを抽出し、因果律について考えてゆきます。

まず第一点。

＊中古車を購入したのは高梨幸太郎氏である。

これを先程の大前提に代入すると『高梨氏は中古車を購入したためにひき逃げされることになった』と、なります」

ここまで聞いて、洲内には殿村の手法が見えてきた。こうして大前提に事実を代入することで、その可能性の有無が見えてくるのである。可能性がなければそれを引き算してゆけば良い。あとに残ったものを、さらに詳しく検証していけば、論理の精度はさらに高まる。

「うーむ、これはどうですかね」

「実際に起きた高校教師ひき逃げ事件を、彼が目撃したか、あるいは自動車に何事かの証拠が残っているとか」

「それはありません。すみません、いい忘れていたことがありました。その事件の犯人はすでに捕まっているのですよ」

「わかっています。でなければ大切な証拠物である自動車が、売りに出されるはずはありませんからね。けれど、こうした作業は決して安易に省いてはいけないのです。差し引いてしかるべきものでも、丹念に検証を加えないと、真実は見えてきません」

「なるほど。ではこれは削除、と」

「次にK氏が実在したという事実を代入します」

「K氏が実在したために、ひき逃げが発生した、ですね。けれどこれでは、怪談との因果関係が見えてきません。仮にK氏が何事かの犯罪に手を染めているとしても、それは怪談のどこにも書かれていない」

「ただし、高梨氏がなぜだか中古車を購入したのはK氏であると事実を歪めている点は気になりますね。簡単に削除してはいけないと思います。保留条項としておきましょう。

次に千曳山にドライブをしたという事実の代入ですが」

「待ってください。それはもっと細分化する必要がありませんか」

洲内の発言に、殿村がようやく笑顔を見せた。

――そういえば、こんな雰囲気を忘れて久しいな。

警察官の日々とは、常に現実と直面することである。考えるという行為も、常に一定のパターンの中でのみ行なわれる。

「その通りです。ドライブという要素の中には、あまりにたくさんの事実と、そうでないものが混じっていますね」

殿村が学生に対して教師が褒《ほ》めことばを与える口調でいった。

「いくつかの条件そのものを事実ではなく仮定と考えなければなりません。現実に我々は高梨氏がドライブに出掛けたという事実以外には、なにも知らないのですから」

「通行止めであった事実と、豪雨があった事実は残してもかまわないでしょう」

「ではそこから始めますか」

だが、まもなくその作業は完全に手詰まりとなった。
＊ドライブウエイが通行止めであったためにひき逃げ事件は起きた。
＊豪雨が降ったためにひき逃げ事件は起きた。
いずれも意味をなさない文章が出来上がってしまった。

「駄目ですね。まるで因果関係が成立しない」

「もしかしたら、複合要素かも知れませんよ」

「複合要素といいますと」

「いくつかの要素が絡み合って、因果関係を成立させることは多いのです。先に仮定を抽出しましょう」

怪談の中で高梨とKは、展望台付近でアベックらしい二人連れと出会っている。

「この二人は、どうでしょうか」

「たしかに、怪談には関係ありませんね。だとすると、実際に彼が目撃したものをそのまま怪談に取り入れたと考えて良いようです。が、ずいぶんとあっさりとした表現ですね。ほとんど高梨氏は気にかけていない」

「一応、他に目撃者がいないか当たるべきでしょうね。それはわたしたちの仕事です」

そういいながら、洲内の思考はずっと先のことを考えていた。

——たぶん、殿村も同じではないのか。

この怪談への考察をはじめてしばらくして、あるひとつの考えが生まれた。その小さな種子は、明らかに幹を大きく成長させ、葉の茂りを、洲内の中に感じさせる。

「殿村さん」と、声をかけ、そこで言葉を止めた。じっと殿村の皺《しわ》だらけの顔を見ていると、相手もわかっているというように、うなずいた。

「そうですな。やはり問題は次のポイントに絞り込まれるでしょう」

怪談では、車に鈍い衝撃を感じて、そこで車が完全に止まってしまったとある。どしゃぶりの雨のなか、ハンドル操作も利かず、衝撃を受けて止まる車。だが、バンパーに追突の跡はない。まさに怪談という物語のクライマックスがここにある。物語は次の自動車修理工場でのシーンで、その車に刻み付けられた因果と、実現象とのリンクで恐怖の終末を告げる。

「これらは、すべて高梨幸太郎の創作なのでしょうか」

「あなたは、こう考えていますね。もしかしたら、どしゃぶりの雨のなか、彼らの乗った車は本当になにかをはねてしまったのではないか、と」

「ええ。視界がほとんどきかなかったことは、怪談のなかでも述べられています。たとえば濃い色のレインコートを着た人物などは、きわめて判別が難しくなるのではありませんか」

「だが、周囲にそんな気配もなく、バンパーに傷もなかった。少なくとも彼らはそういっているのでしょう」

「そんなことは、決して珍しくはない！　あのドライブウエイを実際に走ってみました。するとガードレールの下は、意外に深い谷間なのですよ。バンパーの傷にしても、雨の日は摩擦が少なくなって、傷がつかない場合もあります」

「つまり、彼らは本当に誰かをはねとばしてしまったと？」

「それに気が付かず、お気楽な怪談噺にしたてたてしまった。こんなことは十分に考えられるじゃありませんか」

自ら犯罪をおかしながら、そのことにさえ気付かない愚かな男。ならばその死は悲劇的であればあるほどふさわしい。洲内は自分の胸に湧き上がる高揚感を抑え切れずに、口元を緩《ゆる》めた。その表情を殿村に見られはしなかったかと、顔をあげた瞬間に、不安な気持ちになった。根源は殿村の表情である。先程までの真摯《しんし》な表情がゆるみ、彼もまた目元にかすかな笑いを浮かべているのがわかった。

——どこかで、間違えている？

確かに、殿村の表情が「まだ、おわかりになりませんか」といっているのである。かっと頭に血が昇り、それまでの理詰めの思考が中断された。

「いま、佐々本が高梨の友人であるK氏のところを訪れています。そうなれば……」

言葉を尽くすほどに、足元が崩れる感覚が強くなってゆく。

「あの日、千曳山で起きたすべてのことがわかるでしょうなあ」

のんびりとした、殿村の口調が無性に腹立たしかった。自分を愚かだと嘲笑している、とさえ思った。

「ところで」と、殿村が話題を変えた。

「先程からのお話ですが、なにかわたしにいい忘れた事実はありませんか」

「いえ、ないつもりです」

「ならば、やはりわたしの考えに間違いはないようだ」

「だから！　……あっ」

洲内の口元がだらしなく開かれた。ぺたんと、喫茶店の椅子に腰を落とし、やがて、

「フフフッ、そうですねえ、本当にわたしはなんてことを見落としていたんだ。こんなにも簡単なことなのに。ああ、そうなのですねえ。もしかしたら殿村さんは、はじめからこのことに」

そうであれば、あなたはあまりに人が悪いと、軽い恨みをこめた。

「もしかしたら、アベックがなにか事件に関係しているかもしれない。あるいは彼ら自身がひき逃げを起こしたのかもしれない。あるいは、もっと他の要素もあるかもしれない。けれど、怪談と高梨の事件との因果関係を立証するためには、絶対基礎とも言うべき要素が必要なんだ」

「おわかりいただけたようです」

例の怪談を聴いたリスナーから、情報が寄せられた。同じ確率で、事件の犯人がラジオを聴いて、高梨に対して爆発的な殺意を抱いた可能性もある。

「高梨は、ペンネームを使っていた」

「まさに、その点ですな」

「だとするなら、それが高梨幸太郎だと知り得る人間は限られている。彼の友人か」

「あるいは、ラジオ局の関係者」

もしもリスナーの中に犯人がいるとすれば、高梨の本名と住所をなんらかの形で調べなければならない。そのためには放送局へのアプローチが不可欠である。そこにしか高梨の投書のオリジナルはないのだから。そして、局のプロデューサーの口から、そのような事実は欠片ほども出なかった。

不特定多数の容疑者を浮かび上がらせるために、なにも民俗学的なアプローチなど必要はなかったのである。「もちろん」と、殿村が慰めの口調でいった。

「今日の出来事が、すべて無駄であったとは思わないのです。もしもラジオ局の人間が事件に関連していたとしても、やはり動機の面から探るのが解決に向かう最短距離になるでしょうから」

「それは、そうですが」

むしろ、投書と事件との関連性が薄くなったのだと、洲内は痛感した。

——考えすぎだったか。

事件を、あるいは捜査というものをゲーム化して楽しむ傾向が、洲内にはままある。犯人を追い詰める過程に対して、過剰な高揚感すら抱く。唇を嚙んだままの洲内に、

「どうやら、わたしはあまりお役に立てなかったようです」

殿村がテーブルの上を片付け始めた。その仕草を見ながら、失望感とはちがう意味での違和感が、あった。どこがどうだと説明することのできない、不思議な感覚である。

——おれは、本当に単なる間抜けだったのか。

「わたしも、もう少し別の解釈がないか、考えてみましょう」

という殿村に、軽く礼をいっただけで、洲内は再び考え始めた。


珍しく、深酒をしていた。

あれから署に帰り、受け取った報告には、なにも目新しい事実はなかった。K氏の元を訪ねた佐々木が、

「たしかに、あの日二人はドライブに出掛けたそうですよ。ええ千曳山です。ただ、車が止まったのは中古車特有のエンジントラブルではないかと、いっていましたよ。えっ、エンジンに絡《から》み付いた黒髪？　ハハハ、まさか。現場でボンネットを開けてみたそうですが、そんなことは。あれえ？　まさかそんなことを信じていたんですかあ、洲内さん」

仮に、ドライブウエイで高梨が人をはねた可能性についても、身元不明の死体があが

っていないか、署内に確認をとった。
――すべて外れた。
濃いめの水割りを注文し、グラスの氷を凝視した。
つい先ほど、桂城真夜子の部屋に電話をかけてみたが、留守番電話のままであったこ
とも、集中力を欠く原因のひとつであるかもしれなかった。二人でドライブに出掛けて
以来、真夜子に会っていない。
――そういえば、あの日おれたちが出掛けたのも千曳山で……。
しかも、やはり辺りには人影がほとんどなかったことを思い出した。
「投書から高梨の本名その他を知り得るのは、放送局の人間、もしくは高梨の友人」
そこには、樹来静弥も含まれる。
さらにまったく別の可能性があることに気が付いた。

風景　3

――それから、事件はどうなったのですか。


母は、自殺をしたのではないかと、警察は見ていたようです。わたしが竜おじさんのところへいって、しばらく経った頃に、家を訪ねた人がいたそうです。その時の母が、あまりに思い詰めた顔をしているので、本来の用事も忘れて、その場を去ったそうです。

警察では、当初殺人事件の可能性もあると、考えていたようです。父・重二郎が、事件当夜に母の元を訪れることは、おじさんを含めて何人かの人が知っていました。わたしの親権をめぐって二人が争いとなり、その場にあった小刀で、重二郎が母を刺し殺したのではないか、という意見も決して少なくはなかったのです。母の死亡推定時刻が午前三時すぎであったことを考えても、二人の間で激しい口論があった可能性はあるというのです。

けれど結局、自殺という説に傾き始めたのは、やはり犯人の逃走経路の問題でした。午前三時に母を殺害したとして、夜明け近くに犯人が現場を出て、街場をさまよっていたとはどうしても考えられませんでした。かなり広範囲に飛び散った血液から考えて、犯人が相当量の返り血を浴びないはずがないのです。鉄道の湯田温泉駅の始発列車の時刻は午前六時すぎでした。いくら朝が早いとはいえ、それほどの返り血を浴びて表を歩けば、目立たないはずがありません。まして、観光客は別にして、温泉街の朝は意外に早いものです。朝食の準備担当者をはじめとして、実に多くの人々が、朝早くから街を歩いているのです。

ほかに最寄りの駅がないことを考えると、鉄道を使うにせよ、バスを使うにせよ、多くの人が歩いている歓楽街を、血塗れの犯人がまったく目立つことなく歩いて、駅に向かうことは不可能なのです。

「レインコートかなにかを着ていたのではないか」

という人もいたようです。たしかに血痕には、その飛沫をなにかでふさいだような跡もあったそうですが、これは母が胸に短刀をいったん突き刺し、その苦しさに体の位置を入れ替えたと考えれば、別に不自然なことではないそうです。

もうひとつ。

「車を使ったのではないか」

という説もありました。けれど重二郎は車の運転ができませんでした。なんでも覚醒剤使用の罪で逮捕されたことがあり、その時点では免許を取得することはできなかったそうです。それと同時に、父の足取りについても、詳しく調べられました。

重二郎は確かに東京を出ていました。山口県に話し合いにゆくといって、友人から交通費を借りているのです。が、家を出て、東京駅に向かったところまではわかっているのですが、それから先の重二郎の足取りはまったく不明なのです。

湯田温泉に着いたのが夜だとすると、温泉街特有のすさまじい人通りは、重二郎の足取りを完全に消してしまいます。だとすると、母の家を出てからの足取りがポイントになるのですが、それもまたまったく不明なのです。

「もしかしたら、樹来重二郎はここにこなかったのではないか」

いったのは竜おじさんです。

「あの屑は、いい加減なやつじゃったけ」

そういうおじさんの顔は、とても恐かった。そこに、例の血痕の問題と返り血の問題が交じって、結局、母は重二郎を待っていたが彼がやってこず、極度の緊張感と絶望感から、発作的に自殺したという説に、固まりつつあったのです。

——バカヤロウ、ソンナコトガアルモンカ！

その時のわたしの気持ちは、今も心の奥底に沈めたままです。ああそうですね、それを取り出すために、今のわたしはここにいるのですものね。

話を続けましょう。

母親が死んで一週間も経つと、周囲はすっかり自殺説に傾いていました。わたしは竜おじさんの元に引き取られ、祖母や、家の人々と暮らしていました。そこへ、あの名探偵がやってきたのです。

「お話があります」

その声を今も忘れることができません。とても自信に満ちあふれていて、一点の曇りや不純も許さない、正義の響きを持った声。だからこそ残酷な声。もしかしたら我々の元に、不幸の便りを寄越すかもしれない声。

おじは、玄関口で名探偵を迎えました。

「なにか、ご用ですかな」

「樹来たか子さんの死について、お話があります」

「あれは……自殺ということでかたがつきましたが、の」

「それでよろしいんですか。本当は無念の死を遂げられたたか子さんが、自殺のまま後世にその死を伝えられて、あなたはかまわないのですか」

名探偵の言葉は絶対的でした。おじは周囲に話が漏れるのを恐れるように、彼を奥の間に招き入れたのでした。

わたしは、部屋の外で二人の話に耳をそばだてています。母の死体を見た瞬間から、ずっと胸に秘めていた思いを、いま、この名探偵が明らかにしてくれることを期待して。

二人はなかなか話を始めません。日があっという間に沈み、電灯さえ点けようとしない部屋の中で、いつまでもふたつの仏像が向かい合うばかりです。

「やはり、彼女は殺されたのですよ」

「その前に教えてくれんか。あなたは、どうしてこの事件に口を挟もうとするんかね」

「たまたま、こちらに遊びにきていました。ぼくがあなたの使用人である＊＊の遠縁にあたることは」

「知っておるよ。東京の学生さんじゃそうだね」

「樹来たか子さんの作る童謡詩を偶然知りまして、ぜひ一度、お会いしたかったのですが、その機会を窺《うかが》ううちに、こんなことになってしまいました。なんとも残念です。こうなれば、ぜひとも彼女の事件を解決しなければ、ぼくがここにいる理由まで、なくなってしまいそうだ」

「そうですか。今となってはどうでもいいことですが、一応はお伺いしましょうかの」

その時わたしは、あの朝の母の姿を思い出していました。眠るように火鉢《ひばち》にもたれ掛かり、死んでいた母。その顔に苦痛の表情があったかどうか、思い出そうとしていました。

「樹来たか子さんが、自殺でないことは確かです。だってそうでしょう、もし、自分の死を賭《と》して何事かを訴えようとしていたのだとしたら、どうして遺書がないのですか。文章でなくてもいい。誰かに伝言することだってできたのです。でも、彼女はなんの言葉も残さなかった」

「それはちがう。あれは静弥への溢れんばかりの愛情を、ノートに残しておりました。それだけで、わしらにはあれの真意を汲《く》むことができる」

「では、樹来重二郎氏はどこにいってしまったのです」

「あの男は、妻子を捨てて消えるようなええ加減な男じゃ。なにをやったとしても、不思議ではないわ」

「ぼくには、どうしても腑《ふ》に落ちないのですよ。あれから重二郎氏はぷっつりと行方をたっています。言い方は悪いが、浜尾さんは重二郎にとって最後の金蔓《かねづる》でしょう。静弥くんの親権をだしにさえすれば、かなりの金額を引き出すことができる。どうしてそれを放棄してまで、姿を消さねばならなかったのか。つまりは、彼はそれにふさわしい理由を持っていたということです。金を引き出したとしても、殺人者として告発されたのではとても割りに合わない。そうです。ぼくは彼がたか子さんを殺害し、逃亡したと考えているんです。

ところでひとつ伺いたいのですが」

「なんなりと」

「樹来重二郎という人は、プライドの高い人でしたか」

「そうでなければ、たか子の詩作を禁じ、それでも飽き足らんで出奔《しゅっぽん》などするものかの」

名探偵の沈黙は、明らかに考えを整理するためのものでしょう。

「もうひとつ。樹来たか子さんは、愚かな人でしたか」

「なにをいうか！」

「お腹立ちなら、謝ります。けれど、彼女の死がもし自殺であるとするなら、やはりぼくには、彼女がただの愚かな女性に思えてしまう。自殺をしたところで、なんの解決にもならないでしょう。重二郎氏が親権を主張すれば、もちろんあなたがたは静弥くんを養育することなどできない。もし、争う要素がわずかでもあるとすれば、彼女が実の母親として生きていなくてはならない」

「だが、重二郎が山口市に立ち寄った形跡はないし、まして、血痕のことはどう説明する気かの」

「血痕。ああ返り血の問題ですか。あんなものは簡単ですよ」

「ほお！」

「以前に、雑誌で読んだことがあります。イギリスにはステッキに仕込んだ傘があるそうですよ」

「それがどうしました」

「傘には石突きがあります。それを鋭く磨いておけば、十分に凶器になります。相手を刺殺し、傘を開きながら引きぬけば返り血を浴びることはありません。あとは小刀でもう一度同じ箇所を刺せば」

「たしかに、可能でしょうな。なるほど、傘ですか。それは気が付かなかった」

「もちろん、凶器を用意しておいたかぎりは、あらかじめ殺意があったと思われます。とすれば、山口に立った彼の姿をだれも見ていないのも説明がつきます。きっと自分のアリバイを用意しておいたのではないでしょうか。だからこそ、だれにも見られるわけにはいかなかった」

次の沈黙は、おじの番でした。それを破ったのは名探偵です。

「ただ」と、声のなかに挑戦的な響きが混じっていました。

「この小さな街で、果たして完璧に足跡を消すことなどできるものでしょうか。目撃証言がまったく表に出てこないのは、もしかしたら」

「もう、よさんか」

「やはり、そうだったのですね。あなたが、人を使って目撃証言を消したのですね」

「……」

「もしかしたらあなたは、こう考えたのではありませんか。死んでしまったたか子さんはもう帰ってはこない。けれど、静弥君は生きている。たとえ愚かにも自殺した母親の子供と呼ばれようとも、それは自分が庇護《ひご》してみせる。が、妻を殺害した父親の子供という汚名だけは、どうしても静弥君に与えるわけにはいかなかった。どうせ殺人者となったかぎりは、重二郎氏が二度と再び姿を現すことはないだろう」

「……そのことを、誰かにいうつもりですかの」

「いいえ。どうせなんの証拠もない推理です」

こうして竜おじさんと名探偵との会見は終了し、あとにわたしの失望感が残りました。

あれからもう何年たったのでしょうか。この記憶には随分と古色がついているような気がします。ずっと、思い出すつもりのない記憶だったのですね。だって、遠誉野にやってきて、名探偵と再会したときにも、わたしは思い出すことができなかったほどですから。

「きみは、静弥君か。やはりあの樹来静弥君なのか」

名探偵はそういいました。彼はわたしのカルテを見て、気が付いたのでしょう。

「覚えていないか。きみのお母さまが亡くなったとき、ちょうど山口市に遊びにっていた、あの時の大学生」

その時です、記憶の封印にほころびが生まれたのは。

「名探偵」

「えっ!?」

「あなたはあの時の名探偵でしょう」

「きっ、きみはどうしてぼくが事件の真相を推理したことを」

「聞いていたからです。竜おじさんとあなたの会話を」

「そうだったのか。浜尾氏はきみにだけは伝えたくないと、いっていたが」

かつての名探偵、今や彩京大学医学部に籍を置く、櫟教授はわたしの体を冒す病いについて、インフォームドコンセントを始めたのでした。

第四章　広がる輪と狭まる輪

1

年が明けるとまもなく、桂城真夜子の周囲は突然静かになった。就職活動はほとんどしていない。内定もなにもないが、一年間は無駄にしてもいいと思っていた。

一月の半ば。その日、受け取った手紙は桂城真夜子にとって驚愕《きようがく》以上のものを与えた。

「浜尾竜一郎って、まさか！」

卒論の口頭試問が年明け早々に終了し、卒業がほぼ決定的になったところで、真夜子は浜尾竜一郎に卒論のコピーを送ったのである。お礼と、弓沢征吾の死に関する連絡をかねたものである。返事があるとは思わなかった。非常に古めかしい言葉で卒論の出来を誉め、「わたしの姪のことが、死後二十五年を隔てて、このような形で表に出ることを、うれしく思う」と書かれていたことよりも、驚くべきは、

『今月の終わりに、弓沢征吾氏の墓前に参りたい』

という、一言であった。

――浜尾竜一郎氏がくる。

当然ながら、浜尾竜一郎は樹来静弥に会うことだろう。いつだったか、樹来静弥の部屋を訪れた日のことを思い出した。彼は、母親が死んだ事件について、すべての記憶を失っているという。ショック性の記憶喪失で、決して珍しい症例ではないそうだ。とすると、樹来たか子の死の真相を知るのは、浜尾竜一郎のみということになる。

真夜子の中で、再び樹来たか子の死への興味がむくむくと頭をもたげてきた。

――あまりに多くのことがありすぎた。

弓沢が死に、高梨幸太郎が死んだ。あの日、樹来静弥の部屋で見付けた新聞記事が、いつまでも真夜子の中にしこりとして残っていた。高梨幸太郎は、樹来静弥と親しげに話をしていた人物である。その人物の死を告げる新聞記事を誇らしげに壁にピンナップし、なおかつ仏の笑みを浮かべることの出来る人間、樹来静弥。その笑顔に触れた瞬間に、

――これは、触れてはいけない領域だ。

直感にしたがって、真夜子はそれ以来樹来静弥に接触をしていない。少なくとも洲内一馬の話を聞くかぎり、樹来静弥にかけられた容疑の影はきわめて薄いという。それでも、真夜子には静弥の静かな笑顔が恐かった。

電話のベルが、真夜子を呼んだ。「はい」と受話器を取り上げると、向こう側で、ためらいがちな男の声で、

「恐れ入ります、そちらは彩京大学にご在学中の、桂城真夜子さんのお宅でしょうか」

「あの、もしかしたら、浜尾竜一郎さんではありませんか」

「はい。浜尾です。手紙は届きましたか」

「いただきました。わたしもぜひ、一度お会いしたいと思っていたのですよ」

「弓沢さんの事件を聞きましてね。手紙では線香をあげたいと書いたのですが……ちょっと気になることを耳にしてしまったのです」

はじめて聞く浜尾竜一郎の声に、妙に親しいものを感じた。

――ずっと以前から知っているような。

まもなくそれが、山口県特有のイントネーションのせいであることがわかった。決してきれいな言葉遣いではないが、人の気持ちの隙間にするりとはいりこむリズムを持っている。人によっては人懐っこいとも、また逆に押しつけがましいともとれるリズムである。

浜尾の沈黙が、気まずさになる前に、真夜子から声をかけた。

「気になることといいますと」

「ええ。こちらでもちょっとしたつてを使って調べることは出来るのですよ。それで事件の詳しい内容を、今日知りました」

浜尾竜一郎が県会議員であるという話は聞いていた。警察本部にも、話を聞くルートが存在するのだろう。

「弓沢さんは刺殺されたのですよね」

「ええ、病院を抜け出したところを、駅前の児童公園で」

　また、しばらく二人の間に沈黙が居座った。

「桂城さん。弓沢さんが殺された現場で、ちょっと奇妙な血痕が見つかったことは？」

　記憶から、殿村三味に聞いた話をひっぱりだしてきた。

「えぇっと。返り血を避けるために、なにか特別なものを用意していた可能性があるという」

「その件です。もしそうだとすると、犯人はあらかじめ弓沢氏の殺害を計画していたことになりますね」

「どうでしょうか。だって」

　もうすぐそこに、弓沢征吾の死は待ち構えていたのだとは、さすがに言葉に出来なかった。なによりも、浜尾竜一郎の言葉の矛先は、もっと別のベクトルを持っているような気がしてならなかった。弓沢征吾の事件に計画性があろうがなかろうが、所詮は小さな出来事にすぎないような、そんなもどかしさと苛立ちの匂いがするのだ。

「わたし、樹来静弥氏に会いました」

　浜尾竜一郎の反応は、真夜子の予想を裏切らなかった。

「会った？　静弥に会われたんですか」

「はい、彼がお母さまの死に関して、すべての記憶を失っていることも、ご本人から」

「聞いた？」

「はい」

受話器の向こうで、大げさなほどのため息が聞こえた。

「そうですか、あれの記憶はまだ、戻ってはおらんのですか」

また沈黙。

「その件と、弓沢氏の事件とに、なんらかの関係があるとお考えなのではありませんか」

すると浜尾竜一郎は、

「もう一度確認します。本当に静弥は、母親の死に関して記憶がないと、いったのですな。それは確かなことなのですな」

不意に、言葉が天啓のように降ってきた。ばらばらと、形を成さない言葉の破片が、胸のどこかに落ちた拍子に、自己形成をはじめて、ひとつのまとまりある形を作った。

――樹来たか子の死は、自殺ではないと仮定する。

――すると、彼女の死は刺殺ということになるではないか。

――では、弓沢征吾はどうやって殺された？

「桂城さん、どうなのですか、本当に静弥はあの日の記憶がないと、いったのですか」

「浜尾さん。もしかしたら、樹来たか子さんが殺害された現場にも、同じような血痕があったのではありませんか」

その直後に訪れた沈黙には、電話の向こうの相手のほとんどの感情がこめられていた。怒り、驚愕、悲しみ。笑いと喜びをのぞく、あらゆる感情といってもよかった。

「どうして、そのことを。どうしてあれが殺されたことを、あなたが。まさか、弓沢征吾氏はあなたにそのことを？　いやあの人はそんな方ではないはずだ。自分の死を賭《と》して山口までやってきて、その秘密に触れた人なのだ。わたしとの約束を、簡単に反古《ほご》にするはずがない」

ならば、どうして樹来たか子の死の秘密を、真夜子が知ることができたのか、浜尾竜一郎はしつこく問うてきた。あくまでも仮説にすぎず、なんの論理的な根拠もないものであるというのに、浜尾は態度で、それらがすべて真実であることを真夜子に教えてしまったのである。しまいに、弓沢への疑いを口にしたときになって、ようやく浜尾は自分の取り返しのつかない失策に気が付いたらしかった。

「やはり、樹来たか子さんは殺害されていたのですね」

「どうして、わかったのですか」

「彼女の残した童謡詩です。その中のひとつに、新約聖書の影響があることに気が付いた人がいました」

そういって真夜子は、殿村三味という一風変わった郷土史家のこと、彼が示した詩の解釈を説明した。

「もし、樹来たか子のなかに、たとえ変型された形であっても、キリスト教の影響があるなら、彼女は自殺はしません。あるいは、殺害されることを予感し、そして、敢えてそこから逃げ出そうとしなかったのかもしれませんが、自ら死を選ぶことだけは絶対にない」

そうでしょうと、語尾を濁して浜尾竜一郎に問い掛けると、受話器の向こう側には後悔をにじませたため息が、響くばかりであった。

「そうですか。そんな考え方もあるんですねえ」と、浜尾竜一郎はようやくひとことといって、

「たしかに、生家近くにキリシタン寺と知られた寺があります。そこに幼かったたか子はよういっておりました。住職にもなついておったが……そうですか、キリスト教というのは、自殺を禁止しておるのですか」

そのことを、浜尾竜一郎が知らなかったことが意外に思えた。

「それよりも、教えてください。たか子さんが殺された事件と、弓沢さんが殺された事件とには、共通点があるのですね」

「………」

沈黙には、言葉以上に雄弁な一面がある。

――人は御子のために、死するものなり。

常に事件は樹来静弥に関わりをもちつつ進行している。問題は、

――そうか、そのことを樹来静弥本人が認識しているか、どうかなのか。

浜尾竜一郎の沈黙の意味は、そこにある。

「弓沢氏は、十一月七日の夜、本当に静弥に会うことはなかったのでしょうか」

浜尾が、弓沢殺害事件当日の夜、静弥に会っていたのではないかと疑うのは当然であった。もし、なにかのきっかけと理由があって弓沢が病院を抜け出したとすれば、樹来静弥に会おうとしていたと考えるのが、もっとも自然である。

「弓沢さん、まったくの偶然ですが、一度静弥氏に会っているのですよ」

「と、いいますと？」

真夜子は、弓沢征吾が樹来静弥を駅前で殴打した事件について語った。が、電話の向こうの浜尾は「はあ、そんなことがあったのですか」と、あまり気のない返事をよこした。

——どうしてもっと反応しないのだろう。

もちろん、弓沢征吾が樹来たか子の童謡詩に興味をもつ以前のエピソードである。だが、浜尾は弓沢にたいしてメッセージを委託したのである。その偶然性について、もっと興味をもつべきではないのか。

「あの、本当に事件の夜、静弥と弓沢氏は会っていないのでしょうか」

同じ質問が重なったことで、真夜子の不審感はいよいよ本物になった。

「どうして、事件の夜に、それほどこだわるのですか。もちろんわたしは弓沢氏の看護人ではありませんから、彼の日常の行動をすべてつかんでいるわけではありません。もしかしたら、入院する前に弓沢氏は静弥氏に会っているかもしれないし、その可能性はだれにも否定できないでしょう」

「でも、あなたは静弥に会って、その口から母親の死の真相について、なんの記憶もよみがえっていないときいているのでしょう」

気持ちがささくれだってきた。どこか、おかしいのだ。浜尾竜一郎との会話には、どこか論理性が欠けている。それは、電話口の向こうの相手がなにかを隠しているからであり、その部分での齟齬《そご》が会話をひどくぎこちないものにしているのである。

「どうして、十一月七日にそこまでこだわるのですか」

「そっ、それは」

質問の矛先を変えてみた。

「浜尾さん。あなたはもしかしたら、弓沢征吾さんを殺害したのが、樹来静弥氏であると、考えているのですか」

「警察は、当然あれを調べたのでしょうな」

「はい、事件当夜のアリバイも成立しているし、何ら問題はないとのことでした。だから彼が弓沢氏に会っているはずはないのです」

「それは正確な情報ですか」

「警察関係者からのものですから」

電話口で、「おや」と小さな声がした。

「わたしにも特別の情報ルートがあります」

それが、恋人もどきの男友達との、ベッドトークであることをあえて報《しら》せるほど、真夜子の羞恥心《しゅうちしん》は鈍くはない。ただ「特別の」という言葉の端に、自分でも気恥ずかしくなるような甘えが、確かにあった。

「それではあまり隠しておくこともないようですな」

そういいながら、浜尾の口調には真実を語ろうとする様子はなかった。どこかで話を変えようとしている、そんな匂いがした。

「たしかに、わしは怯《おび》えております。もし、静弥が事件に関係していたとすると、それはわしのせいです。いや、弓沢さんが亡くなったのも、わしのせいかもしれんのです」

「どうして、そこまでご自分を」

「たか子が死んでまもなく、静弥の様子がおかしいことに気が付きました。うちで遊んでいても、夕方になると『母さんが夕飯を作っちょるけ、帰ります』と、玄関を飛びだそうとするんです。たしかに母親のことはショックだったでしょうから、私どもも、それなりに相手をしておったのですが、これが毎日繰り返されるとなると、尋常ではありません。医者に診せると、どうやら、事件の前夜から遺体発見までの記憶が、すっぽりと抜け落ちておるようなんです」

静弥の症状を知ってからの、浜尾竜一郎の判断は、果敢であった。ありとあらゆるつてを使って、樹来たか子の死を自殺の方向へ向けたのである。

「たしかに、静弥を殺人犯の子供にしたくなかったのは事実です。あるいは、わしがいずれは県会議員選への出馬を狙っておったことも、理由のひとつにあげられるかもしれません。いずれにせよ、わしは事実を歪《ゆが》めたのですよ。その歪めた事実が、今になってよみがえって……」

真夜子は、樹来静弥の顔を思い出した。あの、静かすぎる表情の裏に、とんでもない歪んだ感情が埋まっているのだろうか。

浜尾の言葉がつづく。

「わしは、ずっと恐れておったのですよ。いつかあの子が母親の死の真相に気が付くのではないか、と。記憶に障害を持ったせいかどうかはわかりませんが、あの子は奇妙に歪んだ気質を持つようになりました。人に、決して打ち解けぬ子になってしまったのですよ。いつでも世の中を斜に構えて見ているような、そんな性質の子供になってしまったのです」

「ちょっと待ってください」

真夜子は、浜尾の言葉をあわてて止めた。

「それは、本当に樹来静弥氏の話ですか。わたしがお会いしたかぎりは、樹来静弥氏はまるで僧侶のように静かな方でしたが」

なんとも奇妙な間があいた。重苦しいような、もどかしいような間である。

「ははあ、それはやはり、あなたがまだお若いから、そう見えるのでしょう。わしは、静弥が東京の大学に進学し、卒業後もそこで就職をすることに賛成しました。実のところをいいますとね、あの子が高校を卒業して以来、会ったことはほんの数度しかないのですよ。それも、わしがなにかの用事を作って、そちらに行ったときだけです。最後に会ったのは、あの子が重い病気に罹《かか》り、数か月入院したときでした」

「重い病気というと」

「……悪性の腫瘍《しゅよう》ですよ。もちろん、手術は成功して、転移の心配もほとんどないそうですが」

そもそも、樹来静弥がこの街にいることを知ったのは、彼が通院する病院で実習をしている友人からの情報である。たぶん悪性の腫瘍であろうことは、彼女が放射線学科であることから想像がついたし、経過が良好であることも、すでに知っている。だが、そのことを真夜子は浜尾には伝えなかった。

「転移の心配はない」と浜尾は繰り返す。それが真実か否かを検証するよりも、言葉の陰に、もっと重要な事実が見え隠れするのを、たしかに感じていた。

――悪性腫瘍という病気の裏に、別のなにかがある。

「それだけですか」

「といいますと。ええ、一年前に手術の直前まで話をしましたが、別に変わった様子はありませんでした」

「では、彼が変わったのは、手術後ということになりますね」

「それは……簡単な手術ではありません。人生観が少しは変わったかもしれませんね」

そんなこともあるだろうと、思ったが納得はできなかった。いったいこのもどかしさはなんだろう。浜尾竜一郎が握っているカードの、すべてをオープンにする手立てはないだろうかと、真夜子は頭をめぐらせた。その気配を察知したのか、電話の向こうで、また話を変えようと、別の空気が動いた。

「わしは、弓沢さんに、とんでもないお願いをしてしまいました。余命短い弓沢氏だからこそ、あんなことがお願いできたのでしょうな」

「と、いいますと」

「たか子の死の真相を、静弥に報《しら》せてほしいとお願いしたのですよ」

足元が、崩れてしまうかと思った。

「どうして、そんなことを！」

「あなたのせいですよ。あなたが樹来たか子に興味を持ったこと、そのあなたが偶然にも、静弥の住む遠誉野という小さな街にいたこと、さらには余命短い弓沢征吾氏が、命を賭《と》してまで、この山口を訪ねてくれたこと。そうしたもろもろの出来事が、わしに問い掛けたのです。本当に秘密のままでよいのか、と。その時でした、偶然が必然の背中を押してしまったんですよ。わしは弓沢氏に判断を任せて、真相を話しました。その時はまさか弓沢氏が、あのようなことになるとは思いもしなかった。

それに……ね。わしは静弥の母親の死を、真実から遠ざけた人間です。それがあれのためだと信じておったんです。が、上手の手から水が漏るように、真実とはいずれどこからか表に出てしまうものでしょう。あなたの知り合いが、まったく別のところからたか子が自殺ではないことを突き止めたように」

呼吸をいくつかするだけの間が空いた。

――ドコカニ、嘘ガアル……。

それが浜尾竜一郎の年齢によるものなのか、あるいは別の意図があるのか、真夜子には判断できなかった。が、すぐに再開された浜尾の口調には、どこか思い切りを付けたような快活さが感じられた。

「弓沢氏に、もし静弥に会うことがあったなら、真実を話してもかまわないといいました。事件の直後、ひとりの大学生によって解かれた、真相について。そうだ、その大学生のことも、ずっと気にしていました。こんな偶然がありえてよいものか、と。そういえば遠誉野には、日本中のさまざまな習俗が集まっているのだそうですね。弓沢氏が、楽しそうに話してくれましたよ。先程あなたが話した殿村三味という人の……」

脳裏に閃くものがあった。

「どういうことでしょうか」

「えっ」

「先程のお話ですよ。事件の謎を解いた大学生が、どうかしたとか、偶然とか」

「ああ。桂城さん、わしが真実を話すことに必然性を感じたのは、あなたと静弥が遠誉野という街に同時に生きているためだけではないのですよ。その街は本当に不思議な街ですね。たか子が死んで二十五年以上になります。それだけの時を経て、いくつもの偶然の扉をあけて、わしに真実を話すことを迫る街です。一年前、静弥の入院にともなって病院を訪れたわしは、本当に驚きました。だって主治医の先生こそが、あの時の青年だったのですから。いったいどれほどの偶然が重なり合ったなら、こんなことが起きるのでしょうか。

いえ、その時は本当にただの偶然であると思ったのですよ。ですから、主治医の櫟教授にも、静弥の記憶に関する事情を話して、あの一件には一切触れてもらわぬよう、お願いしたのです」

それは、あまりに衝撃的な事実だった。

——これが、切札?

「櫟先生が、事件の当事者だったんですか」

真夜子は、自分の混乱を抑えることができなくなっていた。なにがどうなっているのか、さっぱりわからない。それから先、どのような話をしたのか、ほとんど記憶にないまま、受話器を置いた。

後で見たメモには、「浜尾竜一郎氏、二月五日来京」とだけ、書いてあった。

まだ、浜尾竜一郎が何事かを隠しているという感触を、真夜子は捨てきれないでいた。

浜尾竜一郎が最後まで隠しておきたかったカードとは、いったいなんであろうか。

低気圧の影響で風が出てきたようだ。窓ガラスが先程からしきりと悲鳴を上げるのだが、真夜子はそれよりも自分の思考の淵に立って、その深淵を覗き込む作業をやめようとはしなかった。

「模倣犯なのだろうか」

言葉にすると、それは突然に凶々《まがまが》しい現実を呼び覚ます。昭和四十七年の十一月五日。山口県の片隅で、希代の童謡詩人への期待をかけられたまま、樹来たか子は死んだ。それは当初いわれたような、自殺などではなかった。

「もしも、たか子を殺害した人間が、あらかじめ凶器を用意していたとすれば、それは決して突発的な犯罪ではないことを示す、わけだ」

もちろん、この場合の殺人者とは樹来重二郎を指している。

「けれど、どうして重二郎はそれほどたか子を憎まなければならなかったの」

たか子が本格的に童謡詩の詩作を始めたのは、昭和四十一年頃のことである。翌年、重二郎と結婚をしたことを考えれば、彼がたか子の詩作を知らないとは考えづらい。

「やはり、コンプレックスか」

日々名声をあげてゆく妻に、狂おしいほどの嫉妬心を抱いたのか。ならば、この男の人生は哀れというほかない。己れの人生を妻と比較して、勝手に二流に貶《おとし》めた哀れな男は、やがて彼女の詩作を禁じ、わが子の誕生を見ぬままに出奔。各地を転々とし、時には警察のやっかいにもなりながら、関東地方へと流れてゆく。

――あるいは……。

ひそかに連絡を取っていた浜尾竜一郎から、正式な離婚話が出たときに、嫉妬や羨望《せんぼう》は歪みの極致を迎えて、爆発したかもしれない。そこに、わが子と明るい場所でなに不自由なく暮らし、詩人としての名声までも勝ちえようとする、人生の成功者の姿が、見えたのかもしれなかった。

「ただし、重二郎はそこに悪意のフィルターをかける自分を止め得なかった」

冷たい風を頬に受けると同時に「なにをいっているんだ」と声をかけられて、真夜子ははっと我を取り戻した。心臓が一気にトップスピードで鳴りだした。

――だれだ。

いつのまにか炬燵《こたつ》に臥《ふ》して半分眠っていたらしい。あわてて眼鏡を探したが、こんなときに限ってあるべき場所にない。

「俺だよ、洲内だ」

そういわれて、ようやく情況が判断できた。

「何度ノックしても返事がないし、かといって部屋が空いているふうでもない。おまけにドアのロックまではずれているのは、強姦魔に出動要請をしているようなものだ」

洲内一馬は、自分の部屋にあがる気軽さで、玄関先で靴を脱ぎ始めた。ひどい鼻声が、喉の奥でかすれ、潰されている。

「ひどい、声」

「うん。少しハードワークがすぎたようだ。風邪ではないと思うが、熱もあるようだ」

その声に反応して、真夜子は布団を出した。敷きおわると、部屋中を引っ繰り返して、薬の箱を探した。

「ゴメン、ひどい散らかりようで」

「いいさ、気にしてやしない。といいたいところだが、本当にひどいな。これも卒論のせいか」

「口頭試問が終わったから、もう片付けようと思っているの。でも、なかなかやる気が起きなくて。本当にゴメン」

「そんなに謝ることじゃない。それよりも」

一馬が、コンビニエンスストアのビニール袋を差し出した。

「中に牛乳があるから、温めてくれないか。きみには安物だが、ワイン」

「ありがとう。あら、デザートまである」

ネクタイをゆるめ、布団に座り込むと同時に洲内一馬は全身を弛緩《しかん》させた。よほど疲れていると見えた。

「どうしたの、いったい」

「山歩きだ。千曳山のドライブウエイの一帯を」

「もちろん、趣味じゃないわよね」

「仕事、だ。まったく、今回の事件は歪みきっている。どこにことの本質があるのかが、まるでつかめないから、現場はこうして無駄かもしれない重労働を強いられる」

電子レンジで温めた牛乳を、洲内一馬は、ひどく大切なものを抱えるようにする。その姿が、ふと抱き締めたくなるほどに愛しく感じられた。

二人の会話が日常的なものになり、飲み物がワインに切り替わって、次に闇と沈黙が訪れた。なにかの儀式のように体を重ね合い、互いの欲求を満たした後で、真夜子は電灯を点《つ》けた。一馬が真夜子のベッドから降りて、布団に潜り込んだ。不思議なことに、これまで何度も体の関係を持ちながら、二人がひとつの寝具に寝たことがない。いつだったか一馬は「寝相が悪いから」と言い訳をしていたが、そうではないようだ。

「わたし、汗臭くなかった？」

「それはお互い様」

その言葉が合図になって、真夜子は素肌にスウェットを着け、バスの用意を始めた。

「さっき、おかしなことをいっていなかったか」

「ええ？」

「模倣犯が、どうのって」

それまでの甘い雰囲気が、真夜子の中で霧散した。

——この人は、いったいいつからドアの外に立っていたのだろう。

その言葉は、電話の直後に洩《も》らしたものではなかったか。

洲内一馬という人間が、時として見えなくなることがあった。まず、自分のことをほとんど話さない。出会ってまもなく子供の頃のことを聞いても、うまくはぐらかされてしまった。「話すようなことがないだけさ」と、本人はいう。けれど平凡であればあるほど、幼い頃の出来事は人に珠玉の思い出となるのではないだろうか。つまるところ、

――この人は、話したくない思い出ばかりなんだ。

一人で湯槽に入り、先に体を洗う一馬の背中を見ながら、そこへ唇を押しつけたい自分と、それを押し止める自分とがいることに、真夜子は戸惑っていた。

「で、模倣犯の件だけど」

いつのまにか湯槽に入ってきた一馬の問い掛けに、先程の浜尾竜一郎との話の内容を聞かせた。乳房の下を抱き締める一馬の手は、湯の屈折でひどくエロチックに見えたけれど、真夜子はあえてその感触を無視した。

「ふうん」

「なんだか気にならない？」

「なんだか、どころか……それはとても大きな問題だよ」

「やはり、樹来静弥は関係しているのかしら」

「これで関係がないといったら、それこそ怪談だ」

そういって、今度は一馬がラジオ局への高梨幸太郎の投書の話を始めた。幸太郎の作った怪談のこと、殿村三味からもらったアドバイスについて。すべてを話し終えて、一

馬はひとこと「わからん」と、湯槽に顔を沈めた。

湯上がりに、缶ビールを開けた。

「ちゃんと、こんなものが用意してあるんだ。今日日《きょうび》の女子大生は」

「あら、最近は男子学生の方がお酒は飲まないみたいよ。コンパでも人に勧めようとする人ばかり」

「優しさには、常に下心あり、だな」

「それでもわたしたちの方が強くて、ほとんどの場合は向こうが先にまいるみたい」

「ところで、二十五年前の事件のことだけど、樹来たか子は自殺ではなかったの」

「ええ。どうやら失踪していた夫が犯人だったみたい」

「で、血痕の件は？」

「傘の石突きを使ったのではないかと、浜尾氏はいっていたけど、そんなもので本当に人を殺せるものかしら。おまけに、引きぬくときに傘を開いて返り血を避けるなんて、可能なのかなあ」

一本目のビールを一気に飲み干し、二本目のプルトップに指をかけながら洲内一馬が、じっと真夜子を見る。いったいどれほどの情報がめまぐるしく交差しているのだろうか、一馬の目の奥に、さまざまな光の粒子が明滅しているように見えた。

「どうしたの、黙り込んで」

「同じことを考えた人間がいるんだ」

「えっ、同じことって、つまりそれは弓沢氏の事件？」

「うちの鑑識のひとりがね、傘を使えばなんとかなるだろうといっている。おまけにそいつは大きな肉の塊を買ってきて試したんだ」

「で？」

「可能だそうだ。ただしかなり頑丈な傘でないと、正確に急所をとらえることができない。意外に傘の石突きは弱いそうだ。被害者が少しでも暴れると、切っ先がずれて致命傷にはならない」

そう話しながら、一馬が自分を見ていないことを真夜子は感じていた。一馬は、ステッキに仕込むことのできる特殊な傘についても、真夜子に伝えた。ただ、ステッキについては一馬自身もあまり信憑性《しんぴょうせい》のある話だとは、思っていない様子だった。

「二十五年前に樹来たか子が夫に刺殺されたとする」

洲内一馬は、いま、必死になって推理に道筋を作ろうとしている。言葉に起こすことで、混在をきわめている材料を吟味《ぎんみ》し、取捨選択を行なっていた。

「そして弓沢征吾の事件を、たか子の事件の模倣殺人であると仮定する」

「とすると、犯人はあの事件の真相を知っていなければならないわね」

「そこなんだ。いったい樹来たか子の死が、殺人事件であったことを知っているのはだれだ。それを考えると、犯人への道筋ははっきりとするはずだ」

「それで……！」

浜尾竜一郎が、樹来静弥の記憶についてしつこく尋ねてきた理由が、理解できた。

「どうした？」

「浜尾氏がしきりに気にしていたの。静弥の記憶が、戻ったのではないか、と」

「待てよ。その話ははじめて聞くぞ。静弥の記憶がどうとかいう話は」

「あら。そうなのよ、樹来静弥には母親の死に関する記憶がない。遺体を発見したのが静弥だったのね。その衝撃で前後数日の記憶が欠け落ちているんだって」

「欠け落ちているのではないな。たぶん封印されているんだ。人の記憶はそれほど簡単に消せるものじゃない。そのことを浜尾竜一郎も知っているんだな。だから、彼もまた模倣犯罪という可能性にたいして、過敏に反応した」

たか子の死の真相を、弓沢征吾殺害事件の時点で知っていたものを二人は列挙した。

まず弓沢征吾本人。

次に浜尾竜一郎。

「まだ気になることがあるの。どうして浜尾氏はあれほど事件当夜のことを気に掛けたのかしら。弓沢さんと静弥がどこかで会った可能性については、もっと別の選択肢があっていいはずなのに、彼はそのことにはまるで興味がないみたい」

「確かにな。そのあたりに最後の切札が隠されているのかもしれない」

「あとひとつ。悪性の腫瘍の手術を受けた静弥は、その前後でまるで性格が変わっているような気がするの」

「病気のせいではなくて？」

「かもしれない。そうでないかもしれない。でも手術前の樹来静弥について、データがほしいな」

不意に、頭を殴られたような感じがした。

――オ前ハ馬鹿ダ、大馬鹿ダ。

「ああ、そんな可能性が、でも……」

真夜子は、ひとつの結論に導かれるのを感じた。あくまでも推測にすぎない。しかもそれは弓沢征吾の事件が模倣犯罪であるという、仮定に則《のっと》っての推論である。砂上の楼閣と人は笑うかもしれない。

――でも。

「あと……ひとりいた」

真夜子の声はひどく湿っぽかった。

「やはり樹来静弥も含めるべきかな」

思いついた可能性を、確信に高めるために別の方向性を求めてみた。

「事件の記憶が戻っていないと証言しているのは、本人だ。こうした場合、我われ警察官はその証言にたいして信を置かない」

そういいながら、洲内の口調は静弥を疑っているようには聞こえなかった。きっと、何度か樹来静弥に会ったうえでの判断なのだろう。およそ邪悪という概念からは程遠いところにいる、樹来静弥。だが、真夜子は彼の邪念のなさや、あまりに静かな表情が不気味でならない。それが事件に関係しているのか、否か、わからないことがさらに不安感を掻《か》き立てるのである。

「あのね。彼の部屋にいったの」

「どうして、そんなことをしたんだ」

「母親のことを聞いてみたくて。で、見付けたのよ。高梨幸太郎氏がひき逃げをされたときの新聞記事を」

「友人だからな」

「違うの！　彼、ピンナップのように壁に記事を張りつけていたわ。まるで百舌《もず》が獲物を獲《と》って枝に刺しているみたいで、わたし……」

ややあって、一馬が口を開いた。

「樹来静弥という男には、なにか隠された一面がある」

「たぶん、浜尾竜一郎氏が、まだわたしたちに公開していないカードね」

「そのことが事件に関係していることは間違いない」

二人は顔を見合わせて、うなずいた。

たか子の事件の真相を知る人間はもうひとりいた。

「模倣犯罪における、もっとも大切な要素は」と、一馬が口調を変えた。それもまた、自分の頭の中を整理するための方法のひとつであろうと、真夜子は思った。

「大切なのは、動機なんだ。どうして過去の事件を模倣しなければならないのか」

「やはりメッセージかな」

「その通り。模倣犯罪における動機で、いちばん強いのはメッセージ性だ。過去の事件を真似ることで、確かに——この場合は事件の当事者である可能性が強い——自分の声を伝えようとしているんだな」

「でも、今回の件を当てはめると、しっくりこないかなあ。二十五年前の事件はすでに時効だし、いまさら樹来たか子の死が自殺でなかったことを証明しても、だれも利益を得ない」

「そうとは限らないさ。人は刑事罰によってのみ裁かれるものではないよ。むしろ自分を裁くのは自らの良心なんだ。だからこそ、時効という制度が存在しているのだから」

「でも……」

二人の会話は、堂々巡りのようで少しずつひとつの方向性を見いだそうとしている。

「あるいは、まるで逆も考えられる。模倣犯罪によって、過去との因果関係があるように、見せ掛けるパターンだ」

「それも、どうかな。だって今回の犯罪そのものが、あまり意味のないことだもの。末期癌に冒された弓沢征吾氏を、あえて病院の外に呼びだしてまで殺害するには、しかも二十五年前と同じ方法を真似て殺害するためには、やはり犯人側に過去との因果関係があると見るべきじゃないかな」

「たしかに、これに関してはきみの意見に従うよ」

そうして、二人の論点は元の場所に戻った。

「あとひとり、たか子の事件の真相を知る人間がいるね」

「でも、彼が犯人だとは」

「模倣犯罪に、もうひとつの動機がある。きわめて歪められた形ではあるが、たしかに動機は存在する」

それは、過去の事件を再現するためだと、一馬がいおうとしていることが真夜子にはよくわかった。

――では、いったいどうして？

答えはすぐそこにあった。手を延ばせば触れるほど近くに。触るのはどちらか。真夜子か一馬か。二人して、そこに到達することをためらっていた。

先に手を延ばしたのは、真夜子であった。

「二十五年前に起きた事件で名探偵を務めた人物。現在の樹来静弥の主治医でもある、櫟教授」

「そう、彼は事件の真実を知っている。しかも弓沢征吾氏の主治医でもあった。彼になにかを吹き込んで、病院を抜け出させることも、十分に出来た」

「でも、動機がみつからない」

「あるさ、たったひとつだけ。彼は今になって検証してみたくなったんだ。自らが名探偵を務めた樹来たか子殺害事件の真実を」

「そんな！　あの事件を検証するのに、余命いくばくもない弓沢氏を……！」

言葉の続きをいえずにいると、洲内一馬が唇を重ねてきた。キスではない、唇を使って、真夜子の唇の動きを封印したのである。「無理に、話さなくてもいい」と、小さな声が聞こえた。

「本当に、たか子の事件の犯人は樹来重二郎だったのだろうか。その疑問を解決するには、自分の推理が正しかったかどうかを検証するのがいちばんだ。もしも、常識はずれの自尊心と、科学者の冷徹さと、余命いくばくもない人間の命をさほど重いものとは思えないだけの壊れた良心を持ち合わせた男がいたとしたら」

「でも、どうして、今になって！」

「たぶん、すべての鍵は樹来静弥に封印された記憶にあるはずだ」

「でも、彼の記憶はまだ戻っていない」

「そうではないとしたら？　ああ、これ以上は論議を重ねても無駄だね。すべては推論の域を出てはいないし、今まで以上の仮説が得られるとは思えない。けれど打開策はある」

「浜尾竜一郎氏が隠しておきたい事実を、暴く方法？」

「そう。そして国家権力の後ろ盾をもって、正面からぶつかるという方法がおれにはある」

そう話す洲内一馬の横顔に、なにか凄絶《せいぜつ》な影を見たようで、思わず真夜子は目を伏せた。

2

一月二十日。遠誉野署内のデスクで、洲内一馬は考え事をしていた。

――櫟心太郎、か。

「顔色がよくなりましたね」

コーヒーのカップを差しだしながら、佐々本がいった。今のところ、櫟心太郎の名前が事件に関連する人物として浮かび上がったことを、捜査会議でも話してはいない。

「あちらの件はどうなった？」

「例の投書の件ですか」

「ちがう！」と、洲内は強い口調でいった。佐々本のなにも知らないとはいえ、能天気な口調が神経を逆撫《さかな》でした。

「管内で、若い女性が行方不明になった一件があっただろう」

「ああ、そういえば」

佐々本が机のうえに乱雑につまれた書類の山から、一通の報告書をようやく捜し出して、一馬に手渡した。

「畑山芳江《はたけやまよしえ》？」

「はい。あれから数日たって、母親から捜索願いが出されています。けれどどうやら昔から放浪癖があるようなんですよ」

「だがそれは大学時代のことだろう。現在二十七歳で……そうか無職なのか」

「電話で確認したんですが、一年前に勤め先を辞《や》めています」

「で、生活はどうやって」

「貯えがあったそうですよ。なんでもなんとかいう資格を取るために勉強していたそうです」

佐々本が手帳を繰って「サイコセラピスト」という言葉をひっぱりだしてきた。

「なんだ、そりゃあ」

「精神面のカウンセラーだそうですよ。欧米では一般的な職業ですが、日本では精神科医のところを訪れるのでさえ、躊躇《ためら》うでしょう。だからなかなか根付かなかったのですが、最近ではそれでも不安に耐えられない現代人のために、少しずつですがふえているそうです」

とぼけたところはある男だが、どうやらまるきりの無能というわけではないらしい。ほう、と感心した声を上げると、やや調子付いた声で、

「おもしろい話があるんですよ。日本でサイコセラピストという職業が根付かなかったもうひとつの理由が、日本には縄のれんがあるからだそうです。日本人は縄のれんでほ

とんどのストレスを発散させるからだ、と……」

佐々本の言葉が止まったのは、自分に向けられた視線の冷たさに気が付いたからに違いない。

「畑山芳江について、ですよね。続けます。彼女はサイコセラピストの養成講座に通っていまして、周囲の評判も決して悪くなかったようです」

「友人関係は？」

「あまり親しい友人はいなかったようです。まあ、放浪癖なんかがあるほどですから、どこか変わったところがあったのでしょう。そんな調子ですから、実のところ、いつごろ家を出たままになっているのか、日時の特定が出来ていないのです。日頃真面目な彼女が、何度も続けて講座を休んだのでおかしいと、友人のひとりがいいだしまして、結局アパートにいってみたが埒《らち》があかない。母親に連絡をして、そこであの日の遠誉野署来訪となったそうですが」

「畑山芳江はいつから講座に出席しなくなった？」

「十一月二十六日の講座からです」

「その前の講座は」

「その前は講師の都合で休講ですので十一月十一日ですね」

——十一月二十一日を挟《はさ》んでいるな。

仮説のひとつが、証明されようとしていると、洲内は思った。

「あの、聞いていますか、洲内さん」

「ああ聞いているよ」

そういって洲内はメモ帳を取り出した。

＊弓沢征吾刺殺
＊畑山芳江失踪
＊怪談のラジオ放送
＊高梨幸太郎死亡

「こう並べてみると、事件の流れが見えてこないか」

「つまり……なんですか」

「まだ、おれにもはっきりと見えているわけじゃないんだが、事件の時系列はきちんと並んでいる。あとはそれぞれを結ぶ糸の存在だ」

佐々本が、すまなそうに笑った。

「考えすぎじゃないですかねえ」

「もういい。それよりも高梨幸太郎と千曳山に出掛けた友人がいただろう。おれがもう一度彼に当たってみよう」

先程、一瞬でも抱いた佐々本への賛辞を、胸のうちで一馬は取り消した。自分が知り得た情報の一端をせっかく教えてやっているのに、その重要性にまるで気付かない。その間の悪さに唾を吐きかけたい気さえする。

わからないことの多すぎる事件であった。それぞれがどうリンクしているのかが見えないために、ずいぶん遠回りを余儀なくされた気がする。

——だが、もう終わりだ。

ゴールの予感をたしかに感じていた。あとはいくつかのパーツを拾いあげ、当てはめる作業があるのみだ。

そこから、洲内一馬の「狩り」が始まる。犯人を追い詰め、後悔と苦悩を相手の肉体と精神にはっきりと刻み込むための狩りである。かつてない高揚感、これまで多くの捜査で繰り返されたことを、はるかにしのぐ興奮で、脳の一部が暴走してしまいそうだった。

佐々本が何かいうのを振り切って、遠誉野署を出た一馬は、そのまま世田谷区内に向かった。

——小林秀樹《こばやしひでき》か。

高梨幸太郎と、千曳山へのドライブに出掛けたという、友人の名前である。平凡な名前だなと思った。社会に認知されたとたんに、平凡な人生を送ることを約束されているのだろう。

——でも。

どれほど平凡な人生を送っているにせよ、小林秀樹が握っている事件の鍵は決して平凡などではない。

本当はもっと早くに気が付くべきであったのである。殿村三味と喫茶店で話し合った夜、その要素についてかすかに引っ掛かるものはあったのである。ただ、それを現実に捜査の俎上《そじよう》に上せるためのきっかけ、あるいは方法論を見付けることができずに今日まできた。

そして、彩京大学医学部の櫟心太郎というパーツを得て、はじめてすべての事実が動き始めた。

小林秀樹は、世田谷区にある小さな食品会社に勤めていた。昼休みに入る直前の時間を確かめ、面会を申し込んだ。やがて作業服姿の小林があらわれ、人懐こい目で「まだ、なにか」と、いった。

「千曳山にドライブに出掛けた日のことで、ひとつだけ思い出していただきたいんですよ。それがわかればすぐに退散します」

「どうぞ、思い出せることであれば」

「あの日、車がエンジントラブルを起こしたのですよね」

「ええ、押しても引いても動かなくて大変でした。何度もセルモーターを動かすうちにバッテリーはあがってしまうし」

「交通規制の看板を無視して道路に侵入したわけですから、他に車はやってこない」

「あの時だけはさすがに反省しました」

小林は、苦笑いをして頭を掻《か》いた。

「結局その日は、車は動かなかった？」

「ええ、後日になって専門の修理屋を呼びました」

「そこなんです、聞きたいのは」

洲内一馬は言葉をゆっくりと切って、小林に質問をした。その答えは非常に明快で、短く、そして一馬の推論を十分に証明するものであった。


二月に入った。あの夜以来、洲内一馬からはなんの連絡もなく、事件の捜査がどのようになっているのか、真夜子にはわからない。

――浜尾竜一郎氏の隠したがっている切札って、なによ。

桂城真夜子は部屋の近くの公園を散歩しながら、ずっと同じことばかりを考えていた。それが樹来静弥に関係しているなにかであることには間違いない。直接、静弥を問い詰めてみようかとも思ったが、答えが返ってくるとは思えなかった。たとえ相手が「仏性の笑み」を持つ静弥であったとしてもだ。

それ以前に、真夜子の中でしきりと疼《うず》くものがある。

――自分は、どこかで真実に触れてはいないか？

樹来静弥と接触したいくつかのシーンを思い出すが、もどかしさばかりがあって、答

えはいっこうに顔を見せてはくれない。昨夜は殿村三味に電話を掛けて相談してみた。するとと三味は笑って、

「さすがに、わたしでもあなたの記憶の中から真実を見付けることは不可能ですよ。推論のためにはデータが必要です。そしてデータはすべてあなたの記憶の中にある」

三味のいうことは至極もっともで、それだけに腹も立った。

「では、わたしはどうすればいいのでしょう」

「思い詰めることです。日夜そのことを考えるのです」

「それで、答えは見つかるでしょうか」

「迷路に迷いこんだ問題の答えというやつは、紐をつけた蜻蛉《とんぼ》のようなものです。好き勝手に飛び回っていても、いつかは疲れ果ててあなたの指に止まります。大切なのは紐を決して離さないことですよ」

自分はなにかを知っているのだ。その事実だけを信じて、真夜子は考え続けた。

はじめて樹来静弥の姿を見たのは、九月も終わりに近付いていたある日のこと。大学の病院内であった。友人から「樹来」という珍しい名前の患者がいることを聞き、もしかしたらという淡い期待感を覚えて、櫟教授の元を訪ねた。が、医師の守秘義務を持ち出され、あきらめかけて帰ろうとしたその目の前に、樹来静弥はいたのである。

——彼の勤務先の中学校まで尾行して、しばらくその辺りをうろうろしていると。

やがて校門から出てきた樹来は、友人から声をかけられた。どうやら大学時代の友人

らしい。真夜子も思い切って静弥に声をかけてみたが、病院内で会ったことなどまるで覚えていない静弥の表情を前に、なにもいえなくなってしまったのである。

——思えば、あの時の友人が高梨幸太郎氏。

樹来静弥に積極的に接触するために、同じバスに乗り込んだときも、彼はまったく初対面の表情で、真夜子に向かって話をした。

——それほど印象の強い人間ではないから。

その時は、そう思って納得したのである。なによりも、あまりに邪気のない表情であり、目である樹来静弥が、そのように反応すればだれだって同じように考えるに違いない。


——同じ日の夜、声をかけて振り向いたときの静弥の反応は。

なにかが、近付いてきた。物質ではない。それは体の外部から真夜子に向かって近付いてくるというよりも、真夜子の奥深いところから、思考の作業領域に向かって近付いてくるような、あるいは、作業領域を、一瞬だけ掠《かす》めていったような、感触であった。

静弥の部屋にあった、高梨幸太郎の死を告げる新聞記事のピンナップ。それを見付けたときの寒気と悪心が、よみがえった。ふりかえった瞬間、すぐ近くにあった静弥の顔には、やはり笑みが浮かんでいた。五十六億七千万年後の末世に現れ、人類を救済するといわれる弥勒菩薩は、きっとこのような顔をしていることだろう。が、弥勒菩薩がもしかしたらその笑みのなかに、切り捨てるべきものは切り捨てるという「非情」を隠し持っていないとは、誰にもいいきれない。樹来静弥の笑顔は、無限の深さをもっているからこそ、恐ろしい。

「わたしたちは彼の笑顔に翻弄《ほんろう》されている」

その言葉に反応したのか、すれ違った人がふりかえったようだが、真夜子はまるで気付かず、独り言を続けた。

「後悔も、慚愧《ざんき》の念も、怒りも、悲しみもない笑顔。ただ純粋なだけの笑顔。そんなものが果たして可能なのだろうか」

そもそもの静弥は、母親の死にまつわる記憶を喪失したことによって、世の中のすべてを斜に構えてみるような、歪んだ性格であったという。それは成人するまで手元で彼を育てた、浜尾竜一郎の言葉からも明らかである。

「だったら、どうしてあの人はあれほど静かな表情をしているの」

――ドコカデ樹来静弥ハ、ダレカトイレカワッタ？

「まさか！」

そもそも人の喜怒哀楽とはなにか。快いことと不快なことの線引きはどこでするのか。それは人の嗜好《しこう》と経験とに基づいて判断される。

「では、嗜好と経験とどちらが天秤の錘を大きく左右するの」

たとえばある人と巡り合ったとする。そこで不愉快な思いをすれば、人は彼を不愉快な人間と判断し、それ以降の付き合いはその時の判断が基準となる。そこから先また別の要素が加われば、その都度判断の基準が変更される。喜怒哀楽とは、そうした判断の積み重ねによるものだといってよい。

──あるいは、誰かにマインドコントロールを受けている。

「マインドコントロール」と言葉にすると、それがひどく新鮮なものに思えた。これまで、洲内一馬との、あるいは殿村三昧との間でかわされた論議の中で出なかった言葉である。

これが先程、思考の作業領域を過ぎていった「答え」なのか。

──でも、誰が、いったいなんのために。

「櫟心太郎」

その言葉が自然に唇から漏れた。二十五年前、樹来たか子が殺害された事件において、名探偵を務めた男。マインドコントロールが果たしてどのような形で行なわれるのか、真夜子には知識がない。けれどきっと相当の医療知識が必要なのだろう。櫟心太郎であれば、可能かもしれない。「常識はずれの自尊心と、科学者の冷徹さと、余命いくばくもない人間の命をさほど重いものとは思えないだけの壊れた良心を持ち合わせた男」という、一馬の言葉がしきりと思い出された。

「では櫟心太郎は、なんのために樹来静弥にマインドコントロールをかけるの？」

かつての名探偵として、樹来静弥の記憶が戻ってはまずいのかもしれないと考えた。もし、その推理が間違いであったことが、静弥の記憶に封印されているとしたら、その可能性はあるかもしれない。ほかに類を見ないほどの自負心が櫟教授の中にはあって、自分の間違いを認められないとすれば、偶然にも自分の患者となった樹来静弥に理不尽な医療行為を施したと考えられる。

――その結果、新たな歪みが生じて、樹来静弥は人格まで変わった。

そのようなことが起こり得るのか、真夜子は想像以上の知識を持ち合わせていない。ではどうすればよいのか。次の行動予定が、真夜子の中に生まれた。

足が自然に大学に向かう。

途中、自分の部屋によって郵便受けを確かめ、留守番電話になんのメッセージも入っていないことを確かめて再び外に出た。新しいデータがほしかった。それをもたらしてくれるのは洲内一馬以外にはいない。二週間以上も連絡をよこさない一馬には、少々腹を立てていた。それが愛しさなのか、それとも二人の間に横たわる、越えようのない溝ゆえなのかよくわからない。自分の感情を真夜子はもてあましていた。

彩京電鉄に乗って、過ぎ行く風景を見つめながらも、真夜子はふたたび人の感情について考え続けた。

――完全に記憶をなくしたものは、まったく別の人格になるのだろうか。

だが、あくまでも樹来静弥の中で失われているのは、樹来たか子が殺害された事件に関するものであるという。現に、静弥と高梨幸太郎が会っているシーンを、真夜子は目撃している。静弥は高梨を見て、かつての大学の同級生であることがすぐにわかった様子であった。その静弥の言葉を借りるなら、人の記憶とは脳細胞に蓄積された記憶の要素と、それぞれを結ぶ電気的な刺激のネットワークによって成り立っているという。記憶の喪失とは、ネットワークの喪失のことをいう。

静弥の場合は、あまりに衝撃が大きすぎて、ネットワークに電気信号が流れなくなっているのだ。流れようとすると、それを阻止する動きが、どこかで生まれるのである。あれ以来、何冊かの記憶に関する本を読んで、それらのことを知った。だから、再びなにかの衝撃があるか、心理治療によって記憶の封印が解ける可能性はあるそうだ。

——だからといって。

袋小路の先に、ほんの一瞬だが、答えが見えた気がした。

——わたしは、なにか大きな勘違いをしてはいないだろうか。考え方が根本的にずれている。ううん、わたしが根本的にシフトチェンジしなければならない。

大学の正門に着いた。広いキャンパスを横切り、医学部付属の病院棟をめざした。受付で「櫟先生は、今日は研究室ですか」と聞くと、中年の事務職員がすぐに講義予定を調べ、

「ああ、ちょうど今ならおいでですよ。約束ですか」

「ええ、論文に関して監修をお願いしているものですから」

あらかじめ用意しておいた言葉をいうと、事務職員は、

「本学の学部生のかたですか。じゃあ、どうぞ」

なんの疑いもなく、真夜子を通してくれた。櫟の研究室を訪ねるのは、初めてではない。迷うことなく、真夜子は真っすぐに櫟心太郎の研究室をめざした。

ドアの前に立つと、さすがにためらいが生まれた。質問すべきことは、すでに頭の中で整理をしている。「ＫＵＮＵＧＩ」と書かれた真鍮《しんちゅう》のプレートの鈍い輝きが、「樹来たか子の事件に触れてはならない」と、無言で威圧しているようだ。確かに、真夜子が事件の真相を知ったところで、なにか意味をもつわけではなかった。それでも真実を求める自分の存在理由はどこにあるのか。非業《ひごう》の死を遂げた弓沢征吾の恨みを晴らすのが目的か。否。樹来たか子の童謡詩に魅せられたものは、蟻地獄に落ちた昆虫のように、破滅の匂いのする真実へ近付かなければならないのか。

真夜子はドアをノックした。「はい」という、乾いた声が返ってきた。研究室のなかに身を滑りこませ、こちらを振り返った白衣姿に向かって、頭を下げた。

「なにか？」

「私、桂城真夜子といいます。以前に一度、先生を訪ねてきたことがあります」

櫟心太郎が、眼鏡を外して真夜子を凝視し、

「ああ。確か樹来たか子について卒論を書くとかいう」

「おかげさまで、論文は無事完成しました」

「それはよかった。樹来たか子に関する資料は少ないから、大変だったでしょう」

デスクから立ち上がり、応接セットを「どうぞ、そちらへ」と指差した櫟の左手が、ステッキを握っていた。

——ステッキ!?

洲内一馬と過ごした夜の会話がよみがえった。傘を仕込むことのできる特殊なステッキについての会話である。握りの部分がゴルフで使うパターのようだ。太い木製のボディには、果たして傘を仕込むことができるのだろうか。

「で、今日はなにか」

「あっ、はい。実はお聞かせ願いたいことがあります」

「もしかして、樹来静弥君のことですか」

「それもあります。それよりも樹来たか子殺害事件について」

櫟の表情が、大きく変わった。

「いま、きみは殺害事件といったのかね。あれは自殺だということになっているはずですが」

「表向きは。けれどわたしは浜尾竜一郎氏から話を聞いています。ですからもう、表向きの真実は必要ないのです」

「そうか……浜尾氏と話をしたのですか」

ソファーに身を沈め、櫟がゆっくりとした口調でいった。

「先生が、あの事件が自殺ではないことを証明した名探偵だとは思いませんでした」

よ」

「名探偵、ですか。それほど御大層《ごたいそう》なものじゃない。わたしはただ、樹来たか子という童謡詩人が、無念のまま死んだことが許せなかった。たとえ真実を表に出すことができなくとも、誰かがあなたの死の真相を知っているのだと、彼女に伝えたかっただけです

　用意してあった質問を、真夜子は口にすべき時が来たと思った。

「先生。浜尾氏から話を聞いて、わたしなりに考えてみたのです。確かに樹来たか子の死は不自然極まりなくて、自殺と判断することはできなかったかもしれません。だからといってそれがすぐに樹来重二郎の犯罪であることにはつながらないのではないでしょうか」

「ふうん、きみは面白い考え方をする人ですね」

　いくぶん、櫟の口調が硬くなったように感じられる。

「ほかに可能性はなかったのでしょうか」

「たとえば？」

「物取りや、変質者によるものであるとか」

「樹来たか子は美しい人でしたからね。重二郎がいなくなったのち、彼女に言い寄る男は多かったと聞きます。ただ、浜尾竜一郎氏の眼光が常にあって、誰も手を出せなかったのでしょう」

「だったら、たまたま一人でいるところを見かけた、誰かが……」

その言葉を遮《さえぎ》るように、櫟が右手をあげた。

「事件後に、浜尾氏がどのような対応をとったかは、お聞きになりましたか」

「はい。先生が事件の謎を解き、重二郎氏が犯人であると指摘しても、それを自殺の方向にもってゆくためにいろいろと工作をした、と」

「彼は町の実力者です。警察にも顔が利いたようですから、可能だったのでしょうね。結局あの夜、訪れるはずだった重二郎はたか子の元に現れず、精神的に不安定になった彼女が自殺したということで、事件は解決を見ました」

「浜尾氏は、静弥氏の将来を考えたのですね」

「それだけではないかもしれませんが。ともかく彼は、重二郎氏が山口を訪れたという痕跡を消すことに躍起になりました」

その言葉を聞いて、真夜子は「あっ」と声を上げた。

「もしかしたら、重二郎氏を見かけた人が！」

「ええ、いたのですよ。その人々は浜尾氏の願いを聞き入れて、自分たちの証言に封をしました」

「そうだったのですか」

「重二郎が山口を訪れていたとなると、事件の様相はすべて変わります。彼女が自殺でないことは確かでしたから、そこに殺意をもって登場し得るのは、樹来重二郎だけでしょう。もっとも、どうして重二郎がたか子を殺害したのか、動機はわたしにもわからない」

「他に可能性はないのでしょうか」

「逆に、きみに尋ねます。他に可能性はありますか」

答えは「いえ」という以外になかった。重二郎以外の犯人説は、あくまでも重二郎が山口を訪れなかったということを根拠にしている。彼が深夜であれ、たか子の元を訪れていたとしたら、ほかの説など霧散してしまう。

「それにしても……どうもわからない。どうしてきみはそのようなことを気にする？　卒論がすでに完成しているとすると、きみが樹来たか子の死を探る理由はどこにある？」

言葉を返すことができなかった。自分がどうしてここまでのめり込まねばならないのか、よくわからない。渇いた喉が水を求めるように、謎に向かう自分がいる。

「友人が、年の離れた友人が殺されました」

「それはもしかして、弓沢征吾氏のことかね。きみは確か事件のあった日に、病室に彼を訪ねているね」

「はい。ですから、どうしても彼が、あの体で病室を抜け出した理由がわからないんです。もし彼が殺害された事件と、樹来たか子の死を結ぶ糸があるとしたら、それを探さないではいられないんです」

ふうと、櫟が大きな息を吐きだした。

「どうして、こんなことになってしまったのかな。あの事件から二十五年が経つ。だれもが忘れてしまったはずの童謡詩人にきみが興味を持ち、それがスイッチになってしまったのか。それにしても静弥君と弓沢氏が、よりによってわたしの患者であるとは。これは何者かの作為が働いた結果なのか」

「もしかしたら、遠誉野という町が、そうした意志をもっているのかもしれません」

「ああ、そうかもしれないね。そうなんだ、多分、弓沢氏が病室を抜け出したのはわたしのせいだ」

「どういうことですか」

「きみたちが帰った後で、わたしも弓沢氏と話したんだよ」

「なにをです」

「樹来たか子についての話だ。彼が樹来たか子に興味を持って山口へ行ったとき、正直いって驚いた。けれど、心のどこかで納得もしていたのですよ。あの童謡詩人の残した作品には、不思議な癒《いや》しの力がある。もし、体力が続くのであれば、最後の瞬間までたか子の幻を追うのも、それはそれでいいと、ね。だから帰ってきたときに、わたしもまたたか子に関わる人間であることを伝えたのだよ。彼はわたし以上に驚いてね。いや、それはかりじゃない、静弥君もまたわたしの患者であることを告げると、彼は顔色を変えてね」

「そのことが原因だと？」

「どうもそのような気がしてならないんだ」

　話を聞くうち、真夜子の中でもある変化が起きつつあった。洲内一馬は、檪心太郎が犯人である可能性について力説したけれど、こうして話してみると、檪は決して偏執狂的な情熱とプライドの持ち主にはとても思えない。

「先生」と、話題を変えようと試みた。

「もうひとつ、お聞きしたいことがあります。静弥氏ですが、本当のところはどうなのです？」

「どう、というと」

「彼にも会いました。とても静かな表情で、まるで世間の流れや動きとは、別のところで生きている聖人のようにも思えました。浜尾氏の話によると、彼は母親の死の記憶を失ったことで、奇妙に歪んだ性格の持ち主として成長してしまったそうです。わたしの会った樹来静弥氏は、本当に樹来静弥氏なのですか」

　さぞや奇妙な質問に聞こえたことだろう。けれど、真夜子にとっては本音以外の何物でもなかった。

「そうですか、彼の記憶障害についても、聞いたのですか」

「もしかしたら樹来静弥氏は、末期症状なのですか」

　その可能性については、研究室に入る直前に思いついた。死を間近にして、人生の悟りを得たのかもしれない、と。

「そんなことはありませんよ。彼の手術は成功しました、ごく初期段階のものだったからね。だが……我々医師は、患者の秘密を漏らすことはできないのだよ。わかってくれますね」

「先生、人格とはなんでしょうか。もしかしたら、周囲を認識し、周囲からも認識されることによって生まれる、感情のことですか」

「ずいぶんと難しいことをいうね。そうした一面もあるかもしれない。けれどパーソナリティの問題は、決して単純公式では計れない」

「静弥氏はある種の人格障害なのですね」

「それも話すことはできないね」

「多重人格とか」

「同じことを何度もいわせないでくれないか」

――チガウ、チガウ。多重人格ナンカジャナイ。

しきりと、内側から声がする。

「だいたいきみは、どうして静弥君のことをそれほど知りたがる?」

「それは!……」

「もしかしたら弓沢氏の事件と関係があるとでも」

その時、櫟の反応が急に険悪なものになった。

「もしかしたらきみだな。こんなものを送ってよこしたのは!」

そういって櫟が取り出したのは一枚の葉書だった。ワープロでひとこと「2－1＝3」と書かれている。

「いったいどういう意味だ、これは」

そういわれても、真夜子には説明のしようがなかった。葉書を見るのでさえ初めてである。だが「わたしではありません」といっても、櫟の疑いは容易には晴れそうになかった。

もちろん、常識ではこんな数式はありえない。

「これはいつ？」

「そんなことはどうでもいい！　最初はなにかの謎掛けかとも思ったのだよ。だが、こんな数式はありえないし、なにかの暗号でもないようだ。本当にきみが書いたものではないのだね」

真夜子は、葉書にはほとんど興味がもてなかった。なにかがまとまりそうになっていたのである。

――ワタシハスデニ答エヲモッテイル。

これまでのデータをすべてぶちまけ、まったく違う組み立て方を試みようとした。櫟の「他に用がないなら、出ていってくれますか」という声を聞いたとき、試みが成功した。

「先生、たとえばですが、こんな症状がありえますか」

そういって立てた仮説に対する櫟の反応は、どんな言葉よりも正直なものだった。

夕方になるのを待って、静弥の勤務する中学校を訪れた。校門から少し離れたところに立ってしばらく待つと、静弥の姿が現れた。その背中をしばらく追い掛け、生徒の姿が見えなくなったところで、静弥の前に回りこんだ。静弥が立ち止まる。

「初めまして、わたし桂城真夜子といいます」

すると静弥は満面に静かな笑みをたたえ、

「初めまして、樹来静弥です」

そういった。

3

「若い女性が訪ねてきた？」
《ほら、弓沢征吾の葬儀にきていた。いったいなにがあったのでしょうか》
「彼女のことは気にしなくていい」
《あれえ、もしかしたら個人的に探りを入れているとか》
「うるさい。それよりも調べの方はどうだった」
《洲内さんの考えたとおりでした。十一月七日の事件当日、彼にはアリバイがありませ

ん。現在妻子と別居中で、家に帰ってからのアリバイを証明するものはいませんよ》
「そうか、続けて調べてみてくれ。もっと他に情況証拠が出てくるかもしれない」
《ですが、いきなり彼の名前がどうして出てくるんです？　このままじゃ捜査会議で情況を説明できませんよ》
「だったらしばらく、胸三寸に納めておいてくれればいいじゃないか」
《そんなわけにいかないですよ。あの課長を誤魔化すなんて、ぼくにはとても……》
「それよりも、おまえさんの直感ではどうだ。やはりやっこさんは怪しいか」
《たしかに、二十五年前の事件のことを持ち出すとかなり大きな変化が見られました。いきなり気分を害したようで、声を荒らげましたよ。ぼくはあんなタイプが苦手なんですよね。まるで課長そっくりでしょう。ただ、例の失踪した女性、畑山芳江に関しては、なにも知らないそうです。少なくともその言葉に嘘があるようには、見えませんでした。ねえ洲内さん、失踪女性と今回の事件と、本当に関係があるのですか》
「わからん。ただの勘だからな。だが時間軸はうまく連動していると、前に話しただろう」
《そんなあ！　それだけのことで……》
絶句する声に、洲内はげんなりとして、電話の向こうの佐々本に尋ねた。
「それよりも、ステッキの件はどうなんだ。周囲の話では、奴は日頃から変わった形のステッキを持ち歩いているそうじゃないか」

《わっ、忘れていました！》

「馬鹿！」

《すぐに、研究室に戻って……》

「もういい。いまさら戻ると、奴を追い詰める結果になるかもしれない。それよりももう少し様子を見よう。そのまま張りついてみてくれ」

電話を切って、洲内一馬は桂城真夜子のことを思った。佐々本が見かけた女性とは、彼女に違いない。真夜子とはずいぶん長い間、連絡を取り合っていない。それには理由がある。けれど決して相手に理解されるような理由でないことも、十分にわかっていた。会いたいという気持ちは、抱きたいという気持ちでもある。したがって、捜査に夢中になっている一馬に、会いたいという気持ちは今のところない。気になるのは、真夜子が事件に興味を持っているという点であり、また事件の本質にかかわる部分に、かなり抵触している可能性があるという点だ。捜査に関して、自分が万能であるなどと思ったことはない。むしろ真夜子のような立場の人間の視点が、思いがけない真実を掘り返すことを、経験則として、一馬は知っている。

——あれから真夜子は、新しい真実の欠片を見付けただろうか。

だが、会うわけにはいかなかった。

勤務先の学校から帰り、自分の部屋に戻るなり、樹来静弥はソファーに倒れこむように身を任せた。部屋の隅に目を向けると、キャンバスに制作途中の抽象画がかけてある。いくつもの同心円と多角形とが、沈んだ赤をバックに絡み合い、拡散と収縮を表す形で存在している構図。じっと見つめると、催眠効果をもつかのように、視線を画面の中心に引きずり込む。

——もうすぐ、完成するな。

尚も画面を見ていると、赤の向こう側に母親の死の風景が見えてきた。火鉢にもたれ掛かって転寝《うたたね》をしているような、たか子の姿がはっきりと見えた。

「おかしいな、ぼくは事件の記憶を失っているのではなかったっけ」

キャンバスの左右には、すでに仕上がった作品が大小合わせて二十数点もある。部屋の一部というより、ほとんどのスペースが自身の作品で埋められている。それだけで部屋がまるで異世界のように見えるのと同じ感覚で、自分の身に起きつつある急速な変化を、静弥は感じ取っていた。過去の記憶に、明らかに変化が生じている。正体こそよくわからないが、得体の知れない色や形や、匂いがよみがえりつつあるようだ。

——どうして、こんなにも疲れるのだろう。

腕を上げるのも億劫《おっくう》なほど、全身の筋肉が弛緩《しかん》している。これでは今夜は絵筆を握ることができそうにない。そう思ったときに、ドアのベルが鳴った。

「はい」と玄関に向かうと、すぐにドアが開いて美崎早音の姿が現れた。

「やあ」

「どうしたの、ひどい顔色。体の調子が悪いの。昼間、病院にきたときには、そうは見えなかったけれど」

「ああ？　そうなんだ。きっと仕事で疲れているんだ」

美崎早音の視線が、部屋の中を見回して、作品群のところで止まった。

「これって、あなた！」と、早音が絶句した。

「どうしたの。誉めてくれるのかい」

半開きになった早音の肉感的な唇を、静弥は舌を伸ばして、ペロリと舐《な》めた。乾いた血の味がする。それを振りはらうように押し退け、震える声で、

「一週間前にきたときには、これほどの量はなかったわ」

「そうかな、どうでもいいことじゃないか。これだけの量があれば、個展は十分に開ける」

「そういう問題ではないわ。あなた、睡眠はきちんととっているの」

「覚えていない」

「前にもいったでしょう。あなたの体のことは大学病院が責任をもって対処するわ。もしも体にまで変調をきたすようであれば、いつでも学校を辞めていいのよ」

どうして美崎早音がそのようなことをいいだすのか、静弥には理解ができなかった。

「学校という場所だけが、ぼくの今と過去とを結ぶ唯一の接点なのに。それがなくなってしまったら、ぼくは樹来静弥であることさえできなくなってしまうんだ。それがわか

っていながら、どうしてきみはぼくの人生を取り上げようとするの」

「過去なんてどうでもいい。あなたはわたしにとって樹来静弥であってくれさえすればいい」

美崎早音の唇が、強く静弥の唇に押し当てられた。静弥の手を取り、早音が自分の胸の膨らみへと導く。シルクのシャツのボタンの一部を外し、下着の隙間へと指を差し入れると、高ぶった感情を示す声が、耳を掠《かす》めていった。

「音が……」と、言い掛けたまま愛撫を続けていると、わずかに体を離して早音が、

「音が、どうしたの」

「いや、大したことじゃないんだ。なんだか不思議な音を聞いた気がした。ひどく透明で、耳を澄ませると鼓膜に張りついたまま、体の奥にしみ込むような音だ」

「なんの音？」

「わからない。随分と昔に聞いたことのあるような音だ。同時に、ずいぶんと昔に失った音のような気もする」

早音が、静弥の胸に耳を押しあてた。

「心臓の音が聞こえる。それに呼吸の音も。まるで波の音を聞いているみたい。浜辺を歩いていて、遠くの祭囃子《まつりばやし》を聞いているみたいよ」

数分間、抱き合って互いの体をほどき、二人はソファーに腰掛けた。

「なにか作ろうか」と、早音がいう。食欲などなかったが、それよりも早音が少しでも

長く側にいることの喜びを維持するために、

「ありがとう。そういえばなんだかお腹が減ったよ」と静弥は応えた。

台所に立った早音が、壁にピンで止めた新聞記事に目を止めた。凝視して、自分をふりかえるのを見て、静弥は立ち上がった。

「こうでもしないと、ぼくは友人が死んだことさえ認識できない」

「わかっているわ」という、早音が涙を流している。

「泣いてくれるんだ。ぼくの友人のために」

「わたしだって、知らない人じゃないもの」

静弥はもう一度、早音の体を抱き締めた。その体が震えているのがわかった。こうして体温を肌で感じるだけで、狂おしいほどの感情が流れだす。獣めいた欲情が自分のなかに存在していること、その瞬間が静弥は愛しかった。

——早音が愛しいのではないのか？

サラダとハムエッグ、それにトーストしたフランスパンで簡単な食事を終え、ワインを飲みながら二人はとりとめのない話をいつまでも続けた。こうした時間が、決して永遠ではないことを、静弥は肌で感じていた。だからこそ絵を描き、早音を抱き、二人で話す時間が限りなくうれしい。

——いっそ、学校を辞めてしまえば。

という思いが、瞬間的に湧き上がったが、すぐにそれを否定した。過去だけが自分を繋《つな》ぎ止める機能を持っていることを、静弥は知っている。刹那の自分が存在することはできても、今日の自分が存在することを、静弥は知っている。

話の途中で、早音が机のうえに置いてある葉書を見付けた。

「なに、これ」

机のうえはきれいに整理してあって、郵便物を置く専用のトレイがある。葉書はそこに入れてあったものだ。個展の案内状など、まだ手元に置いておく必要のあるものだけを、整理してそこに入れておくのは、昔からの習慣だ。

葉書には大きな文字で「2－1＝3」と書かれている。

消印を見て静弥は、

「二、三日前に送られたものだな」

といった。美崎早音が、じっと葉書の表を見ている。

「いったい誰がこんなものを送ってきたのかしら」

「差出人名はないね。たいした意味はないだろう。きっとぼくも不思議に思ったから、そのトレイに入れておいたのだろうが」

そういって、改めて葉書を見ると、なるほど画面いっぱいに書かれた公式めいた数字は、たしかに奇妙なものであった。第一、こんな数式が成り立つはずがなかった。

「どういう意味だろう」

「消印だと、遠誉野市内から出されたものみたいね」

「もしかしたら」

静弥が首を捻《ひね》って、いう。

「もしかしたら？」

「ぼくのことをいっているのかもしれない。ぼくの家庭の事情だ。それを知っている誰かが」

「わたしにわかるように話して。どうして静弥の家庭の事情がこんな奇妙な数字に置き換えられるの」

「だってそうだろう。母親と二人暮らしだったぼくは、母の死によって大伯父の家に預けられた。結果として、二人暮らしからひとりが減り、大伯父と祖母との三人暮らしになった」

「それで２－１＝３。たしかに意味は通るのだけれど……」

どうでもいいじゃないか、そんなことは、と言葉にしたかったが、それさえも億劫で静弥は唇を嚙んだ。いまさら昔の出来事を掘り返したところで、なにかが変わるわけではない。自分を取り巻く情況も、たぶん二度と帰ることのない山口の親族についても、あの事件は忌まわしいばかりで何一つよい思い出がない。

——思い出……って？　思い出ってなんだ。母の遺体をぼくが発見したことか。

「あるいは」

「え、どうしたの」という早音の声は、すでに静弥の耳の奥に届く力を持っていなかった。

——名探偵と竜おじさんとの会話を、立ち聞きしたことだろうか。

どこかで、なにかの音がした。たしかに記憶の片隅にあった音である。それが母の声と重なって、ひどく甘くて切ない、しかし刺激がすぎると悪寒《おかん》を誘いそうな場所を、しきりと打つ。

「あ……秋ノ聲……だ。母が歌っていたのはたしかに秋ノ聲だったんだ。でもそれだけじゃない、母の歌声になにかが呼応していたんだ。しゃぼろん、しゃぼろんと、母が歌うと、かならずその音が聞こえて……」

静弥は自分がしゃがみこんだことにも気付かなかった。その背中を丸ごと包み込むように、美崎早音が体をかぶせてきたことで、ようやく静弥は自分が震えていることを知った。

「あの音は、なんの音だったのだろう。どうしてぼくの前からあの音は消えてしまったのだろう。母が殺されてしまったからか？　ちがう、母を……」

「もういいの！　やはりあの事件に関する記憶が戻りつつあるのね。でも、無理をしなくていいの。無理をすればあなたの人格は崩壊してしまう可能性だってある。そんなことが起きるくらいなら、苦しい記憶に封印をしたままでいいじゃないの」

玄関で、ドアベルが鳴った。

しばらく二人で息を潜めていると、さらに数度。まるで執拗に二人を追い詰める悪意がこめられているようで、ついに居留守を使い続けるわけにはいかなくなった。

「わたしが出るわ」と、美崎早音が玄関へと立ちあがった。

訪問者と早音との会話が、かすかに漏れ聞こえてくる。

「ええ、たしかに在宅していますが、待ってください、具合がよくないのです。今はとても」

訪問者は男である。

——誰だろう、こんな時間に。

ゆっくりと立ち上がって、静弥が玄関に向かった。さほど広くない玄関で、ドアを境にして早音と体のがっしりとした背広姿の男が対峙している。

「だめなんです。樹来氏はいま体調がすぐれなくて、お話ができる状態では……」

と早音が、静弥の姿を認めて途中で止めた。その隙間を縫うように男が、

「樹来さん。遠誉野署の洲内です」

「ああ、遠誉野署の刑事さんですか」

男に静弥は、なんの感動も込めない声で応えた。

「済みません。お体の調子が悪いとは伺っていたのですが、どうしてもひとつだけ、確認しておきたいことがあるのですよ。お手間は決して取らせません。この写真の女性に見覚えがあるかどうか、それだけをご確認願えませんか」

遠誉野署の洲内と名乗った刑事が、内ポケットからキャビネサイズの写真を取り出し

た。スーツ姿のショートヘアの女性が、真っすぐにこちらを向いている。その勝ち気そうな瞳がどこか美崎早音を思わせるが、実際に静弥の記憶のなかに、その女性に関するデータはなかった。

「畑山芳江さんといいます。この方に見覚えはありませんか」

「この方が、どうかされたのですか」

「知っているのですか！」

「いえ、あいにくと。一度も会ったことがありません」

「本当ですか。本当に会ったことがないのですか」

「ええ、会ったこともありませんし、この人をどこかで見かけたということもありません。それとも、なにかの世界で有名な人ですか」

「違います。単なる家出人です」

その時、早音が会話に割って入った。

「刑事さん。彼は一年前に大きな手術を受け、まだ完全に体調が戻っていないんです。ずっと予後治療を行なっている状態で、あまり長い話は」

「わかっています！　それくらいのことは、我々も調べてありますからね。けれど我々がいま調べているのは、殺人事件なのです。ひとりの末期癌患者が殺され、そして樹来さん、あなたの友人が殺された。もしかしたらこの畑山芳江だって、ええ、もしかしたらこの女性だって、もうこの世にいないかもしれないんです」

「けれど、そのことと樹来静弥氏とは、関係がないじゃありませんか。畑山芳江さんについても、彼は知らないといっているんです」

「それを判断するのは、我々警察官です」

静弥は「いいんだ、早音先生」といって彼女の体を下がらせ、もう一度写真を凝視した。

――こんなことをしたって、無駄なのに。

けれどそのポーズを見せなければ、この警察官が容易に引き下がらないことも確かなようだ。にらみつけるような洲内の視線が、静弥には痛かった。

それは犯人として自分を見ているというよりは、憎悪の対象であるといった質の視線である。

「すみません、やはりぼくの記憶にない女性です」

「そうですか、わかりました」

一度は背中を向けた洲内が、なにかを思い出したようにふりかえった。

「そうだ、これはただの連絡事項ですが……。昨年の十一月七日に殺害された弓沢征吾氏のことです。彼の遺体の周囲の情況があなたのお母さんが殺害されたときのものに、実に酷似しているのですよ。まるで、二十五年前の事件を再現するかのように、ね。わたし、この件に関しても、重大な関心を抱いています。近いうちに必ずこの謎を解いてみせますから。そうそう、別の民間人も、事件に興味を持っています。というよりは、あなたのお母さんについて、その死について、素人そのものの好奇心を剝き出しにして」

と、その時、静弥の中でなにかが弾けた。「お母さん」という言葉と「素人そのものの好奇心を剝き出しにして」という言葉の隙間で芽生えた感情、ずいぶんと長い間心の奥深いところにしまいこまれたまま忘れかけていた感情が、急速に成長し増殖し、膨張して暴発した。

洲内の胸ぐらをつかみ、ただひとこと、樹来静弥は、

「……貴様は……！」

といった。いわねばならない言葉は他にもっとあるはずだが、どうしても見つからなかった。逆に、洲内が唇だけで笑って、

「ようやく、人間らしい感情を見せてくれましたね」

「………」

「ひとって奴は、笑ったり喜んだりするのと同じ回数だけ、怒ったり泣いたり、憎んだりするもんだ。あなたのそうした感情を、わたしは一度でいいから見てみたかった。やはりあなたも人間だったのですねえ」

そう言い残して、遠誉野署の洲内一馬は帰っていった。

「静弥」と、背中に抱きついた美崎早音の体温も胸の鼓動も、感覚の外側の出来事のようで、静弥は自分が現在にいるのか、二十五年前にいるのかさえもわからなかった。

櫟心太郎は、研究室の窓から沈む夕日を見ながら、ぴくりとも動かなかった。

「わたしの推理は、やはりまちがっていたのだろうか」

いったいいつごろからそんなことを思うようになったのか、自分でもよくわからない。もしかしたら、樹来静弥が患者としてあらわれた瞬間から、いや、もっとそれ以前から二十五年前の樹来たか子殺しの件について、引っ掛かるものがあったのかもしれない。

昭和四十七年に記憶を戻した。

——あの頃、わたしはまだ医学部に籍を置く大学生だった。

東京で生まれ、東京以外の土地をほとんど知らなかった櫟が、あの年に限って山口県という、本州の最果ての土地に旅行に出掛けたのは、そこに遠縁の親戚がいたからばかりではない。以前から『樹来たか子』の名前で時折、童謡詩を発表する詩人のことが気になっていた。医学部というところは、専門課程の授業が始まると、ほかの大学生らしい活動が一切できなくなる。それが苦になったわけではなかった。医者を目指すかぎりは当然であると思っていたし、櫟自身、決して活動的な人間ではなかった。それでも、解剖実習でひがな一日遺体に向かい、そうした日々が何週間にもわたると、精神の一部が、ささくれを起こした。そうしたときである、偶然に雑誌で見かけたたか子の詩は、砂地にしみ込む水のようにも感じられた。彼女が山口市にいることを知り、さらに親戚がたか子にごく近い職場で働いていることを知って、思い切って彼女の元を訪ねる気持ちになったのである。訪ねて、なにかを得ようとしたのではなかった。彼女の声が聞きたかっただけである。

——ひとこと、自分の名前を呼んでほしい。

というのが、正直な気持ちであったかもしれない。ところが、山口に到着した櫟を待っていたのは、思いがけないたか子の死だった。もしたか子に会うことができたなら、話すはずであったあらゆる言葉が、すべて宙に浮いてしまった。それを喪失感と呼んでいいものかどうか、当時の櫟にはわからなかった。ただ、天から言葉が降るように——ああ、きっとたか子はこのようにして詩を作ったのだなとも思った——櫟はたか子の死の真相を調べることを思い立ったのである。

「樹来たか子が自殺などするはずがない」

その信念を口にするたびに、彼女の周辺の人間は露骨に櫟を嫌悪する表情を見せた。「あんたに、なんが分かるんかね」と一瞥《いちべつ》をくれる人はまだいいほうで、中には「余所《よそ》モンが余計なことに顔をつっこみよると、怪我ァするど」と脅しをかけるものも少なくなかった。そのことがかえって、櫟の不審感をかきたてたのである。

なぜ、人は樹来たか子の死について、それほどまで口をつぐまねばならないのか。仮に夫との離縁問題がこじれたうえでの自殺だとして、それが連帯感すら感じられるほどの秘密厳守につながるものだろうか。もちろん、櫟はたか子の死が自殺でないことを確信していた。彼女の詩を読むかぎり、たか子は優しいだけの女性ではない。その感性の底には強さがある。誰にも曲げることのできない信念があるからこそ、たか子の童謡詩は人の胸を打つ「力」たり得る。まちがっても、おろかな選択である自殺などするはずがない。

——誰かが圧力を掛けているのではないか。

たか子の周辺で、そのような力を持っている人物といえば、浜尾竜一郎以外にはない。また、たか子自殺説が、事件当夜に樹来重二郎が山口を訪れていないことを前提にしているのならば、そこをつけば意外に真実に近付くことができるのではないか。櫟は丹念に山口駅、湯田温泉駅周辺を調べるうちに、いくつかの証言から、樹来重二郎が実は事件当夜、山口を訪れた形跡があることを知った。そして、周辺住人に圧力を掛けた人物の意図が、はっきりとわかったのである。

ある推理を携え、浜尾の元を訪れた櫟は、事件の真相を知った。やはりたか子は自殺をしたのではなく、夫の樹来重二郎に殺害されていたのである。だが、浜尾竜一郎は溺愛する姪を殺害した犯人を告発することよりも、残された静弥の将来に「殺人犯の子供」というレッテルが貼られない配慮をすることを選んだ。そのことを、責める気持ちなど少しもなかった。残された静弥の将来を考えるなら、たか子の死は自殺のままそっとしておいたほうがよいと、櫟もまた思ったのである。彼の目的は、たか子が自殺などしなかったことを確認することであって、その夫を告発することではない。自分が納得さえすれば、それでよかったのである。すべての真実を胸に納めることを浜尾に約束し、櫟は山口市を去った。

以来、二十五年前に自分が立てた推理に間違いがあるとも、思ったことはなかった。瞬く間に時間が過ぎ、樹来たか子の名前さえも思い出すことがなくなった頃に、櫟は静弥と再会した。医師と患者という立場で。さらにそれからまもなく、弓沢征吾が患者としてあらわれ、どこで偶然の歯車が動きはじめたものか、末期癌に冒された彼は樹来たか子の童謡詩に興味を持つことになった。重なる偶然に驚きはしたが、余命いくばくもない弓沢の精神状態を考えるなら、樹来たか子の童謡詩に惹かれる気持ちは十分に理解できた。むしろ、そのような患者にどうして自分の手で、もっと早くに紹介してやらなかったのかと、臍《ほぞ》を嚙んだほどだ。

たか子の詩には、不思議な力がある。生きとし生けるものが背負うべき業《ごう》の重みを、わずかに軽くしてくれる作用がある。それは宗教性とさえ、言ってもよかった。

だが、弓沢は死んでしまった。その時から、今まで築きあげたものが崩壊をはじめたのか、それとも樹来静弥と再会した瞬間から崩壊が始まったのか、櫟にはわからない。

再び、櫟は記憶を今日の時点に戻した。

午後、遠誉野署の警察官が聞き込みにやってきた。どこか人を馬鹿にしたところのある、不快な話し方をする警察官だった。

『うちの署で、奇妙なことをいっている人がいるんですよ。もしかしたら弓沢征吾氏は、傘の石突きで殺されたんじゃないかって。そうすれば返り血を浴びずにすむっていうんですがね、なんだか現実味のない話ですよねえ』

傘の石突き、と聞いた瞬間に、櫟は強い衝撃を受けた。それこそ、あの事件の時に自分が推理した内容そのものではないか。警察官が、二十五年前の事件の経緯を知ったうえで、自分を訪ねてきたとしか思えなかった。その後もいくつか質問されたが、石突きの件を聞いてからは、ほとんどうわの空であった。

『弓沢征吾氏は、なんとかいう詩人に随分と執着していたようですね。その息子が、遠誉野にいるんですって。おまけにその息子の大学時代の友人が、事件から間もなくひき逃げにあっているんですね。これはどう考えたって、なにかの関係があるとしか思えないでしょう』

という一言で、ようやく現実に戻されたほどだ。

——この警察官は、どこまで自分のことを知っているのか。

そのことが気になって仕方がなかった。明らかに警察官はたか子の事件と弓沢の事件とを結ぶ糸を模索しようとしている。櫟にはそうとしか思えなかった。先程から、時折背中を撫ぜる風のような感触は、恐怖である。

自然と、手にしたステッキに力が込められた。オークウッドの軸は中空になっていて、握りの部分が螺子《ねじ》式のキャップになっている。中には細身の傘が仕込まれている。購入したのは六年前、小さな交通事故をきっかけに、左の膝が痛むようになってからだ。その時、脳裏のどこかにたか子の事件があったことは確かである。わざわざイギリスに本社を置くステッキメーカーからカタログを取り寄せ、あの事件で自分が推理したことを再現する形で購入したものだ。握りを反時計回しに捻《ひね》り、細く絞り込むように畳んだ傘を半ばまで取り出して、やめた。

軽いめまいとともに、吐き気を覚えて、その場に座り込みそうになった。体重をデスクにかけたとたんに、別のことが思い出された。

「そして、例の葉書だ」と、櫟はつぶやいた。

デスクの引き出しから、葉書を取り出した。ワープロで大きく「2－1＝3」と書かれている。

「ふたつの事件から、ひとつの事件を引いた。すると事件は三つになった」

それが答えであることにようやく、櫟は気が付いた。

葉書が送られて以来、ずっとその解釈について考えていた。周囲にも見せてみたが、だれもが首を捻るばかりであった。最初は、ただの悪戯《いたずら》だとしか思えなかったものに、ようやく答えが見つかったのである。

ふたつの事件とは、たか子殺害事件と弓沢殺害事件のことを指していることは明らかだろう。たか子の事件を櫟が推理し、そして浜尾竜一郎の意図を汲《く》み、この世から事件をもみ消すことで、静弥の将来を守った。これが引算の「1」である。結果として、彼の友人がひき逃げによって死ぬことになった。

つまり、弓沢の件を含めて殺人事件は三つに増えたのである。これは強いていうならば、時間軸を勘定に入れ、さらに悪意を根底の真理とした公式なのである。

だが、なぜ、葉書の書き手はこんなことを思いついたのか、三つの事件の因果関係をどのように推理し、こんな葉書を寄越したのかが、わからない。

帰りぎわに、警察官がつぶやいた言葉がよみがえった。

『弓沢さんが殺害された夜、先生はお一人だったのですねえ』

その時は、樹来たか子の事件のことで頭がいっぱいで気にも止めなかったひとことが、とんでもない意味を持っていることにようやく気が付いた。その場でもっと明確な説明をしなかった自分の愚かさを、罵倒し呪いたくなった。

——警察は自分を疑っている！

弓沢の遺体が発見されて以来、警察官が数度、研究室を訪ねている。弓沢の主治医である櫟に、「なぜ、末期癌である弓沢が、その病状を押してまで病院を抜け出したのか」を問うためだ。もちろん、その理由を警察には話していない。話せば嫌疑が自分の身に降り掛かることは必至だからである。だが、警察は櫟の考えているよりもずっと素早く、身辺に調査の触手を伸ばしていたことになる。「あの日」と、声に出してみた。掠れているのは、声帯がうまく機能していないからだ。

病室を訪れた二人の客と、弓沢との会話がどのようなものであったか、知る由もない。ただ、細切れに聞こえたいくつかの単語によって、樹来たか子についての内容であることは、想像することができた。殿村とかいう老人と、いつか自分を訪ねてきた文学部の学生、桂城真夜子が帰った後で、弓沢の状態をチェックしながら、当然のようにその話になった。もちろん、たか子の事件で、櫟が探偵役を務めたことは抜きにして、である。たか子の詩について意見を交換したのち、弓沢がぽつりとつぶやいた。

「わたしは……樹来たか子の死の真相を知っておるのですよ」

驚きはしたが、弓沢が山口市を訪れた際に「あるいは、浜尾氏がなにかを告げたのか」と、自分を納得させた。が、

「この遠誉野に遺児の静弥君がいるそうです。彼に母親の死の真相を告げるか否か、樹来たか子の伯父さんにあたる人が、すべてをわたしに託すというんです。しかし自殺したとばかり思っていた母親が、まさか殺されてたなんて、ねえ。ああ失礼しました、先生に話しても仕方のないことでした」

「いえ、いいのですよ」と返事をしてから、しまったと思った。とたんに、弓沢征吾の顔色が変わって、

「まさか、先生！　たか子の事件のことを知っているのですか」

その時、素直に二十五年前の事件に自分がかかわっていることを告げるべきであったと、今は思う。しかし、なぜだか、それがいえなかった。凝視する弓沢の視線に抗しきれなくなり、櫟は話題を静弥に向けることにした。

「彼もまた、わたしの患者なのですよ」

「まさか、彼も悪性腫瘍に冒されて？」

「大丈夫。彼は初期段階での発見でしたので、予後治療さえ間違えなければ」

「そうですか。それはよかった。わたしのような状態になっているのでなければ……ああ本当によかった」

その表情があまりに優しく、安心しきっているので、櫟はつい余計なことを口にしてしまった。余命いくばくもない弓沢が、浜尾竜一郎に託された一件を重荷に感じているなら、少しだけそれを軽くしてやりたいと思ったのである。本来医者が厳守しなければならない守秘義務の一端を、「弓沢がもう誰かに話をするはずがない」という理由で解除した。

「静弥君は、たとえ母親が殺されたと告げられても、あまり苦しむことはありませんよ」

「どういうことです？　先程先生は、彼の病気はもう大丈夫だとおっしゃったじゃありませんか」

「ええ、悪性腫瘍に関しては、たぶん大丈夫です」

「では、ほかにもなにか」

そうして櫟は『ウェルニッケ脳症』という病名を告げ、その病状について説明した。樹来静弥が置かれている現状と、請われるままに彼の容貌などを話すうちに、弓沢の表情が硬く強ばった。

「まさか、あの時の青年じゃあ……」

「知っているのですか、彼を？」

「お恥ずかしい話です。病気の告知を受け、やけっぱちになっていたときに絡んだ青年が、どうやら樹来静弥君であったようです」

そういって弓沢は、駅前で談笑している青年――たぶん、樹来静弥と思われる――に殴りかかった話をした。静弥の顔のみは病院内で見かけて知っていた。その彼が談笑できるほどに回復しているのを見てカッとなったのだと説明した。

「そうでしたか、そんなことがあったのですか。ですが、それも気にすることはありませんよ。さっきもいったように、彼の症状は非常に特殊なものです。あなたが気に病むことはなにもないといってよい」

「そうでしょうか。わたしは本当に彼に対してなにも告げなくていいのでしょうか」

という弓沢の表情を、櫟は今、この瞬間にも思い出すことができる。

――あんなことさえ、いわなければ。

自分の周囲の情況が、めまぐるしく変化していることを認めないわけにはいかなかった。しかもそれは、ある種の傾斜を持った変化である。今のところはまだ、傾斜角の先端になにが待ち受けているのか、はっきりと見ることはできない。が、予想はできる。

「それにしても、誰があんな葉書を」

警察の嫌疑なら、本気にさえなればいつでも晴らすことはできると思う。が、悪意の正体もはっきりと見せないまま、ただ不気味な葉書を送り付ける影の人物にはどのように対処すればいいのか、見当もつかない。桂城真夜子が研究室を訪ねてきたとき、問いただしてみたが、どうやら送り主ではなかったらしい。その反応を見るかぎり、彼女にあるのは好奇心と自己を満足させるための情熱であり、悪意ではない気がした。

「だが、彼女の好奇心は危険だ」

日が完全に落ちたようだ。山の端に引かれた朱の光線が消え、空に暗紅色の部分を幽《かす》かに残すばかりとなった。その色彩の歪みを見ているうちに、櫟の思考に変化があらわれた。それ自体ひどく歪んだ、あるいは今回の一連の事件の根本を歪めるような思考が、不意に生まれた。

「わたしは間違ったことをしただろうか」

「間違っていたとすれば、どこの部分で」

聞くものがないことを確かめたうえで、櫟は自問した。

「傘の石突きで、人を刺し殺すことは不可能なのだろうか。いや、そんなことはない」

現に弓沢は、といいかけた言葉を、櫟はなんとか飲み込むことができた。

4

桂城真夜子は、自分の背後に視線を感じていた。

――誰かが、わたしを監視している?

あるいは、洲内一馬にいっこうに連絡が取れないことに対する焦りが、そのような妄想を生み出しているのかもしれなかった。

樹来静弥についての情報を、一刻も早く一馬に伝えたかった。彼の静かすぎる表情の正体に、真夜子は気が付いたのである。

「そうよ。人間はそれほど自分の感情をセーブできる動物じゃない。まして静弥は母親の事件の記憶を失ったことで、奇妙に性格が歪んでしまったと、浜尾竜一郎氏もいっていたじゃないの」

真夜子は事件に遭遇することで、さまざまな事実を見聞きしている。それは意識するとしないとにかかわらず、情報として脳細胞に蓄積されている。あとは各情報が自然につながるのを待てばよい。

樹来静弥の件にしたところで、ちょっと冷静に考えてみれば、もっと早くに気が付くことができたはずである。それが彼のアルカイックスマイルに翻弄され、いらぬ付加価値を自分で勝手につけていったために、本質はかえって遠退いてしまった。彼について見聞きしたことを、もっと素直に判断すればよかったのである。

「でも、まさかあんな症状があるなんて」

樹来静弥についての仮説を檪にぶつけ、数日後に真夜子は放射線学科に籍を置く友人に連絡を取った。そのうえで、こんな症状の病気が存在するのかどうかを尋ねると、友人はいとも簡単に答えた。

「たぶんウェルニッケ脳症だと思うよ」

「なに、それ？」

「ううんっとねえ。医療関係者の間ではタブー視されている病気だから、あまりいいたくないのよね」

と言い渋る友人をなんとかなだめ、真夜子はウェルニッケ脳症についての知識を得た。

ウェルニッケ脳症は、もともとビタミンB_1の欠乏によって起こるのだそうだ。が、体内でビタミンB_1が欠乏すると、ウェルニッケ脳症を発症する前に、一般的には脚気の症状が出て、そこで治療が行なわれる。その意味では、非常に珍しい病気であったのだ。ところが平成四年、厚生省が出した一通の告示によって、この病気は奇病ではなくなった。厚生省は膨れあがる薬剤費の削減を目的として、病気治療以外に用いられるビタミン剤について、規制を設けたのである。結果として、多くの医師がビタミンの過剰投与を差し控えるようになった。が、問題は残った。たとえば樹来静弥のように、悪性の腫瘍に冒され、大きな手術を受けた場合、患者の多くは術後の食事は高カロリー栄養液による、点滴に頼ることになる。しかも相当長い期間にわたってである。高カロリー栄養液にはビタミンが含まれておらず、それまでは別のビタミン投与で賄っていたものが、厚生省の告示によって外されてしまったのだ。もちろん、告示を正確に読めば、この場合のビタミン投与は治療行為であるから、規制の適用外である。しかし多くの医師がビタミン投与を差し控えたことによって、患者は点滴の間、ビタミン不足の状態に置かれたのである。結果として、ウェルニッケ脳症の発症者が激増した。

「和解例まで含めると、相当の数の訴訟が行なわれている最中なのよ」

「それで、タブー、か」

「でも、どうしてそんなことを……まさかあなた例の患者がそうだってことに」

「うん。気が付いたの。これは人の性格まで変えてしまう病気だったのね」

「それは仕方がないでしょう。でも樹来静弥の場合は、病院と和解しているはずよ。将来にわたって生活の保障と治療の保障をするということで」

「へえ、そうなんだ」

「それに有名なのよ。静弥氏には強い味方の恋人がいるって」

「美崎先生のことね、そうなんだ、そんなに有名なんだ」

こうして得た情報を、洲内一馬に伝えたいと思った。それが事件にどう影響するのか、素人の真夜子にはよくわからない。が、しきりと胸の深いところで「この情報はとんでもない意味を持っている」と、ささやく声がする。遠誉野署には二度ほど「連絡がほしい」と伝言しておいたのだが、洲内一馬からは、なにもいってこない。警察署に何度も電話をかけるのは気が引けたし、直接いくとなるとなおさら気持ちがなえる。しかも一馬の部屋には留守番電話さえなかった。仕事柄、携帯電話かポケットベルくらいは持ち歩いているのだろうが、真夜子はその番号さえ知らなかった。出会った当初からそうであったように、洲内一馬という人間は、自分についての情報を表に出すことを極度に嫌っているふうがある。何度も体を交わしている真夜子にさえ、自分についてを語りたがらないのである。

——どうしてだろう。

真夜子は洲内一馬が抱えている心の闇について考えてみた。そこにどのような過去が潜んでいて、どのような感情を材料に発酵《はっこう》し、もしかしたら腐敗しているのか、真夜子には垣間見ることさえ許されてはいない。自分が一馬に抱いているものが、恋愛感情であるのかどうかさえ、明言することができないのである。

突然、電話のベルが鳴った。

——一馬だろうか。

期待と共に、なぜだか「そうであるはずがない」というつぶやきが、自分の口から漏れることが不思議だった。

「桂城さんですか」

「ああ、殿村さん！　随分とお久しぶりですね」

「ええ、ちょっとした旅行に行っていたのですよ」

殿村三味が、電話口の向こうで少し疲れた声でいった。

「旅行？　もしかしたら山口県ですか」

「さすがに、勘が鋭い。ええ、樹来たか子が生前に住んでいた家の周辺を歩いてきました」

「まだ、家があるんですか！」

「家そのものはありません。けれど土地は浜尾竜一郎氏が買い取って、庭はまだ多少の面影を残していましたよ」

庭、と聞いて真夜子の中で粟立《あわ》つものがあった。その空気は受話器を通して伝わることはなかったのか、殿村は淡々と、

「弓沢征吾氏はずっと『秋ノ聲』に書かれた擬音を気にしていました。ところが、事件のあった日、最後にかわした会話を覚えておいでですか」

「ええ。あの音の正体は分からなかった、と」

「本当にそうでしょうか。あの日、病室に奇妙な本が置かれていたことには？」

いいえ、気が付きませんでしたといおうとして、不意に網膜のどこかに病室の光景がよみがえった。

「造園の本です！　そうだ、たしかに造園に関する本が置いてありました」

「ずっとそのことが気になっていたんですよ。少なくともあの状態の弓沢さんが、わざわざ読むような本だろうか、とね。幸い、本に関する知識と記憶は、他の人よりも少しは優れているつもりです。それで、あの日見た本をわたしも買って読んだのですよ」

「あの……」

殿村のいわんとするところが、よく理解できない自分が恨めしかった。

「あなたは気が付かれたかどうか……病室に置いてあった本のちょうど真ん中のあたり

に、付箋が付けてありました。わたしがおよその見当をつけて読み進んでいくと『水琴《すいきん》窟《くつ》』という言葉がありました。ええ、水の琴に洞窟の窟です」

「水琴窟ですか。それはいったい、どんなものなのです？」

「地中に大きな瓶《かめ》を埋めておきましてね、そこへ水を一滴、一滴垂らすのですよ。すると水の滴りが瓶の中で反響を起こし、透明感のあるかすかな音が響くのだそうです」

たか子が書いた「秋ノ聲」のフレーズが耳によみがえった。

「それが、しゃぼろん、しゃぼろんという音の正体だったのですか」

同時にそれは、たか子が最後に残した「ビードロ玉」の一節で、静弥のいった言葉として『ピショロン、ピショロン』と、表現されている音でもある。

「それを、わざわざ確かめるために、山口へ？」

「ええ、しかしさすがに庭は二十五年近くも荒れ放題ですから、その痕跡を見付けることはできませんでした」

真夜子の中で「ちがう！」と声がした。声は次第に大きく、耳の内側に溢れ、喉を伝って本人の声となった。

「それは違うでしょう」

「えっ？」

「わざわざ、庭を確かめるために山口まで行ったわけではないでしょう。もちろんその水琴窟を確かめることは目的のひとつとしてあったでしょうが、もっと別の意図があったのではありませんか」

受話器の向こうで、くぐもった、隠微な気配の笑い声が聞こえた。

「水琴窟については、あくまでもわたしの推測です。本当にそんなものが樹来たか子の住んでいた家の庭にあったとは、限りません」

「ただ……もしも弓沢氏までもがそう考えていたとしたら、どうしてそのことを弓沢氏はわたしたちに告げなかったのか……ということですね」

「はい。それを確かめたかった。けれど先程も話したように、庭はわずかに痕跡を残すばかりでしてね。今ではどこに何があったのかさえもわかりませんでした。もっとも、さほどに期待をしていたわけではありませんがね。水琴窟が水を引かねばならないことを考えると、近くに水の流れを求めれば、なんとか見付けられる、くらいに思っていたのです。ところが」

「ところが？」

「周囲の人から聞いた話によると、あの辺りはこの十年で大きく変化したそうです。田圃《たんぼ》は宅地に変えられ、たか子が住んでいた家の跡地と、その周りだけはなんとかかつての姿を維持していますが、ほかは、住んでいる人にさえ昔がどのようなものであったか、わからないそうです」

「そうだったんですか」

そういいながら、殿村の声には別の意味が含まれているような気がしてならなかった。

洲内といい殿村といい、自分の手の内をすべて明かすということがない。それは真夜子自身にもいえることであった。たか子のことを調べはじめて以来、瞬間的に着想を得ることが、ままある。しかしその場では周囲に明かさず、確信を得てから洲内なり、殿村なりに告げるようになっている。

一連の事件と二十五年前に一瞬の光芒《こうぼう》を放って消えた童謡詩人の人生とが、なにかしらの影響を与えているのかもしれなかった。

「あの」と、真夜子はいくぶんためらいながら、殿村に質問をぶつけてみた。

「どうして、水琴窟が『秋ノ聲』という歌に結実したのでしょうか。あれは秋の訪れを告げる歌ですよね。水琴窟というのは、一年を通して楽しむものではないのですか？」

「いいところに気が付かれましたね。これもわたしの推測にすぎませんが、たぶん水田の用水路に関係があるのではないかと、思っています」

「というと」

「普段は用水路に使われている流れは、秋の収穫を終えると水田への水門を閉めてしまいますね。すると水位や水量が変わり、別の支流が生まれるのかもしれません」

「ああ、それで秋から冬にかけてだけ、水琴窟の音を楽しむことができる、と」

「同時にそれは、秋の訪れを示す『聲』になるのではないでしょうか」

こうして殿村の話を聞くと、すべてが真実に思えるから不思議であった。それが話し方によるものなのか、あるいは年を経た年輪によるものなのか、よくわからない。

「でも、どうして弓沢さんはあれほど水琴窟の音に執着し、それを見つけたというのに」

「見つけたからこそ、満足したのかもしれません。彼の執着にしても、それは飽くまで彼個人の趣向の問題ですから、他の人にまで共感を求めることではないと、思ったのかもしれません」

「でも、殿村さんはそうではないと思っているのでしょう？」

しばらくの間、沈黙があった。

「桂城さん」と、一段と低い声で、殿村がいった。

「あなた、樹来たか子の死について、なにかご存じですね」

「どうして、そう思われるのですか」

別に、殿村に話していけないことではない。むしろ、彼の一言が、樹来たか子が自殺したのではないという事実を、示唆してくれたのである。そのことについて、殿村に話を聞きたいと思ったこともあった。が、現実には、卒論を提出した日、彼の家を訪問しながら、真夜子は結局なにも告げずに帰ってしまった。浜尾竜一郎から、たか子の死の真相を聞いた時にも殿村にそれを報告しようとは考えなかった。そこに明確な理由があったわけではない。少しばかり意地悪な気持ちになったから、としかいいようがない。

――でも、どうして殿村さんまでもが、そのことに？

受話器から答えはない。その代わりに「会って、お話がしたいのですが」と、ためらいがちな声が返ってきた。

「実は、あなたのお部屋のすぐ近くにいるのですよ」

「だったら、直接きてくだされば、よかったのに」

「さすがに、うら若い女性の部屋を急に訪ねるような不調法は、良心が許しません」

その口調がおかしくて、真夜子は気持ちの緊張を解いた。

「すぐに伺います」という声を聞き、電話を置いて数分もたたないうちに、ドアがノックされた。

殿村の姿を見て、真夜子は驚きの声を上げそうになった。弓沢征吾の事件があった当日、真夜子は病室で弓沢を見ている。明らかに死の空気をまとい、あとは人生のゴールに向かって駆け込む時を待つばかりの弓沢征吾の姿に、ドアの向こうに立つ殿村が酷似していた。

「どうしたんですか！」

背中にいやな予感が走った。

——樹来たか子の死に触れたものは、みな不幸になる。

——樹来静弥のためになら、人は時に死を選ばねばならない。

「ずいぶんとご無理をされたのではありませんか」と問うと、殿村が顔色を一層悪くして、

「それよりも……あなたの身の回りのことのほうが」

「えっ？」

「この先の公園の公衆電話から出てくると、この部屋をちょうど見上げる形で、人影がありました。ええ、もしかしたらあなたになにか用があるのかと、声をかけようとすると、あわてて逃げていきましたよ」

「男ですか、女ですか」

「それはちょっと。この年になると夜目《よめ》が利かなくなります。それに、相手も体型などをわざと隠すような服装をしていた気がしますが」

とりあえず部屋に殿村を招きいれ、熱い日本茶を淹《い》れた。目を細め「これが一番ありがたい」と笑う殿村の顔色が、わずかに回復したように見えた。

――この部屋を見張っている、誰か？

やはり自分が感じていた視線は、本物であったと、真夜子は思った。とすれば、視線の主はひとりしかいない。

「話してください。いったいどんなことがあったのですか」

真夜子はまず、二十五年前の樹来たか子殺害事件について話をした。彼女は自殺ではない、実の夫である重二郎によって殺害されたのだと話すと、とくに驚いた様子もなく、

「やはり、そんなことでしたか」

殿村はいった。さらに事件当時、山口県を訪れていたまだ青年の櫟心太郎が、事件の謎を解いたことを語っても、殿村はさして驚きの表情を見せなかった。掠れた声で、

「樹来静弥氏と櫟心太郎氏に、そんな接点があったとはね。さらに樹来静弥氏と弓沢氏も、駅前での殴打事件を接点として出会っている。得てしてこうした偶然が、悲劇の源になるのですよ」

と、つぶやいたのみである。

あとひとつ。真夜子は話すべき情報を持っている。

――樹来静弥について、話すべきか否か。

迷っていると、殿村が、

「ほかにはありませんか。今のお話からでは、あなたが誰かに監視されなければならない理由が見つからない」

その言葉を聞いて、もうひとつ話すべきことがあったことを思い出した。というよりは、長く心の一部に張りついて離れなかった、疑問である。言葉を改めた。

「こんな数式は、成り立つでしょうか」と、真夜子は近くにあった紙に「2－1＝3」という数式を書いてみせた。そして、殿村の反応を見た。実のところ、あの奇妙な数式を葉書に書いて、櫟に送ったのは殿村ではなかったかと、心のどこかで疑っていた。発想そのものが常人でないという一点で、葉書を見たときから殿村への小さな疑惑があった。

紙に書かれた数式を見ながら、殿村が自分の胸を左手で抱き、そこへ右腕を乗せ顎《あご》を乗せるという、いつものポーズで考えはじめた。

「真夜子さん。あなたは今日日《きょうび》の女子大生とは思えないほど、前向きに生きていらっしゃる。わたしにはない若さや、若さゆえの真っすぐすぎる正義感は、眩しいほどだ。時に歪んだ視線があなたをとらえても、己れに恥じることのないあなたはなにも感じないでしょう。けれど、それが危険なのですよ」

殿村のいいたいことがよくわからなかった。

――それほど、わたしは純粋ではない。

が、殿村の言葉には迫力があった。

「この奇妙な数式をどこで見つけたのですか」

そういわれると、真夜子は自分が十歳の少女になったように、

「はい。櫟教授の研究室で」

と、ことの経緯を語った。櫟が、葉書の送り主を真夜子ではないかと疑っていることを告げると、殿村がまた表情を硬くした。

「櫟心太郎教授ですか。どうしてそんな……」

「わたしにははっきりといって、何がなんだかわからなくなりました。樹来静弥氏と弓沢征吾氏が、同じ種類の病気にかかり、同じ教授の元で治療を受けたとしてもなんの不思議もありません。弓沢氏が、静弥氏の母親に興味を持っていたとしても、偶然の範疇《はんちゅう》です。けれど櫟教授が二十五年前のたか子の事件における探偵役であったとすると、これは果たして偶然で片づけてよい問題でしょうか」

しゃべっているうちに、真夜子には自分の思考がわからなくなってきた。謎の中心はどこにあるのか、どのような経緯で事件は進展したのか。全貌のうち、どこまでが自分の前に公開されているのか。

——なによりも！

どうして自分はこんなことに巻き込まれてしまったのか。これが自分の望んだ結果であるのか。あらゆる未解決の情況が渦をまき、胸を満たして理性までも隠してしまった。不意に涙がこぼれて、止まらなくなったのである。

自分で自分の涙に困惑しながらも、それを止めることができなかった。

「なんで、こんなことになってしまったの。わたしの好奇心が間違っていたのですか？弓沢さんが殺され、高梨幸太郎も殺されて、何がなんだか、わからなくなってしまったんです。どうして殺されるのですか。誰が殺すのですか。殿村さん、あなたはなにを知っているのですか」

いいたいことをいってしまうと、気分がずいぶんと楽になった。いつのまにか潮が引くように涙が消えて、その時になってはじめて、涙が長い間のストレスを発散させる特効薬であったことを知った。

顔をあげると、殿村老人がじっとこちらを見ている。

「真夜子さん、よくお聞きなさい。偶然という奴の種は、どこにでも転がっているのですよ。オカルトマニアの似而《え》非《せ》学者であればたちどころに『共時性』などという言葉を弄して因果応報、輪廻転生の不思議を説くことでしょう。けれど惑わされてはいけない。たとえ遠誉野という小さな空間に、二十五年前の事件の被害者の遺児と、探偵とが住んでいたとしてもなんの不思議もない。それに興味を持つ人間がいたとしても、です。問題は、いま現在発生しつつある殺人事件ですよ。いくら偶然を重ねたところで、それを連続殺人にまで昇華させるためには、もっと別のエネルギーが必要なのです。それを操る人物と、動機がなければすべてはどこにでも転がっている偶然の輪にすぎないのですよ」

殿村の声が、しみじみと染みてきた。

——わたしは、ただの磁石じゃないか。

樹来たか子に興味をもって以来、どういうわけだか真夜子の元にはさまざまな要素の情報が集まってくる。あるいは殿村ならば「情報とはそういうものです。望む人の元には自然と集まる」ぐらいの説明で片付けてしまうかもしれなかった。磁石のように情報を集めても、自分にはそれを分類し、判断する能力がないと、つくづく思い知らされた。

「わたしには、なにもわからない」

どうでもいい気分になっていた。先程まで、洲内一馬に報せたい情報があって、心疼《うず》かせていたものがきれいに治まってしまっていた。最初から探偵役を務めようとしていたわけではない。

——もう、考えるのはやめよう。

探偵役は自分以外なら誰でもよい。そのひとに正義さえあるなら、誰にでも……そこで思考の流れが途切れた。それまで謎であったもののひとつが、姿を現した気がした。

——そうだ。洲内一馬という人には、正義がないんだ。

洲内一馬は仕事をこよなく愛している。そのことに疑問の余地はない。けれど犯人逮捕を愛するということと、悪を憎み、正義を遂行せずにはいられないということの間には、大きな差があるのではないか。

「真夜子さん、もしよろしければ、あなたが握っている駒をすべてわたしに渡していただけませんか」

果たして殿村は正義だろうか。櫟心太郎にわけのわからない数式を送り込んだのが彼だとすれば、その意図はどこにあるのか。

「あなたは……正義のために動いているのですか」

真夜子が思い切って尋ねると、今度は殿村が黙り込んだ。小さく「正義ですか」とつぶやき、沈黙がしばらくつづいたのちに、

「自分が正義であると感じたことはありませんね」

と、意外にきっぱりとした声でいった。

「そもそも、わたしのような年の者は、正義という言葉に常に懐疑心を抱いていまして。時代と風潮とによって、これほど毀誉褒貶《きよほうへん》の激しいものはありますまい。わたしにあるのは、探求者の使命感。あるいは好奇心といってもよいでしょうなあ。『歴史学は点を、

民俗学は面をめざす』、これは人の日常に置き換えてみるとわかりやすい言葉でしてね。日々の暮らしは《面》であり、そこで起きるさまざまな出来事は《点》です。学問上はこうして分離してみたところで、現実の世界ではふたつは決して切り離すことができません」

真夜子は、殿村のいわんとすることがわかった気がした。

「今回の一連の事件で、現在我々の目に見えているものはすべて点なのですね」

「少なくとも、わたしの目に見えているものは、そうです。たぶん、面の部分がいくぶんかでもわかってくれれば、全体像がはっきりとするのではないでしょうか。つまり、点ははっきりとしています。面と点とは分離することができないほど密接に関わっているのですから、面もある程度の輪郭のようなものがわかれば、あとは推理の道筋にしたがって明らかになるはずなのですよ」

「面ですか……あるいは、いやそんなことはないと思うのですが」

「どうしました？」

「わたしは、もしかしたらその面にあたる部分の一端を知ってしまったかもしれない」

殿村の視線を気にすることなく、真夜子は自分の得た情報を整理しはじめた。

「ウェルニッケ脳症という、病気があるのです。ご存じですか？」

「いいえ」

真夜子はゆっくりと話をはじめた。ウェルニッケ脳症がどのような経緯を経て発病するのか。具体的な症状について。そして、その病に冒された樹来静弥について。

説明が終わってしばらくの間、殿村は声もないかのように見えた。

「そんな……奇病ですな、まさに」

「ですから樹来静弥は、いつだって仏像のような笑顔を浮かべることができるのですよ」

「確かに、それはいえるかもしれない。仏教上の悟りという奴も、もしかしたらその辺りに根源を見ることができるのでしょう。ですが……驚きました」

症例について説明する間、真夜子の中で別の仮説が生まれていた。それを口にして良いものかどうか、迷っているうちに、殿村から「それだけですか」と、声がかかった。

「お願いですから、わたしに隠し事をしないでください。どうやら我々は事件の核心に迫りつつあるようだ。けれど完全に全容を知るためには、まだ情報が足りません。あなたが持っているものを、ここで吐き出してくれませんか」

その言葉が、真夜子の背中を押した。

「櫟教授は樹来静弥の担当医です。静弥は罪悪感と無縁の所にいますから、催眠術によって行動をコントロールすれば、自由に犯罪行為を行なうことができるのではありませんか。弓沢氏だって、相手が樹来静弥であるからこそ、なんの警戒心も抱かなかったのかも」

「まして、高梨幸太郎氏は友人ですから。ひき逃げもただ、そう見せ掛けただけで、別の殺害方法を用いた可能性は否定できませんね」

　そういいながら、殿村は別のことを考えているように思えてならない。そもそもこの老人の思考についていこうなどとは思わない方がいい。

「殿村さん、恐くはありませんか」

　さまざまな思惑の先に、どんな真実が待っているのかがわからない。殿村が、返事をする代わりに、ようやく笑顔を見せた。同年輩の若い男にはない、安心感が皺の一本一本に刻まれている。百の言葉を並べられるよりも、不安を拭い去ってくれるようだ。

「ところで、最近は洲内一馬さんとは連絡を取り合っていますか」

　首を振る。

「どうして？　ああ、彼も仕事が忙しいのでしょう。これだけ立て続けに事件が発生すると、ひとつの事件に専従することもできないでしょう。そうなるとあなたにも会えないのですね」

「それが、なんだか意識的に避けられているような気がするんです」

「まさか、そんなことはないでしょう」

「でも」

「随分と、神経をすり減らしておいでのようだ。今夜はゆっくりとお休みなさい。そうだ、年寄の知恵をひとつ、授けましょう。枕元に輪切りにした玉葱《たまねぎ》を置いてごらんなさい。少し匂いが気になるかもしれませんが、なに、すぐに慣れます。よく眠れるはずです」

　そういって、殿村は立ち上がった。

「先程の樹来静弥氏の病気の件ですが、早めに洲内さんに伝えたほうが良い。わたしの勘でしかないが、そのことが今回の事件の大きなポイントになっている気がします」

　殿村が帰ったあとで、真夜子は冷蔵庫の中身をひっぱりだした。が、玉葱はない。しばらく迷ったのちに、コンビニエンスストアに出かけることにした。殿村のいうとおり、ここのところよく眠れない夜が続いている。

　財布を片手に握り、部屋を出て、大通りをめざした。コンビニエンスストアまでは数分の距離である。

　——………!?

　気配を感じてふりかえるが、そこには誰もいない。歩きだすと、再び気配が現れる。神経が過敏になっているのかもしれなかった。真夜子は踵《きびす》を返すと、部屋に戻り、ドアに鍵をかけて荒く息を吐いた。

「やっぱり、誰かがわたしを監視している」

風景　4

――あなたは事件にどのように関わったのですか。

わたしと事件の関わり……さあ、そこのところがよくわからないのです。なにか、大きな部分で関わっている気がするのですが、霧がかかっていて、なにも風景が見えてこないのです。

あの日、父からの手紙を見た母は、泣いていました。よほど、理不尽なことが書いてあったのでしょう。そして竜おじさんとの会話。わたしは悲しいというよりも、腹を立てたのだと思います。卓袱台に座り、片肘をついて考え事をする母の姿は、とても美しいものでした。本当に美しいと思ったし、母の元を離れることなんて考えられなかった。けれど、現実に父は、わたしを引き取る旨を書いて寄越したのです。

だから……。

――やはり、霧は晴れませんか。

いいえ。晴れています、霧はたぶんすっかりと晴れているのです。わたしの網膜はなにかの風景を見ているのです。けれど脳が……。たぶん、脳が拒絶をしているのです。脳細胞の深いところに隠れたままのちっぽけなわたしへ、情報を伝えることを拒絶しているのでしょう。だからわたしにはなにも見えていない。いや見えている、でも見えていない。

指です。指が覚えているようです。指先に鈍い痛みがあって。痛みの波がもう少しでここまでやってきます。どうしてわたしの人差し指はこんなにも痛むのでしょうか。それは指先に大きな穴が開いているからです。穴？　ああ確かに穴のようです。沢山の血が流れて、わたしの半ズボンが汚れています。

誤って突き刺してしまったんです。友達から借りた、ナイフを。

でもわたしは、とても器用なんです。母は、わたしが刃物を使うことを嫌い、結局ほしかった小型ナイフを買ってくれませんでしたが、友達のナイフを借りてわたしはとても器用にいろいろなものを作ったんです。たとえば藪から細竹を切ってきて、弓矢を作るなんてことは朝飯前だったのです。竜おじさんのところに勤めている人から、兎を捕るための罠《わな》の作り方も教えてもらいました。

だったらどうして、指を刺したりしてしまったのでしょうか。

たぶん、なにかを作っていたんです。初めてのものを。友達からナイフを借りたわたしは、何を作っていたのでしょうか。

母の声がします。

「どうしたの、なに、その指は」

「大丈夫だよ。たいしたことないよ」

「たいしたことがないはずがないじゃない。見せてみなさい。おお、ひどい。こんなにも血が出ているじゃないの」

母が、わたしの指をくわえて、血を舐《な》めとろうとしています。

「母さん」

「なあに」

「ぼく、この家を離れたくないよ。顔を見たこともない父さんと暮らすなんて、いやだよ」

その時の母の顔が、はっきりと思い出されます。顔を思い出すことはできるのに、どうしてでしょうか。その時母がいった言葉だけが、どうしても思い出せないのです。

「もちろん、そんなことはない」といったのか、それとも「でも仕方のないことなの」といったのか。ああ、ひとつだけ、たった今言葉が浮かびました。わたしの言葉です。

「父さんなんて、いなくなればいい」

確かにわたしはそういったのです。

――あなたは何を作ったのですか。

ゴムのチューブを使ったのです。自転車のタイヤチューブがうちの納屋にあることは知っていました。それを使おうと思い立ったのです。

家の玄関のすぐ近くに、大きな柿の木があります。そこならば、多少大きな仕掛けを作っても目立つことはありません。いくつかの罠の作り方は教わっていましたから、それらを組み合わせたら、わたしの望むものができることも、わかっていました。それから日頃釣りで使っているナイロンテグスも必要です。柿の木の枝の股を、仕掛けに使うことにしました。そこへ束ね合わせたタイヤチューブを十分に張り、ちょうど弓の弦と同じ状態にしました。それをさらに後ろの太い枝までひっぱり、ナイフで削っておいた木片を挟んで、固定しました。固定？　しかしきっちりと固定しているわけではありません。なにかの衝撃が加わると、すぐにはずれてしまう程度の固定です。竹を割ったものを木片の前に置いて、これはきっちりと固定します。

そして……。


――そして、どうしたのですか。


わたしは父親が憎かったのです。母を困らせるすべてのものが憎かった。そんなものはこの世になくてもいいとさえ思ったのです。

母は、夜に表に出るような人ではありません。家事がすべて終わると、夢見るような顔つきで卓袱台に分厚い本を置き、夜おそくまでそれを読んでいるような人でした。だから、夕方に仕掛けを作っておきさえすれば、母がそれに誤って引っ掛かることはない。そう思ったのです。いかにも思い詰めた子供が考えそうな、浅はかな計画ではありませんか。けれど、わたしは必死でした。父親を追い返しさえすれば良い。そのために相手が少しぐらい怪我をしたって、ちっともかまわないと思ったのです。
だから……。

――だからどうしたのですか。

いやだ。思い出したくはありません。そのことを考えると頭が痛くなるのです。脳から伝わるすべての神経が、ちりちりと焼かれるような気持ちになります。だからそのことを思い出したくはないのです。

――仕掛けに話を戻しましょう。どうやらそれはなにかを飛ばす装置のようですね。

はい。最初は小石を飛ばすつもりでした。テグスを玄関へと続く小道へと仕掛け、そこに引っ掛かると、ゴムチューブで小石が飛び出す仕掛けを作るつもりでした。ですが十分に張り切ったゴムチューブを見ているうちに、もっと大きな石を飛ばすこともできるじゃないかと思いはじめました。それで拳大の石を仕掛け、テグスを使って仕掛けを作動させると、驚いたことに十メートル以上も向こうに飛んで消えてゆきました。
どうしてそんなものを作ったのかというのですか。
もちろん、父親を傷つけるためです。この場所から追い出すことが目的だといったではありませんか。わたしは一生懸命に仕掛けを作り、少しでも強力に、少しでも強力にと思いを募らせるうちに……。

——どうしましたか。

なんでもありません。

——なにかを思い出したのではありませんか。

わたしは……まだ本当に幼い子供だったのです。だからきっと分別などはなかったし、ああそういえばここはどこなのでしょうか。なつかしいあの山口の家なのでしょうか。だとしたらわたしはあの日の幼い少年に帰っているのですね。けれど、それは嘘です。あの日になど帰れるはずがない。誰もそれを許すはずがないのです。わたしは未来を失った人間だけれど、だからといって少年の日に戻ることもできないのです。

帰ってはいけない。帰ればわたしは壊れてしまう。自分を壊さなければなりません。だから自分に命じたのです。母のことを閉じこめた箱は、決して蓋をとってはならないと。

だというのに！

たしかにわたしは事件のあったあの日に帰っているのですね。

そうです。仕掛けを作るうちに、わたしは気が付いてしまったのです。石を上手に、正確に飛ばす目的で仕掛けに加えた、竹を割ったものに、実にぴったりと友人のナイフが納まるのです。幅も長さも、そればかりか竹の節目のところがちょうどナイフの柄のくぼみにあたり、飛び出す力を邪魔しない形になってしまっているのです。ここにセットするものは小石などではない。そんな声がしました。確かにしたのです。わたしの背中を押したのは、ほかでもない神様なのです。

いや、ちがう。ちがうことをわたしは知っている。

指を怪我したわたしのことを、母が気にかけないはずがないことも、今のわたしは知っている。けれどあの日のわたしは気が付かなかった。自分の作った仕掛けに酔い痴《し》れてしまったのです。

そうです。母はわたしの作った仕掛けによって、死んでしまいました。

母を殺害したのは、わたしです。わたしこそは許されざるものなのです。

――しかし、そういいきることはできないでしょう。

母の遺体を発見し、警察がやってくる間に、わたしは仕掛けがどうなっているか、確認にいったのです。仕掛けはありませんでした。きっと飛び出したナイフに胸を刺された母が、必死になって外したに違いありません。わたしが作ったものであることは、聡明な母にはすぐにわかったはずです。そうして必死の思いで仕掛けを隠し、家に戻った母は力つきて死んでしまったのです。こうしたことを、わたしはゆっくりと時間をかけて理解しました。

箱です。その時のわたしの前に箱がありました。まるで使わなくなった玩具をしまいこむように、わたしは箱のなかにしまいこむ作業をはじめました。そんなことを意識的にできるはずがないって？　そうかもしれません。そうでないかもしれません。だってこれは記憶の遊びでしょう。箱のなかでわたしの記憶は奇妙にデフォルメされ、こうやって取り出してみると、とんでもない形になっているかもしれないじゃありませんか。

ただひとつの真実。

母がわたしの作った仕掛けで死んでしまったという事実をのぞいては、すべてはどうでもいいことなのです。

これでわたしの告白は終わりです。

ところで、こうやってしゃべっているのはわたしですか。

これは現実ですか。

わたしは、母を殺害した罪をどこで贖《あがな》えば良いのですか。


【治療付記】

ウェルニッケ脳症を発病した樹来静弥氏は、二週間前からしきりと体調の不調を訴えるようになった。数日の入院検査によって、氏はほとんど睡眠をとっていないことを確認。催眠治療によって、氏の心理状態を知ろうとしたのが以上の記録である。

こうした殺人の記憶は、一旦は静弥氏の記憶のブラックボックスにしまいこまれ、記憶を喪失した形で現在に至ったと考えられる。それがウェルニッケ脳症によって脳の海馬に障害を持つことにより、その副作用的な働きで、過去の記憶の断片がよみがえりつつあると見られる。そもそも催眠治療とは、人の心理の不可侵領域に侵入する作業である。患者から聞かれる言葉は時に不明瞭であり、単語の断片であることが多い。ところが氏は、母親が死んだ事件現場に心理作用で立ち戻りながらも、現在の自分の精神レベルを失わず、なおかつ非常に明快な言語で事件を語っている。これが果たしてウェルニッケ脳症特有の症状によるものであるかいなか、現段階で判断することはできない。

また、肉体上のダメージについては精神安定剤によって回復を見ることが可能ではあるが、その根本である過去の事件について、有効な治療方法はいまだ見つからず。


（九月十一日・記す）

第五章　崩壊

1

彩京大学医学部教授の櫟心太郎の様子がおかしい。
佐々本からの連絡を受けて、洲内一馬の神経はようやく目をさました。ここのところ、署にもあまり連絡を取らずに単独行動を続けている。もうじき事件は別の動きをはじめるにちがいない。その確信はあるが、根拠がない状態で、神経は少しずつすり減っていた。
《午後の講義が休講になっています。これで今週は二回目ですよ。今まで、こんなことはなかったそうです》
「それで櫟は、研究室にいるのか」
《ええ。でもぼくにはわからないな。医学部の教授がどうして、今回の事件に関わりを持つんです？》
もう、何度も繰り返された疑問を、佐々本は再び口にした。それに対して、明確な説明をすることが、洲内にはできない。

《洲内さん！　櫟が動きはじめました。たった今、大学を出るところです》

「わかった。そのまま尾行を続けてくれ」

そういって、洲内は携帯電話を切った。

前回、講義を休講にした櫟は遠誉野駅前へと出掛けていった。周囲を長い時間をかけて、歩いて回ったという。それがなにを意味するのか。犯人が現場に回帰するなどという、使い古された捜査常識を振り回したくなかった。ただし、追い詰められた犯人が、自分の犯したミスを見付けようとして、現場に戻ってくることは十分に考えられる。

――やはり、自分で張りつくべきだったか。

尾行する相手の行動から、その心理状態まで読む。佐々本に、そこまで期待していない。けれど、洲内の体はひとつである。温《ぬる》くなったパックの牛乳を喉に流し込むと、胸の悪くなるような生臭い匂いがした。もしかしたら、密室で長い間張り込んでいる間にしみついた垢《あか》と汗の臭いが、混じっているのかもしれなかった。

――それにしても……。

背中から肩にかけて、質のよくない疲れがみっしりとこびりついていた。狭い車内ではろくに体を動かすこともできない。熱い湯にでも浸かって背筋を伸ばすことができたなら、どれほど気持ちがいいかしれない。ささやかな、けれど今の自分には望むべくもない願いである。

せめてもう一人、自分の手足となって動いてくれる人間がほしかった。だが、上司に捜査経過を連絡しないまま、いわば無断で行動している身では贅沢はいえなかった。

無為な時間が過ぎた。

「今日は何日だっけ」と、何気なく時計を見た。すでに日時の感覚さえも、薄くなりはじめている。刑事にとって時間の感覚は重要だ。それが薄くなりかけているのは、捜査の方向性さえも、鈍くなろうとしている証拠ではないのか。

「二月五日か」

腕時計のデジタルの文字が、午後五時を示している。

ふっと気持ちの緊張を解いた瞬間に、軽いめまいに襲われた。めまいではなく、よどみに湧き上がった泡のような睡魔かもしれなかった。意識が弾けて、次に人格を取り戻すと三十分以上がすぎていた。

フロントガラスに三々五々帰宅を急ぐ中学生の姿が映っている。

「しまった、どうしちまったんだ、俺は！　こんなミスを犯すなんて」

洲内は慌てて車外に出ようとして、やめた。正門近くに車を停めていることを思い出した。中学校だけでなく、学校周辺はひとつの閉鎖空間だ。長い間車を停めているだけで、十分に怪しい存在なのに、そこからくたびれた背広姿が飛び出したのでは目立って仕方がない。それだけで張り込みの意味がなくなってしまう。樹来静弥がまだ学校にいるかどうか、確かめる手段を急いで模索した。職員室に電話を掛けてみるのが一番である。

フロントガラスを叩く音がして、そちらに注意を向けると制服の初老の警察官が運転席を覗き込んでいた。

「失礼ですが、ここは駐車禁止区域ですよ」

目の端に、樹来静弥の姿が映った。

――よかった。

と思うと同時に、内ポケットから警察手帳を取り出し、反対の手の指を唇に当てて「静かに」という合図を送った。警察官が驚いたように敬礼をしようとするのを、目で制止した。樹来静弥が校門から遠ざかるのを見て、車の外に出た。「すまないが、車はこのままにしておいてくれないか」と、言い残して静弥の後を追った。

こんなにも樹来静弥に執着する自分を、他の人間に見せるわけにはいかなかった。静弥のアリバイは、すでに証明されている。弓沢征吾の事件にアリバイがあるということは、事件がつながりを持っているると考えられるかぎり、容疑の圏内から外さなければならない。さらにいえば、容疑者という点においては、最右翼にいるのは櫟心太郎である。佐々本に尾行を任せるよりは、自らがその任務に就くほうが、正しい。けれど、洲内は樹来静弥に執着した。

――なにかがあるのだ、あの男には。

その理由を、あえて探すことはしなかった。

静弥は家路を急いでいる。いつもと同じ道順、いつもと同じ歩幅、いつもと同じ表情。ときに人は、いつも歩き慣れた道を変えたくなるものではないだろうか。ところが静弥は、それをしない。尾行についてからというもの、彼の行動は頑《かたく》なほど変化がなかった。

マンションに近付くと、部屋にはすでに明かりがついていた。

――例の女医が来ているのだろうか。

背広の奥で、バイブレーションを感じた。携帯電話に連絡が入ったのである。前を歩く男に気付かれないよう、声をひそめて、

「洲内だ」

《すみません。櫟を見失ってしまいました》

「ばか！　なにをやっているんだ」

《市立図書館に入ったところまでは張りついていたんですが》

そこでいくつかの書物を閉架式の棚から注文し、閲覧室に入ったところで消えてしまったのだそうだ。

電話を切ると、急に腹立たしさが湧き上がってきた。

――馬鹿野郎が。

櫟の勤務先は大学である。市立図書館に置いてある程度の資料ならば、大学の付属図書館にないはずがない。あえてそこに入ったということは、尾行に気付かれたことの証

明である。数多くの本棚に閲覧室、そうしたものが詰め込まれた図書館は、慣れないものにとっては迷路に等しい。なによりも、佐々本が櫟を見失ってすぐに電話をしなかったことが腹立たしい。市立図書館であれば閉館の時間は決まっている。時計を見ると現在午後六時すぎである。その間、なんの連絡もしなかったのは、自分一人でなんとか処理をしようとしたからだ。こうした行為が、ときに捜査の大きな障害となる。

静弥が部屋に入っていった。やがて窓に映った影で、二人の人物が室内にいることがわかる。

「やるもんだ」と、声に出してみた。櫟心太郎のことである。かつて櫟は、樹来たか子の事件で名探偵を務めたそうだ。二十五年経っても、その時の勘は薄れていないのかもしれなかった。名探偵に戻れるということは、完全犯罪者にもなれるということである。この場を離れるべきかどうか、迷う時間はわずかだった。櫟が動きを見せたということは、天秤の錘がそちらに振れたということだ。洲内は静弥への執着心を即座に捨てた。

遠誉野第二中学前に置いた車に戻り、そこから真夜子のアパートをめざした。

——櫟が動くとすると、その矛先にはかならず真夜子がいる。

それが今夜であるのか、また別の日時であるのかまではわからない。矛先がわかっても、櫟の心の動きまでは読むことができないのである。さほどの焦りを覚えなかったのは、時間がまだ早いせいである。櫟が、真夜子になにかを仕掛けるとしてもそれは深夜か、それに近い時間であると洲内は読んだ。

真夜子のアパートの近くに車を置き、彼女の部屋を見渡すところに身を潜めた。立っているのがつらくなるほど、体には深い疲労が淀んでいる。それでも気持ちが奮い立つのは、警察官の本能のようなものだ。

——事件が終わろうとしている。

その確かな予感があった。静弥が容疑の対象から外れてしまったことに、なにがしかの抵抗感がないわけではない。だが、容疑者に手錠をかける瞬間の、陶酔感を前にして、そうした思いは霧散してしまっている。

午後十時まで、ほとんど微動だにしないで洲内は待った。

午後十時十五分。時計で時間を確かめるのと、真夜子の部屋の下に人影を認めるのがほとんど同時だった。背広姿で手にステッキを持ち、真夜子の部屋を見上げて動かない人影を確認すると、洲内はゆっくりと歩き始めた。人影の顔まではわからない。そちらへ近付く気配をなるべく消し去り、たまたま通り掛かった通行人の仕草で、人影へと向かった。

——あと数メートル。

というところで、人影が洲内の方を見た。逃げる気配がないことに、わずかな不審感が生まれた。まだ顔を認識することができないのは、人物が立っている場所が深い闇になっているからだ。

——櫟だろう。おまえは櫟だろう。

いよいよ人物とすれ違う瞬間に、その人影の肩に手を置いた。

「櫟さん！」

人影がふりかえる。

「…………！」

「櫟さんでしょう」

「いえ違いますよ」

人影の顔の部分が光に曝《さら》されると、そこには櫟心太郎とは似ても似つかない老人の顔があった。その腕をつかみ、十メートルほど引きずったところで、

「あんたは誰だ」と聞いた。

「きみこそ無礼じゃないか。いったいきみはなにものだ」

警察手帳を見せると、相手は中身の身分証明書まで確認して、

「そうですか、遠誉野署の刑事さんですか。なるほど桂城真夜子さんの周辺警護といったところですかな」

ひどくのんびりとした口調に、怒りを覚えた。それまで精神力で維持していた体が、突然疲れを警告しはじめて、その場に座り込みそうになったというのが真実であったかもしれない。

「あんたはなにものだ」

「わたしは、浜尾竜一郎といいます。今日、桂城さんを訪ねることになっていたのだが、

少し予定が狂ってしまってね。果たしてこれから訪ねていいものかどうか、迷っていたのですよ」

「浜尾竜一郎というと、あの樹来たか子の親族の」

「ほお！　姪のことをご存じでしたか」

——知らないはずがないだろう。

今度こそ洲内一馬は、その場に座り込みそうになった。極度に張り詰めた緊張の糸が、切れるどころか溶けてなくなってしまったようで、近くの壁に全身を預けた。


同じ頃。

桂城真夜子は、殿村三味の元に電話を掛けていた。その前には遠誉野署に連絡を取っていたのだが、洲内一馬はあいかわらず捕まえることができなかった。

この日、部屋に電報が届いていた。櫟心太郎からのものである。

『明日午前十時　千曳神社駐車場にて　会いたい』

その誘いに乗ってよいものかどうか、迷っていたのである。

「確か、明日は月例の縁日の日ではなかったかしら」

そうであれば、少なくとも駐車場が無人であるということはない。今や真夜子にも、事件の犯人が櫟であるという確信があった。どのような動機が存在しているのか、想像することもできない。ただたか子の事件が根幹にあることだけは確かなようだ。このような情況で欅に会うことの危険性と、事件の全容を知りたいという感情の天秤を、真夜子は計りかねていた。そのアドバイスがほしかったのだが、一馬も殿村もどちらも不在である。それに苛立つと同時に、湧き上がるのは抑えようのない好奇心である。いつのまにか、

――事件の幕を引くのは、わたしの役目じゃないの。

そこで遠誉野署の捜査課にメモを残してもらえるよう頼んで、真夜子は千曳神社へと向かうことを決意した。

「やはり、この葉書はきみなのだろう。いったいなにを考えているんだか。いいや、葉書を送ったのはきみだ。この郵便局の消印は、きみのアパートのすぐ近くの郵便局で扱ったことを示している！」

駐車場で会うなり、櫟はこれまでの紳士の仮面をすっかり外して、真夜子を激しく問い詰めてきた。真夜子は真夜子で、焦りを隠せなかった。今日は月例の縁日のはずである。ところが駐車場に人影はなく、それどころか駐車している車さえない。

「どうして、こんな……」

「ちょうど、話をするにはいいだろう。今日は神社側の都合で、縁日が立たないそうだ」

「そんな！」

櫟にやられたと思った。

洲内は、デスクにはり付けられたメモを見て、我知らず大きな声を上げていた。

「誰だ！　これを受け取ったのは」

佐々本が、うれしそうに手を挙げた。

「隅に置けませんねえ、洲内さんも。今日、千曳神社の駐車場で逢引きですって。大丈夫ですよ、課長には内緒にしておいてあげますから」

その頭を張り飛ばして、遠誉野署を飛び出した。同行の浜尾竜一郎へ、

「真夜子が危ないかもしれない！」

「どういうことですか」

「説明は後です。車に乗ってください」

遠誉野署から千曳山までどう考えても二十分はかかる。

『明日、千曳山で午前十時に』

メモには、そうとだけ書かれていた。これをもってして、真夜子からのデートの誘いであると判断するほど洲内は能天気ではない。

——誰かと会うのではないか。

とすれば、その人物は櫟以外には考えられない。携帯電話を使って彩京大学に問い合わせると、やはり「櫟は本日の講義を休講にしています」という返事があった。

自分のうかつさが呪わしかった。

真夜子は、櫟の目のうちに狂気の光を見て取って、慄然《りつぜん》とした。

——話を逸らさなければ。

うまくすれば、洲内が間に合ってくれるはずである。

「どうして、どうして弓沢さんを殺害したのですか」

「まだいうか！　わたしがどうしてそんなことをしなければならない。わたしは医師だ、人の命を助けるのが役目なんだ」

「でも、あなたは現実に……」

「わたしは弓沢氏を殺害などしていないし、樹来静弥の友人をひき殺してもいない。だというのにきみは、こんなわけのわからない葉書をよこして、いったいなんのつもりだ？」

徐々に、櫟心太郎の理性の炎は小さくなっていくようだ。わずかのうちに、完全に狂気に支配されることは明らかだ。

——早く来て！

「それほど、わたしが憎いのか。どうしても、犯人にしたいのか」

「あなたは、樹来たか子の事件で名探偵を務めました」

「それがどうした。迷宮入りになるかもしれなかった事件を解決したのだ。感謝こそすれ、非難される覚えはないはずだ」

耳の傍で、奇跡の音を聞いた。車のエンジン音である。

——一馬！

屋根に赤色灯をともした車が、二人の数メートル先に止まった。

「大丈夫か」という声を聞いて、真夜子はその場にしゃがみ込んだ。

「なにものだ！　きみたちは」

口から泡を吹きそうな勢いの櫟に向かい、

「遠誉野署の洲内といいます。櫟心太郎さんですね。お話を伺いたいのですが、署までご同行願えますか。もちろん任意ですが、もし必要であれば、令状を取ってまいりますが」

馬鹿に丁寧にこたえる洲内一馬が、とてつもなく頼もしく思えた。

「先生、随分とおもしろいステッキをおもちですね」

「それがどうした」

「少し、見せていただけませんか」

ややためらったのち、櫟がステッキを洲内に渡す。その動きを見ながら、真夜子の耳は別の音を聞いていた。

——車が、やってくる。

洲内が、ステッキのヘッドを握って、左右にひねった。その部分が外れ、ステッキの内部にあるものが現れた。なにかの棒のようでもある。少なくとも金属や木材ではないようだ。一馬がどこをどうしたものか、一振りするとそれは傘の形になった。

「一馬、それは！」

「紳士の国のイギリスには、こんな洒落たものがあるんだ。ところで、先生、この傘を鑑識に回すことをお許し願えますか」

言葉の外に、再び「令状が必要ならためらいませんよ」という響きがある。

――車が近付く。いったい誰だろう。

次の瞬間。「危ない！」という、老人の声を聞いた。それでようやく、真夜子は、洲内とともにやってきた老人が、浜尾竜一郎であることを知った。が、それもほんの一瞬のことである。車がすぐ目の前に迫っていた。運転手の顔までもがはっきりと見えた。まるでこの世の憎悪をすべて背負ったような、顔である。

そこで、真夜子の意識は途切れた。

2

『前略。早いもので、事件が終了してからもう三か月もたちました。事件の顚末については、殿村さんもご存じでしょうね。あれほど多くのマスコミが動き、テレビ、雑誌、新聞といった、あらゆるメディアで取り上げられましたから。今は遠誉野を離れている殿村さんの耳にも、当然のことながら情報は入っていることでしょう。

わたしの周辺も、結構たいへんだったのですよ。どこで情報が漏れたのかは知りませんが、わたしは事件の発端を作った女子大生――ただし悪い意味ではなく、好奇心旺盛な女子大生探偵というのが、マスコミから与えられた役割でしたが――ということで、多くのインタビューを受ける結果となってしまいました。もしかしたら、ブラウン管に映るわたしの姿も、殿村さんのお目に止まったでしょうか。……けれど三か月たち、それらのこともすべては夢の出来事であったような気がします。今は周囲もすっかりと落ち着き、日常の生活に戻っています。

夢の出来事……といいました。そうです、今はまだ、あの事件のことでさえも夢のなかの出来事であったような気がします。たぶん、殿村さんも犯人の名前を知って、仰天されたことでしょう。そこに至る経緯についても、テレビなどの報道でご存じかもしれません。しかし、彼らが求めたのは興味本位のスキャンダルでしかありません。殿村さんは少なくとも事件の当事者の一人でした。ですから、本当のことを知る権利があるはずです。その思いから、今日は筆を執った次第です。

さて、そうはいったものの、いったいどこから話せば良いのでしょうか。今回の事件はあまりに多くの要素が複雑に絡み合い、それだからこそ遠誉野という小さな都市のことが、全国に知られる結果となったのですが。どう話したところで「簡略に」というわけにはいかないようです。やはり、事件が解決した日のことから話すのが良いでしょう。

そこから話を過去に、未来に、幹に、枝葉に語ってゆくのがいちばんわかりやすいと思います。長い話になるかもしれませんから、お手元にアールグレイの紅茶と、ジンジャーのスライスなど用意された方がいいかもしれません。ジンジャーは疲労回復と精神の安定を維持する作用があるそうです。できればスライスは多めに。そうでなければ遣り切れない話になるかもしれないのですから。

あの日。

わたしは櫟心太郎教授から呼び出しを受けました。「千曳山で会いたい」とごく短い電報がわたしの手元に届いたとき、確かに危険を感じていたのです。万が一の場合に備えて殿村さんや洲内一馬に連絡を取ろうとしたのですが、果たせませんでした。仕方なしに一人で出掛けたのです。どうして、そんなにも無防備なことを、と驚かれるかもしれません。しかし櫟心太郎が指定してきたのは、千曳山にある千曳神社の駐車場でした。ご存じのとおり、千曳山を半周するドライブウエイはあまり利用客のない道路ですが、千曳神社そのものは今も信仰の対象として、少なからぬ参拝者がある場所です。またその日、月例祭があることをあらかじめ知っていたこともあって、わたしは安心して出掛けたのでした。

まさか、その月に限って月例祭が中止になっていたとは、夢にも思いませんでした。のちに洲内一馬から聞いたことなのですが、櫟心太郎は警察が頻繁に訪れることで、精神的に追い詰められていたようです。わたしはわたしで、櫟心太郎から電報を受け取った段階で、ああこれで事件は終わるのだという予測をしていました。わたしは一連の事件の犯人が、かつて樹来たか子殺害事件で探偵を務めた、櫟であることを確信していたのです。彼は医者として樹来静弥の治療にあたっていましたし、同時に第一の殺人事件の被害者でもある弓沢征吾氏の担当医でもありました。過去と現在とを結ぶ糸の接点は、彼以外にはなかったのですから。

話の途中で洲内一馬が姿を現し、櫟のステッキを取り上げたときには、事件の解決を確信しました。

それがあんな結果になるなんて。

生まれてはじめて、暴走する車を間近で見ました。そして、車を暴走させる人間の、鬼のような形相も。その瞬間の恐怖は、味わったものでないとわからないものです。

正気に戻ったわたしは、暴走し、自滅した車のなかから引っ張りだされる、元人であったものの正体を知りました。それが今回の事件の真犯人でした。

美崎早音医師。

樹来静弥を誰よりも深く愛し、患者と医師という垣根を取り払ったばかりか、人としての倫理も道徳も紙屑同然に捨ててしまった女性です。

どうして、このような結果になってしまったのか。マスコミは身勝手なコメントを述べていますが、どれもが的外れです。

警察が樹来静弥の人権を保護する意味で正確な情報を表に出していないのだから仕方

がありませんね。けれど殿村さんには、およそのことがわかっているのではありませんか。つまりはすべてが樹来静弥のウェルニッケ脳症という、病気に端を発していることが。この病気については、以前にあなたとも話しましたよね。

厚生省の医療行政のために、ある時期から患者へのビタミン投与に制限が加えられるようになりました。もちろん樹来静弥のように、腫瘍の切除という重い手術を受けた患者には保険範囲内でビタミン投与が行なわれるのです。しかし厚生省からの通達が不十分だったのか、あるいは医師が通達をよく読まなかったのか、全国で、術後の高濃度栄養液である点滴から、ビタミン類が外されるという事態が発生しました。ことにビタミンB類の欠乏は、患者の脳に大きな影響を与えたのです。

ビタミンB類の欠乏は、患者の脳内にある「海馬」と呼ばれる部分を破壊することになりました。海馬は人の記憶を左右する器官です。五感から得られる情報は一旦この海馬に運ばれ、記憶として蓄積されるための神経回路に乗せられるのです。では海馬を破壊された人間はどうなるのか。つまりは「新たな記憶を蓄積できない人間」が生まれてしまうのです。これがウェルニッケ脳症の正体です。

記憶を蓄積できないという事実が、樹来静弥の人格にいかに大きな影響を与えたか。それは人の感情が記憶によって大きな影響を受けるという事実と照らし合わせて考えるなら、あるいはまるで感情のほとんどをなくしたかのような静弥の表情を考えるなら、明らかでしょう。もともと樹来静弥は、母親の事件を境に、奇妙にねじれた性格を持つようになったと、彼の大伯父である浜尾竜一郎氏から聞いています。が、腫瘍の切除手術以後の彼は、それこそ宗教的な悟りをえた僧侶のようになっているのです。これはすべて、ウェルニッケ脳症によるものだったのです。

しかし、それだけではありませんでした。この病気は、一連の事件を引き起こす引き金となってしまったのです。

美崎早音医師は、腫瘍切除手術を終えた樹来静弥の担当医の一人でした。元は癌の宣告を行なう際、患者の精神負担を和らげるためのカウンセラーだったそうです。静弥がウェルニッケ脳症を発症し、精神的なバランスを欠きはじめてからは、彼を精神面からサポートするのが彼女の仕事だったのです。しかし、治療を始めて間もなく、彼女は彼の心の闇に気が付いたのではないでしょうか。

樹来静弥の心の闇。それは彼が遠い昔に記憶のブラックボックスに封じ込めたはずの、母親の死に関することでした。美崎医師は彼に施した催眠治療の途中で、ブラックボックスの蓋をこじ開けてしまったのです。もちろん、樹来静弥のブラックボックスが開いてしまった直接の原因には、彼のウェルニッケ脳症があることは明らかでした。記憶が蓄積できないことで、彼は今日という日にも明日という日にも生きる自分を実感できない人間となりました。彼が自分の存在を確認できるのは、過去においてのみです。そのことが、封印を解く鍵になってしまったとわたしは思うのです。これは決して科学的な根拠がある話ではないのですが、真実にかなり近いのではないでしょうか。

美崎医師は驚いたに違いありません。その時すでに静弥への愛に目覚めていたのか、あるいは心の闇を覗いたゆえに、戦慄や同情がいつしか愛にすり替わってしまったのか、それはわかりません。けれど彼女が、静弥の記憶に隠された、樹来たか子の死に関する真相を、闇のままに置いておくことを心に決めたのは確かでした。今から二十五年前の事件です。たとえ静弥が世界でもっとも愛する母親を、自らの手で殺害したとしても、そのことを裁く法律はどこにもありません。ただ静弥を苦しめるだけの記憶ならば、いっそのこと消してしまいたい気持ちになったのではないでしょうか。

精神科医である彼女にとって、決して難しい作業ではなかったはずです。たとえ催眠治療の途中で記憶がよみがえったとしても、彼には記憶を蓄積することができません。専門的なことはわかりませんが、なんらかの処置さえ施せば、彼は記憶がよみがえったことにさえ、気が付かないのではないでしょうか。わたしは、いくつかの専門書を読んでみました。ウェルニッケ脳症にもいろいろあって、軽い記憶障害が残るだけの人もいるそうです。しかし樹来静弥のように、重度の症状を示す場合は、やがて脳の機能そのものも弱ってゆくそうですね。いずれはアルツハイマーに似た症状を示すようになり、死に至ることもあると書いてありました。美崎医師は、その日のくることを知っていたのではないでしょうか。いつかやってくる崩壊の日まで、静弥を苦しめる一切のものを、彼のまわりから排除しようとしていたのではと、わたしは思うのです。それは歪んだ愛の形であるかもしれません。けれど愛とは程度の差こそあれ、どこか歪んだ感情の形態ではないでしょうか。残された日々を、なるべく美しいものだけで飾りたい。たとえそのことを静弥が思い出すことがないとしても、美崎医師は満足だったのでしょう。

ところが、予想外の出来事が起きました。

それがわたしです。

樹来たか子の童謡詩に興味を持ったわたしは、そのことを卒業論文のテーマに選んだのでした。ちょうどその途中でしたね、殿村さんと出会ったのも。美崎医師がそのことを知ったのがいつであったか、詳しいことはわかりません。ただ、櫟心太郎のもとで助手を務めていた美崎医師には、知る機会はいくらでもあったはずなのです。それは好ましい情況ではありませんでした。ただし、その時点では危機感があったわけではないでしょう。樹来たか子については、それまでにもいくつかの研究レポートが出されています。いまさら一人の女子大生が卒業論文の題材に選んだところで、その死の真相にまで辿《たど》り着く可能性はきわめて稀薄です。ところが末期癌に冒され、余命いくばくもない弓沢征吾氏が、わたしというフィルターを通して、樹来たか子に興味をもってしまったのでした。しかも彼は最後の行動力を振り絞り、山口を訪ねます。そしてそこで、浜尾竜一郎氏から、思いがけない話を聞いてしまったのでした。

樹来たか子は、それまでいわれていた自殺などではなく、殺された——。

事件は、まさにここから一気に悲劇へと展開してゆきます。弓沢征吾氏にとってだけではなく、むしろ悲劇の主人公は美崎早音医師と樹来静弥の二人であったような気がするのは、わたしだけでしょうか。

　真実と思われたものが実は真実ではなかった。

　二十五年前、浜尾竜一郎氏は樹来静弥の将来を考えたうえで、母親の死の真相を封印してしまおうとした。けれど、恐ろしいことにそこに至るまでに立てた仮定が、まるで違っていたのでした！　浜尾竜一郎氏が信じた真実、それを伝えられた弓沢征吾氏の真実、すべてが美崎早音医師のみが知り得る真実とは、違った方向性を示していたのです。

　ふたつの真実の誤差が、今回の事件を生んでしまったのでした。

　そして、その根源が、櫟心太郎でした。先程から、わたしが彼を呼び捨てにしていることに、もうお気付きですよね。彼はあの日、美崎早音医師が千曳神社の駐車場に車で突っこむという、絶望的な結末を迎えたあの日に、クラッシュに巻き込まれて命を失いました。それでもわたしが、彼を呼び捨てにしてしまうのは、彼こそが事件の元凶であったからです。自らの死をもって償うことがふさわしい最後であったとは、いいすぎでしょうか。わたしは今でも美崎早音医師を、同情的に見てしまいます。

　感情的になりすぎました。事件の経緯を順序立てて話すことにしましょう。

　遠誉野市に戻った弓沢征吾氏は、主治医の櫟心太郎から、意外な話を聞いてしまいました。たか子の事件で、名探偵役を務めたのが櫟であったという事実です。そこでさらに、櫟の口から弓沢征吾氏と樹来静弥との意外な接点まで知らされたのです。

　その時の弓沢征吾氏の心の動きを、今はもう知ることはできません。けれど、彼は死を目の前にして、次々に起きた偶然に、神の声を聞いたのかもしれません。自分にまつわるあらゆる「縁」が消え去ろうとする、その手前で、樹来静弥に最後の縁を求めたと考えても、なんの不思議もないでしょう。彼は病院を抜け出してでも、樹来静弥に会いにゆこうとしました。たぶん、母親の死について、知りえたことを教えることが目的だったでしょう。もちろん氏は、静弥のウェルニッケ脳症については、なんの知識も持ってはいません。たとえ彼の母親の死が自殺ではなく、父親による殺人であったと——それさえも真実ではなかったのですが——告げたところで、樹来静弥は話を聞いて数分のちには、なんの記憶も残すことができなかったというのに！

しかし不幸の足音は、弓沢氏よりもむしろ美崎医師に対して高く響きわたったことでしょう。檪心太郎と弓沢氏の会話の一部を盗み聞き、さらに弓沢氏の病室からの失踪を知った美崎医師は、彼の意図を察知しました。これは飽くまでも瀕死の状態で病院に運ばれた美崎医師が、苦しい息の下から述べた言葉の切れ端と、わたしの想像によるものにすぎませんが、たぶん、事実と大きくかけ離れてはいないと思います。しかも彼女は大きな誤解をしていました。樹来静弥への催眠治療によって、たか子殺しの犯人が静弥本人であると認知していた彼女は、その事実が樹来静弥にもたらされることを何よりも恐れていたのです。檪と弓沢氏が「静弥に母親の死の真相を告げる、云々」という、会話のほんの一部のみを聞いてしまったための悲劇だったのでしょうか。

犯行の計画は、彼女の頭脳のなかで瞬く間に組み立てられました。

弓沢征吾を殺害するとともに、愛する静弥を完璧に保護し、なおかつ自分への嫌疑をも消しさる方法。そこに彼女の科学者としての冷徹さと、歪んだ愛情がうかがえます。美崎医師は、静弥のウェルニッケ脳症を利用することを思い立ったのです。事件が発覚すれば、やがて静弥の元に警察官が訪れることは必至でした。ならば、その時間に確固たるアリバイが存在していれば良い。彼女はその日、静弥とデートの約束をしていることを利用することにしました。

ここで、もう一人の被害者が登場するのです。それが行方不明になっていた女性、畑山芳江さんです。彼女は、美崎医師が講師をしていたカウンセリングスクールの生徒でした。事件ののち、洲内一馬から見せてもらった写真には、どことなく美崎医師と髪型や体付きの似ている芳江さんの姿が写っていました。

美崎医師は芳江さんに自分の代わりに静弥に会ってくれるように頼んだのです。警察官が静弥のアリバイを調べるためにレストランに出掛けたとしても、静弥自身がそこにいたという事実があるかぎり、彼の身にかけられた嫌疑はすぐに晴れます。そして同時に自分のアリバイを作ることもできたのでした。たとえその場にいた女性が別人でも静弥はそれを記憶することができません。

こうしてアリバイを作った彼女は、弓沢征吾氏を探すために町に出掛けました。とはいっても、彼が訪れる場所はいくつかしかありません。まず最初は静弥が働く中学校です。もしそこにいなければ、彼のマンション。現実にどこで弓沢氏を捕まえることができたか、最後まで彼女はいわなかったそうです。けれど弓沢氏を車に乗せ、わざわざ駅前の近くまで運んで殺害したことを考えるなら、やはり静弥の住まいから少しでも離れたところを選んだといえるのではないでしょうか。洲内一馬は、

「たか子の事件を模倣したのは、彼女なりに検証がしてみたかったのだろう」

といいましたが、はっきりとしたことはわかりません。実は、今回の事件で、その点がもっとも不可思議な、というよりはわたしにはどうしても理解することのできない点でもあるのです。彼女が、櫟心太郎の推理を知ることは十分に可能でした。二人は教授と助手という関係にありましたから、櫟にもたらされたあらゆる情報を知ることができたはずです。千曳山でわたしと会うことも、その流れの中で知ったのではないでしょうか。あるいは櫟の動向に注意していたのかもしれません。

けれど美崎医師は、事件の真犯人が幼い静弥であったことを知っている人間なのです。その彼女が、どうしてまちがった推理を裏付けるかのような、模倣的な犯行を行なったのでしょうか。そのことが、いくら考えてもわかりません。

謎はもうひとつあります。弓沢征吾氏と櫟心太郎が知り得る真実は、実は真実ではなかったはずなのに、美崎医師はいったいなにに怯えたのでしょうか。

さて、弓沢征吾氏を殺害した美崎早音医師は次に、畑山芳江さんを殺害します。ちょうど千曳山のドライブウエイが崖崩れで通行止めになっていることを知り、美崎医師はバイクをつかって芳江さんを誘い出しました。普段でも人影の少ない道路です。

しかも通行止めになっているのですから、誰かに見られるということは考えていなかったと思います。それがまさか、よりによって静弥の大学時代の友人である、高梨幸太郎さんに見つかるなんて、彼女は自分の不幸をさぞ呪ったことでしょう。さらに追い打ちをかけるように、高梨幸太郎さんは自分が千曳山で見たことを誇張し、怪談に仕立ててラジオ番組に投書までしてしまいます。そのことを彼女が知ったのは、芳江さんを千曳山で殺害してかなりの日数が経ってからのことであったといいます。マスコミ報道では偶然ラジオ放送を聞き、自分の犯行を知られたために、高梨さんをひき逃げしたと、まことしやかに話していましたが、そんなことがあるはずはありません。だって高梨さんはペンネームで投書していたのでしょう。もしラジオ局に、匿名希望の投稿者の本名と住所を教えてほしいなどと連絡をすれば、たちどころに怪しまれるに決まっているじゃないですか。そうなると、美崎医師が投書のことを知ったのは、高梨さん本人の口からに違いありません。高梨さんと静弥は大学時代の友人であったそうですから、二人が会っている場面に、美崎医師が同席することは十分に考えられることです。

あるいは、それもまた、不幸な偶然であったかもしれません。

すでにふたつの殺人を犯し、疑心暗鬼になっていた美崎医師には、高梨さんの作った怪談が、歪曲された脅迫に思えたかもしれないのです。たぶん高梨氏は千曳山で行なわれた事件について、なにひとつ気付いてはいなかったと思います。彼はドライブウエイで車が故障し、どしゃぶりの雨のなか、立往生したことだけが記憶に残っていて、それを怪談噺に仕立てたにすぎないのです。

けれどたとえ、今はなにも気が付いていなくとも、高梨幸太郎はいつかそのことに気が付くかもしれない。美崎医師はそのことを考え、戦慄したことでしょう。

高梨幸太郎が無意識のなかに封じ込めた、真実。

あの日、高梨さんと友人が、どうやって街まで帰ってきたか。そうです。千曳山から市街地までは、とてもどしゃぶりの雨の中を歩いて帰れる距離ではありません。偶然通り掛かった美崎医師のバイクに、乗せてもらう以外には考えられません。バイクは無理をすれば三人までは乗ることができるそうですね。運転者が小柄な美崎医師であればなおさらです。けれど高梨さんが作った怪談を思い出してください。彼ははっきりとバイクが一台と、アベックらしい二人連れを見たといっているのです。バイクの限界乗員が三人であるとすると、運転者と高梨さん、その友人が乗ってしまうと、もうほかには誰も乗ることができないのです。では、アベックの片割れはどこにいったのでしょう。

ここで、思い出されるのは櫟心太郎の元に送られたなぞの数式です。

覚えていますか。

「2－1＝3」の数式です。そうです、あの数式はこのことをさしているのです。アベックから一人が失われ、結果として三人の人間が千曳山を下りていったという事実です。それは同時に、美崎医師の犯行を直接示すものにほかなりません。失われた一人が、畑山芳江さんであることは、いうまでもありませんね。

洲内一馬も事件と高梨さんの作った怪談の関連性については、かなり早くから気が付いていたのだそうです。ところが「アベック」という一言が先入観となって、バイクの運転手が女性であったことまでは推理することができなかったそうです。彼ばかりではありません。わたしにしても、一連の事件の犯人は、櫟心太郎であると信じていたのですから。

同じ葉書が、樹来静弥の元にも送られていたそうです。彼の部屋で葉書を見た美崎医師は、新たな脅迫者があらわれたことを知り、そしてその人物は千曳山での出来事ばかりか、高梨幸太郎さんひき逃げ事件についても真実を知っていると、思ったようです。このころから、彼女は狂気の坂道を転げ落ち始めました。いえ、元が弓沢征吾氏と櫟心太郎の会話を聞いたことから始まった、いわば成り行きに任せた杜撰《ずさん》な犯行だったのです。樹来静弥の精神が完全に破壊されるまでのタイムラグさえ稼ぐことができたなら、あとはなにも望まないという、破滅への一本道しかなかったのです。それが曲がりなりにも難事件の様相を呈してしまったのは、このわたしたちの住む遠誉野の街が何かしら悪意に似た意志を持ち、偶然の歯車を回してしまったからであるとしか思われません。

そうそう、高梨さんの作った怪談の放送終了後、彼がひき逃げ事件に巻き込まれたことを知った別のリスナーから投書があったそうですね。千曳神社に伝わる奇祭との関係を、その投書は真剣に力説していたそうですね。あなたも洲内刑事も、どうやって匿名で出された怪談の作者が高梨さんであることを知ったのか気にしていたようですが、答えは簡単でした。そのリスナーは高梨さんと同じ会社に勤めるＯＬだったそうです。高梨さんはＯＬに怪談が採用されたことを告げた上で、その内容までも話していたのです。

話を先に進めましょう。

先ほど、美崎医師が弓沢氏を殺害したおりに、どうして二十五年前の事件を模倣したのかがわからない、といいました。ここにきて、ひとつの答えが見つかった気がします。弓沢氏の遺体が発見され、捜査本部が設置されれば、やがてわたしや殿村さんのところにも刑事が訪れることは容易に想像できます。そして弓沢氏が樹来静弥に会いにゆこうとしたことや、ひいては樹来たか子の事件にまで、捜査の手は伸びるかもしれません。彼女はそこまで読んでいたのではないでしょうか。やがて警察は、たか子の死が自殺ではなかったことにも気が付く可能性がある。その時に、重二郎による樹来たか子殺害と、その方法を真似た模倣犯罪という図式を見せることで、静弥が犯人であったことを隠すのが目的ではなかったでしょうか。

たとえ事件がすでに時効であろうと樹来静弥に不幸な経験をさせるわけにはいかない。彼がそのことを記憶できるとか、できないとかは関係なかったのです。自分の羽根の内に庇護できる間は、ほんの毛ほどのダメージも与えるわけにはいかない。ちょうど孵化《ふか》したばかりの幼鳥を守る母鳥の気持ちが、彼女をして躊躇《ためら》うことなく、行動させたのです。

しかし、もうひとつの謎だけは、今も解けていません。

どうして、美崎早音医師は弓沢征吾氏に、あれほど急激な殺意を抱いたのでしょうか。弓沢征吾氏が山口県におもむき、そして浜尾竜一郎氏から聞いたたか子の死にまつわる話は、決して真実ではなかったのです。そして、末期の病床で、かつて名探偵役を務めた櫟心太郎によって確認した事実もまた、同じでした。たとえそれを立ち聞きしたからといって、どうして美崎医師は彼を殺害しなければならなかったのでしょう。

わたしは、それを殿村さんに聞いてみたかった。

けれど、あなたは今、遠誉野にはいないのですね。

浜尾竜一郎氏の邸宅に寄宿し、しばらくは帰ってくるつもりがないとのお話。仕方がないので、この手紙を書くことにしたのです。

本当はもうひとつ、あなたに確認をしなければならないことがあるのです。このふたつの謎が解決されないかぎり、事件が終わったことにはならないのです』

左手に重い疲れと、痛みとを覚えて真夜子はキーボードを打つ手を止めた。冷めた紅茶を口に含むと、茶葉の香ばしさが快く舌にしみた。なにかにとりつかれたようにキーボードを打ちはじめて、もう数時間が経つ。食事を摂ることも忘れていたせいか、舌が妙に粘ついて気持ちが悪かった。

窓の外には、五月の雨が降りつづいている。このまま五月晴れなどという言葉はどこかにしまいこんで、梅雨がやってきそうな日が続いている。

――あれから、三か月以上が経つんだ。

事件が、千曳山で一応の解決を見てから、すでにそれだけの時間が過ぎている。美崎早音医師も櫟心太郎教授もすでに、この世にはないというのに、真夜子は事件そのものが終わった気が、いっこうにしなかった。降り続く雨に洗濯物が乾かないように、事件の記憶はいまだ生々しく湿ったままで、少しも過去の物になってくれる気配がない。

そもそも、解決を口にするには、多くの謎が残ったままだ。

真夜子は昨日、病院に樹来静弥を訪ねている。そのことを、殿村に宛てた手紙に書くべきか否か、迷った挙げ句にやめてしまった。洲内一馬に無理をいい、いまだ警察の管理下にある静弥に会う気になったのは、確かめたいことがあったからだ。

ベッドをリクライニング代わりにして、樹来静弥は窓の外の雨を見ていた。瞬《また》きをすることなど何日も忘れたように、視線をぴくりとも動かさない。真夜子が声をかけることで、ようやくこちら側の世界に帰ってきた。

「お体の調子はいかがですか」

そういう真夜子に、静弥は実に柔らかい笑顔で、

「ありがとうございます。おかげさまでとても気分がいい」

と答えた。記憶が蓄積できない静弥が、すでに真夜子のことを覚えていないことは確かである。「あの」と、話し掛ける前に、静弥の唇が動いた。

「静かですね。静かに雨が降っている。わたしの生まれ育った街に、とてもきれいな五

重の塔があります。若山牧水《わかやまぼくすい》もその塔の優美さにうたれたのか『初夏の山のなかなる古寺の古塔のもとに立てる旅人』の歌を残しています。この五重の塔が、雨に実に映《は》えるんです。屋根が萱《かや》ぶきのせいでしょうか。柔らかい印象がある塔で、それが雨によってさらに柔らかくなるんです。ああ、こんなにもきれいな塔は、日本中探してもないだろうなと、いつも感心していたのですよ」

その声を聞いて、真夜子は背中に粟立つものを覚えた。

記憶が蓄積できない静弥は、どのような世界に生きているのだろうか。少なくとも「今」ではないし、未来でもない。過去に生きる静弥に、今を生きる自分はどのように映るのか。その接触はどう感じ取ることができるのか。

「あの、美崎早音先生は」

思い切って、真夜子は静弥に聞いてみた。疑問のひとつに、どうして静弥が美崎早音のことだけは記憶することができたのかという点があった。

「早音？　ああ、あなたは早音を知っているのですか」

「いつもそうやって、呼び捨てに？」

「ええ、だって早音はずっと以前からの恋人ですから」

「ずっと以前というと」

「病気になって、入院して。インフォームドコンセントを行なってくれたのが早音です。やさしい女性です。わたしの描いた絵を見ながら、涙を流してくれましてね」

ああ、そうなのかと思った。樹来静弥が腫瘍を切除する手術を受ける前から、二人は恋愛関係にあったのかと、真夜子は納得した。手術前までの記憶は、はっきりと残っているのだ。つまりは、恋愛感情なる未知の感情も、結局は記憶に刻まれた回路のひとつにすぎないということなのか。

「早音がいると音楽が聞こえるのですよ。おかしいでしょう、けれど本当なんです。わたしにははっきりと音楽が聞こえる」

その瞬間、真夜子は嫉妬にも似た、強烈な感情に襲われた。静弥は、美崎早音を愛したときに抱いた恋愛感情を、今もピュアな形で持ち続けている。その後、二人の間に交わされたであろう会話も、出来事も、すべて彼のなかに蓄積されていないというのに、いや、むしろそれだからこそ、静弥にとって美崎早音は愛しさの代名詞であり続けている。これを至高の恋愛といわずして、なんというべきか。

「静弥さん」と、声を抑えて真夜子は問うた。

「はい？」

「こんな音に記憶がありますか。しゃぼろん、しゃぼろんという音。あるいはピショロン、ピショロンという音です」

すると、静弥は少しだけ驚いたように目を見開き、続いてゆっくりと表情を崩して笑った。

「どうして、その音のことをあなたが？」

「覚えているのですね」

「覚えているもなにも、今でも目を瞑《つぶ》ると聞こえますよ。あの音が聞こえるようになると、母さんが『秋がきたよ』と教えてくれたものです」

「それは、庭に埋めた水琴窟の音ですか」

「さあ、確かそのような名前だったと思いますが、よくは……」

――もしかしたら弓沢さんも、樹来静弥に音の正体を確かめるつもりだったのだろうか。

もうひとつ、たか子の死にまつわる記憶が、本当に今もブラックボックスにしまわれたままなのか、確かめてみたい気がしたが、その手段もないことを思い出して、やめた。

――この人は、こうして朽ち果てていくのだろうか。

恋人が殺人者であることも、そして死んでしまったことさえも知らずに生きていくことを、不幸と決め付けることなど誰にもできない。ただ、一人の人を好きになったという記憶のなかだけで生きてゆけるこの人物は、もしかしたらこの世でもっとも幸福な一瞬を生きているのではないか。

再び窓の外の雨に目を向けた静弥の中に、いったい自分は何分くらい存在することができるのだろうか。真夜子は病室をあとにしながら、そんなことを思った。

電話の音が、真夜子を激しく呼び立てた。

「はい桂城です」

「真夜子？　俺だ」

洲内一馬からの電話であった。声が、以前に比べてずっと親密感を増しているのは、千曳山での一件以来、一馬がしばしば部屋に泊まりにくるようになったからばかりではない。

——たぶん。

一連の事件を通じて、二人に共有できる記憶が生まれたからだろうと、真夜子は思う。それは二人にとっての財産でもある。

「今日、美崎早音のコンピュータから、樹来静弥に関する治療記録が見つかったよ」

「あの、例の催眠治療中の記録の他に？」

「ああ。彼女はいくつかの違った方法で、催眠治療を静弥に施していた。その多くはコンピュータに記録してあるものの、主治医であった櫟心太郎を含めて、病院サイドには報告されていない」

「どうして、彼女はそんなことをしたの」

「もちろん、静弥が母親殺しの真犯人であることを、隠しておきたかったのだろう。事件はすべて、美崎早音の歪んだ愛情から生まれたのだから」

その言葉を聞いて、先ほど手紙の中で解決できなかった疑問が再び、敏感な部分に刺さった棘のように疼いた。

「ただひとつ……よくわからないことがある。記録のなかに別項として、おかしな話が挟み込まれている」

　電話の向こうの声が困惑しているような、あるいは感情を押し殺しすぎて、別の歪んだ形ではみ出したような印象を、真夜子は覚えた。よほど話が奇妙であるということなのか。

「静弥が催眠中に洩らした話と重複するんだが。例の母親が殺された事件があっただろう。それが自殺ではなくて、失踪していた父親が戻ってきて殺害したという」

「ええ」

「その話が、どうして特別扱いにされてるのかが、よくわからないんだ」

　ぞくりと、別の戦慄が真夜子の乳房を背後から抱き締めた。

　――コノ感覚ハ、ドコカデ体験シテイル。

　それが、静弥の病気の秘密を知ったときの感覚であることを、すぐに思い出した。

「それ……たぶん……」

　情報が錯綜し、渦をまき、やがて一本の道筋が見えてきた。

　――そういうことだったんだ。

　美崎早音医師の殺意の理由が、ようやくわかった気がした。

「どうした、聞いているのか、真夜子」

「その話が、文字通りキーワードだったんだ」

「キーワードって」

「ブラックボックスよ。樹来静弥が母親の事件を境に、自らの記憶のうちに作り上げたブラックボックス。それを開ける鍵が、父親による樹来たか子殺害という話なの」

「詳しく話してくれないか」

「これは飽くまでもわたしの想像。たぶん二十五年前、父親を傷つける目的で作った仕掛けで、誤って母親を殺害してしまった静弥は、そのことを誰にもいえなかったの。けれど誰にもいえないということと、事件が闇に葬られることを望むということは、決してイコールじゃなかった。むしろ、誰かが自分を告発してくれることを望んでいたはずなのよ。世界の誰よりも自分を愛し、そして自分も愛した母親を殺害した罪は、どこかで償わなければならない。だから、静弥は、当時大学生だった櫟心太郎が名探偵として出現したときに、心の重荷を下ろした気持ちになったのではないかしら。ところが櫟は、まるで見当違いの推理をたててしまった。その時静弥は、絶望とともに、この忌まわしい記憶をブラックボックスに封じ込めてしまったの」

「告発もされず、罰も受けないかぎりは、その記憶そのものをないものにしてしまったのか」

「けれど、現実に記憶そのものを消すわけにはいかないでしょう」

「それでブラックボックスか」

「ブラックボックスによって、記憶は一応は消えたけれど、それはなにかの鍵にあたるものがあれば、開いてしまうのは当然でしょ。催眠治療の最中に、美崎医師は鍵を見付けてしまったの。それが父親犯人説よ」

弓沢征吾が父親犯人説を伝えてしまったら、その瞬間に真実が静弥の中によみがえってしまう。

美崎早音はそれだけは、許せなかった。許さないことが、愛だと思った。

しばらくの沈黙ののち、

「あのな」と、洲内の声が耳に響いた。

「この間の話だけど、考えてくれたか」

真夜子の思考が完全に切り替わって、どこにでもいる若い女性のそれになった。

「この間の話って、一緒に暮らすって、あれ？」

「ああ。やっぱりまずいかな。もしもきみがまずいようだったら、なんだ。その、つまり正式に関係を結ぶってことでもいいんだが」

真夜子は、急におかしくなった。これまで、どことなくとっつきにくいイメージの強い一馬の口から、そんな言葉が出ることが、である。

五月現在、真夜子は就職が決まっていない。どこかの小さな企業に中途入社するか、あるいは大学の聴講生として一年を過ごし、来年の就職をめざすという道もある。その先に洲内一馬との結婚があったとしても、おかしくはない。

――これが、日常ってものなんだ。

この半年余り、真夜子の周囲からすっぽりと抜け落ちていたものである。けれど、日常の積み重ねは、やがて異物である事件の記憶を深く深く埋没させてゆくことだろう。

「返事はまだ、聞かせてくれないのか」

一馬の声は、焦るでもなく、むしろ雰囲気を楽しんでいるように思えた。

「もう少しだけ待ってほしいの。わたしの中ではまだ、事件が解決したわけじゃないの」

「どうして。美崎医師は死んだ。樹来静弥はこれから一生、病院暮らしだ。それに、今の話では、最後の謎も解決したんじゃないのか」

——チガウ！

「ごめんなさい。もう少しだけ待ってほしいの」

それ以上追及せず、洲内一馬は「わかったよ。今日はまだ、仕事があるから」といって、電話を切った。

真夜子は再びワープロに向かい、たった今、一馬と話した内容について手紙の続きを打った。

『これが、美崎医師の殺意のすべてでした。周囲から見れば、おろかな選択であったに違いありません。しかし美崎医師は、自らの価値観に殉じたのです。

謎はもうたった一つしかありません。いったい誰が、美崎早音医師や櫟心太郎を追い詰めることになったあの「２－１＝３」の数式を書いた葉書を送り付けたか、です。

殿村さん、それはあなたなのでしょう。

あなたは洲内一馬と例の高梨幸太郎氏が作った怪談について、検討する機会をもっていましたね。きっとあなたのことです、怪談に隠された真実をいち早く知ったのでしょう。だって、そのための手法はまさしく民俗学的で、謎の解き手はあなた以外には、考えられません。

だけど！　そうだとしたらわたしはいいたいのです。あの葉書さえなければ、美崎医師はあんな暴走をすることはなかったのではないでしょうか。それとも、あなたの正義感は、どうしても殺人者である美崎早音医師を許せなかったのですか。わたしには、彼女がいつか自首するつもりであったと思えてなりません。それは数年先か、もっと後のことであったとしても、樹来静弥がいなくなったなら彼女は殺人者として名乗りを上げていたはずなのです。そうでなければ、あれほど悲劇的な傾斜を転がる道を、ためらいもなく選ぶはずがないじゃありませんか。

もしかしたら、あなたが突然山口に長期旅行に出掛けたのは、自分の播《ま》いた種がどのような実を結ぶのか、見届けるのがつらかったのではありませんか。そうだとしたら、殿村さんは余りに老獪《ろうかい》で、卑怯です。

わたしのいいたいのはそれだけなのです。

本当のところをいえば、自分がなにもわかってはいない浅はかな子供であることを、私自身がよく知っているのです。興味だけをただひとつの武器に事件に頭をつっこみ、のです。

真実の欠片を探り当てただけで、解決の道を切り開いたと信じた、おろかな子供だった

今年、わたしに春という季節はありませんでした。あの息苦しいほどの桜の花も、まだ肌寒い空気のなかに、萌えいずる命の高まりを感じることもありませんでした。いえ、事件にかかわって以来、わたしの周囲には時間の流れがなかったともいえます。けれど、それも終わります。わたしの日常が、もうすぐ戻ってくるのです。

季節は夏になろうとしています。

山口は、どんな町なのでしょう。今年の就職はもうとても無理ですから、一度遊びにいってみたいとも思っています。それにしても、殿村さんから手紙をいただいたときにはびっくりしました、また、山口にきているという文章を読んだときには「ずいぶんと気に入ったのだな」としか思いませんでしたが、まさか、あの千曳山での一件が起きる前に旅に出て、もう三か月以上もそちらにいるなんて！

浜尾竜一郎氏が、住まいの世話をしてくれたそうですね。そちらに在住のフリーライターの女性と知り合いになって、山口県の各地を歩き回っていると手紙にはありましたが、本当のところはどうなのでしょう。もしかしたら、樹来たか子が残した童謡詩を集めたり、あるいは、水琴窟のことを調べたりしているのではありませんか。

長い手紙になりました。

では、また遠誉野市でお会いすることを楽しみにして。

殿村三味さま

桂城真夜子

追伸

もっと先のことになるとは思いますが、わたしは遠誉野署の洲内刑事と結婚することになるでしょう。今回のことで、二人の絆《きずな》がはっきりと見えた気がするのです。このことだけが、ただひとつの救いであると思うのは、わたしの考えが楽天的すぎるでしょうか。ご意見をお聞かせください』

二月のあの日、千曳山で事件が終わったのち、真夜子は殿村との連絡を取りたいと思った。しかし、電話をかけても手紙を書いても一方通行で、殿村の姿は遠誉野からまったく消えてしまっていた。その本人から、短い手紙がきたのは一か月ほど前のことだった。山口市に、もう一か月以上滞在しているという。

――今日の手紙で、わたしの声は届くだろうか。

届いたところで、なにかが変わるわけではなかった。それに、たとえ樹来静弥や櫟心太郎に、謎の数式を送り付けたのが殿村であったとしても、彼を本気で責めるつもりはない。手紙を書くことで、自分の気持ちを整理したかっただけなのだと、真夜子は思った。

3

六月に入り、真夜子と洲内の関係にわずかに変化が見られた。同棲というわけではないが、非番の日の大半を、洲内は真夜子とともに過ごすようになった。

美崎早音が、被疑者死亡のまま送検されることが決まり、捜査本部が解散すると、それまでの忙しさが嘘のように収まった。地方都市の警察署そのものの、穏やかな毎日が続くと、洲内のような猟犬タイプの警察官はとたんに退屈になる。その気持ちの隙間を、真夜子と過ごす時間で埋めることが、日常となったのである。

六月五日。前日からの当直が明けると、洲内はそのまま真夜子のアパートに向かおうとした。デスクの上を片付け、日報を提出しようとするところへ、洲内宛ての葉書が届けられた。「珍しいですね、洲内さんに私信なんて」と、背後から覗き込んだ佐々本が、

「なんですか、これは」

まるで緊張感のない声で、尋ねてきた。

「なんでもない」

そういって、洲内は足早に部屋を後にした。車の鍵を探る間も、意識はそこにはなかった。内ポケットを押さえると葉書の感触が、確かにある。夢でもなければ幻でもない。葉書はそこに存在し、異様な重さとなって洲内に影を落としている。

――どうして、こんなものが。

悪い悪戯《いたずら》としか、思えなかった。葉書の表書きを見ると「98・6・2山口市中央郵便局」の消印がある。エンジンキーがなかなか見つからない。そうする間に、新たな考えが浮かんだ。これを鑑識に回して、指紋を採取するか、否かである。

――だが、理由はどうする。

鑑識は私的な組織ではない。そこに調査を依頼すれば、上司にも報告しなければならない。そうしたところで、解決の方法は見当たらない気がして、考えを却下した。

「どうしてこんなものが今になって」

どの道を、どう走ったのかもよくわからないままに、真夜子のアパートについた。いつだったか「そろそろ手狭だな。もう一部屋広いところに移ろうか」などと話をしていた、その部屋が奇妙に寒々と、広く感じられて仕方がなかった。そこへ真夜子が帰ってきた。

ショッピングバッグを下げ、「なんだ、帰っていたんだ」という声には、二人が共有した時間の長さと、緊張感を解いてもかまわない男女のゆとりのようなものが感じられる。それが逆に腹立たしかった。

「帰ってきちゃ、悪いみたいじゃないか」

「どうしたの、今日は突っ掛かるわね」

「そちらが、不愉快なことをいうからだ」

真夜子がふっと押し黙ってしまい、台所で自分の作業に没頭するのが気配でわかった。やがて、林檎の八つ割りを皿に乗せ、洲内の前にとんと置いた。

「契約違反」

真夜子の口を突いて出た言葉が、心の深いところにしまいこんだ良心にやすりをかける。

「仕事のことは、互いに部屋には持ち込まないっていったじゃないの」

「………」

真夜子には、こうしたことがよくある。女性はもっと本能的な生きもので、いざとなったら感情こそが生きる原動力になる動物であると思っていたが、桂城真夜子にはそうしたところが余り感じられない。明らかに、彼の母親とは違った生き方をしている女性である。そこにひかれたことも確かだった。

洲内は、久しぶりに母親のことを思い出した。

理不尽そのものの生き方しかできない女性であった。早くに父親を失ったためか、洲内の家庭をささえていたのは母親である。決して珍しい環境ではなかったが、それでも母親の背中はいつもなにか収入のために働いており、彼女がゆっくりと休んでいるところを見た記憶が、洲内にはない。尊敬をしなければならないと、ちっぽけな良心はいうのである。が、それ以上に不器用そのものの生き方に、遣る瀬なさと腹立たしさを、いつも覚えないわけにはいかなかった。洲内にとっての母親像は、いつだって憧憬と憎悪

「いいじゃないか。おれがついていけないのは残念だけど、気晴らしにはちょうどいい。なんだったら親戚ということにして、うちの保養施設が使えるようにしてあげようか」

で、どこにいくつもりなのかと尋ね、返ってきた言葉に洲内は驚いた。

「山口市よ。殿村さんがずっと滞在しているの。こないだ長い手紙を書いたら、久しぶりに電話があって、遊びにこないかって」

「殿村さんが、山口に？」

「ええ、話していなかったかしら。千曳山の件がおこる前から、山口にいっているのよ」

再び、真夜子の声が聞こえなくなった。

――山口に、殿村老人がいる。

葉書の送り主も、また山口にいるのである。ふたつの人影が、ひとつにまとまろうとしていた。

「山口か。余り感心はしないな。もう卒論も提出して立派な学士号ももらったのだろう。あの事件の発端になった場所にいくなんてのは、趣味がいいとは思えない」

「だから、これを区切りにしたいの。考えてみたら、わたしは一度も山口にいったことがないもの。樹来たか子と静弥にまつわるあの事件は、わたしが山口を訪れないことには、永久に終わることがない」

「それは感傷だ。現実に事件はもう終わってしまった。捜査本部は解散し、元の静けさを取り戻したおかげで、こうしておれはきみとくつろぐことができる」

そういいながら、自分の言葉に見え隠れする嘘に、洲内は後ろめたさを覚えた。

「本当にそうなのかどうか、それを確かめたいのよ」

「勝手にすればいい。それほどまでいうなら、おれはもうなにもいわない」

その夜。互いに気持ちがすれ違ったまま、ベッドの中で洲内は考え事を続けた。

例の葉書は真夜子にわからぬよう、ごみ箱に捨ててしまった。文面は頭に入っている。考えまいとすればするほど、葉書が頭の中ではっきりとした映像を作るのだった。

小さな頃から、眠るのが不得手な子だと、よくいわれた。寝顔を人に見せるのが苦手で、いつまでも眠ることができない。長じてからはさほどでもなくなったが、ほんの少しでも気に掛かることがあると、悪い癖はすぐに首をもたげて洲内を眠らせなかった。隣で寝ている真夜子の規則的な寝息までもが、眠りを妨げるようだ。以前は、体の関係を結ぶことはあっても、部屋に泊まることはほとんどなかった。それは警察官であるという職業的な理由もさることながら、無防備な自分を見せることに怯えたからだ。

事件が終わり、いつのまにか自分の心の闇に一筋の光がさしていることに気が付いた。長く、暗い情熱の源となっていた出来事が、氷解していることを教えてくれたのは、他ならない真夜子である。

——それでさえも、単なる錯覚だったのだろうか。

そうは思いたくなかった。

間違いない。が、その意図がわからなかった。

ようやく眠りに身を任せることができた。

あの葉書を送ってきたのは、

長いこと考え事をして、

洲内一馬は夢を見ていた。一点に向かって、どこまでもどこまでも落ちてゆく夢である。落ちてゆく時間を遡《さかのぼ》る作業に似ていた。二度と思い出したくはない、惨めそのものだ。少年時代への遡行《そこう》である。なにか大きな声を出したのかもしれない。少年時代へ意識を飛ばすことに、恐れを抱いているのである。母親が死んでから、預けられた親戚の家は、決して居心地の悪い場所ではなかった。義理の親となった夫婦には子供がおらず、一馬を本当の子供のように育ててくれたからだ。それでも少年時代がひどく惨めな思い出にまみれているのは、他ならない自分の精神の歪みゆえだろう。

――ああ、誰かに似ているな。

――そうだ……母親を失った樹来静弥だ。

その名前が意識に浮かんだところで、一馬は目をさました。意識がはっきりとするにつれて、不安な気持ちになった。

桂城真夜子の姿が見えなかった。

「買物にでもいったのかな」

時計を見ると、午前十一時近くをさしている。眠りが苦手なこともあって、非番の日の一馬の起床は遅い。アルバイトをしている真夜子が、起床前に部屋を出てゆくことは少なくない。ベッドから起き上がって、台所に向かった。昨夜は寝る前にずいぶんと深酒をしてしまった。考えをまとめようとして、いつまでも酔うことができなかったからだ。酔いの残滓《ざんし》を洗い流そうとして台所に向かい、大きめのグラスいっぱいの水を飲んだ。その冷たさが喉から胃袋に広がるにつれ、意識が完全に目をさました。

「いったい、何があったんだ」

昨夜は悪夢ばかりを見てしまった。おまけに樹来静弥の名前を口にしたような気もする。自分の少年時代を樹来静弥のそれと重ねてしまったのかもしれなかった。

――なにか不用意な言葉をいってしまっただろうか。

その時になって、はじめて居間のテーブルに目がいった。便箋がのっている。取り上げると、そこに見慣れた真夜子の文字で『旅行に行ってきます』と書かれていた。その文字を読むと、胸の辺りが苦しくなった。

昨夜の話では、さほど切羽詰まった日程であるとはとても思えなかった。図書館での仕事が、段落ついたから、軽い気持ちで旅行に行ってみようと思う。そのような話ではなかったか。

「それがどうして急に……いったい真夜子はなにを考えているんだ」

閃くものがあって、一馬は部屋の隅のごみ箱に目を遣った。昨夜、例の葉書を捨てたはずが、どこを探してもそれがなかった。

「しまった……」

真夜子が、ときどき鋭す[illegible]かせることは、十分に承知していたはずである。事件の終了によって、緊張感が失われていたに違いない。なによりも、無造作に葉書を捨ててしまった自分が腹立たしかった。そうすることが、もっとも正しいとあのときは思ったのである。何度もこの部屋を訪ねるうちに、次第に洲内の小物が部屋に増えてきた。同時に、出勤前に真夜子がそれらを揃えて、背広に入れてくれるようになっていた。その習慣が恐ろしかった。なるべく無造作にごみ箱に捨てることで、葉書の存在を消してしまいたかったのである。

「それが裏目に出た」

——働け、働け。もっと働け俺の脳細胞！

どうすることが最善の策であるか、洲内一馬の頭脳はすさまじい回転をはじめた。それを遮るかのように、携帯電話が鳴った。

羽田空港から山口宇部空港までは、一時間半ほどで到着する。窓の外に、地図でしか見たことのない、山口の地形を見ながら、真夜子は手のなかの葉書を握り締めていた。

「どうして、こんなものが今になって」

真夜子は、同じ言葉を洲内一馬が洩らしたことを知らない。葉書には、

「2－1＝3」

の数式が、書かれていた。以前見たものと違っているのは、それがワープロの文字ではなく、流麗な筆文字である点だ。消印が山口県であることや、どこかで見たことのあ

る文字であることからも、差出人が、殿村三昧であることは確実だと思われた。昨夜、洲内一馬が捨てた葉書を、真夜子は見逃さなかった。その文面を見て、昨夜の一馬の不可思議な態度を納得することができた。一馬自身も、当惑していたに違いない。

やはりという気持ちと、なぜという気持ちが複雑に交差する。

――やはり檪心太郎や樹来静弥に葉書を送ったのは、殿村さんだった。でも、どうして同じ文面を、いまさら一馬に？

答えを見いだせぬまま、飛行機は山口宇部空港に到着した。時計を見ると十二時を過ぎたばかりである。本州の最果ての県であり、都内から見れば果てしなく遠い場所だというイメージが強かったが、いざ来るとなると時間的にはあっけないほどの距離である。

到着ロビーに、殿村の姿を見付けた。横に若い女性の姿がある。それが、この地で知り合いになったフリーのライターなのかとも思ったが、雰囲気がそぐわない。きっちりとスーツを着た姿は、フリーランスの職業というよりは、秘書のように見えた。

「今朝、お電話をいただいたときにはびっくりしましたよ。いきなり山口にいらっしゃるなんて」

殿村の笑顔には屈託がない。

「お久しぶりです」と、握手をしたものの、笑顔を返す気にはどうしてもならなかった。

横の女性が、

「初めてお目にかかります。私は浜尾竜一郎の秘書をしております、秋月典江です」

言葉の端々に、ぴんと糊が利いているようなきれいな標準語で、挨拶をした。

「ああ、浜尾さんの」

「浜尾は本日所用がございまして、夜には合流できるかと思いますが、それまでは私が案内役を務めさせていただきます」

殿村が、頭を掻きながら、

「住む場所まで世話をしてもらった挙げ句に、案内までさせてはすまないと、何度も断ったのだが」

その言葉から、どうやら自分たち二人の案内役というよりは、秋月典江は監視役であるかのように思えた。そう思うことで、新たな不安が湧き上がる。

――どうして、わたしたちを監視しなければならないの。

それよりも、殿村には聞かねばならないことがあった。秋月典江の前ではどうかとも思ったが、駐車場に停めた車に乗り込むなり、

「これは、どういうことでしょう」

真夜子は葉書を差しだした。殿村の顔が、狼狽に歪んで見えた。

「どうして、これを？」

「洲内一馬とは、同じ部屋に住んでいます」

非番のときだけだとは、説明する必要がなかった。

「そうですか。それで……わたしの計算違いでした」

「計算違い？」

「あなたからの手紙を受け取りましてね、わたしなりに考えるところがあったのですよ。それでこの葉書を出しました」

「だから、どうして！」

「それを説明するには、もっと根本的なところから話をはじめなければなりません」

殿村はそういって、秋月に了解を得るような視線を投げた。運転中の彼女は、いいとも悪いともいわず、それが了解の証であるかのように、自分の気配を車内から消してしまった。

「さて、何から話したらよいのだろう。とりあえずは、樹来たか子のことからはじめるのが一番でしょうなあ」

「というと、夫の重二郎に殺害されたという？　それとも静弥が幼いなりに考えた罠に、誤ってかかってしまったという」

そういうと、殿村の表情が、おやっといいたげに動いた。

「おかしなことをいわれますね。手紙のなかでは、静弥犯人説に納得をしているようにお見受けしたが」

「ええ。納得はしているんです。けれどなぜだか奇妙な違和感もあって……」

「少なくとも、美崎早音は、そのことを知ったために、あの連続殺人を引き起こしたのでしょう」

「でも、彼女がそう信じただけで」

「やはり、樹来重二郎がたか子を殺したとお考えですか」

「だって、子供の記憶はあいまいでしょう。たとえ罠を仕掛けたのが本当だとしても、それで母親を殺害したと証言しているのは、静弥一人です。まだ、年端もいかない子供が仕掛けた罠で、大人が果たして死ぬものでしょうか」

その時、気配を消していた秋月典江が、

「子供が撃っても、大人が撃っても、銃から出る弾の威力は同じですわ。理屈はそういうことでしょう」

「そういわれると、一言もないのですが」

車が国道から道を外れ、狭い露地を抜けて、和風建築の屋敷へと入った。一見客《いちげん》は相手にしない料亭らしい。そこで会席料理をご馳走になったのだが、食欲はわかなかった。葉書の一件の怒りも今では落ち着き、殿村の話の続きを聞きたいという、知的欲求のほうが強くなっていた。

食事が終わると、別の離れに通された。食事は食事、密談は密談というのが、この家の流儀であるらしい。「わたしは外でお待ちしています」と、秋月典江が去ってしまうと、十畳ほどの和室の広さが急に身に染みてきた。

唐突に、それこそ椿の花がぽとりと落ちるように、

「あの葉書……数式を書いた葉書を櫟心太郎氏と樹来静弥氏のもとに出したのは、洲内

一馬くんでしょう」

余りに意外な言葉に、返事の機会を真夜子は失った。

「二通出したのは、犯人を確実に特定できなかったからだと、わたしは考えます。たぶん、彼のなかでは櫟心太郎説に傾いていたことでしょう。しかし、樹来静弥という説もどうしても捨てることができなかった。いや、希望としては静弥君にぜひとも犯人になってほしかったことでしょう」

そういって殿村は、肘を組んでいつもの思考ポーズに入った。

「あの葉書の一件を解決しないことには、事件は終わらない。ならば、どのような形であれ、事件にかかわることになったわたしが、あなたの誤解を含めて謎を解くしかないと思ったわけです。といっても、話は簡単でした。わたしがあの葉書を出していないとすると、後は千曳山で消えた女性の謎を解く数式を作ることができたのは、彼一人です。彼とはその件で話をしたことがありましたからね」

「でもどうして、一馬は……」

「もちろん、犯人を追い詰めるためですよ。まさか、犯人が美崎早音さんであるとは思っていなかった彼は、とりあえず容疑の濃い二人にあの葉書を出しました。葉書さえ見れば、それがなにを意味しているか、犯人にはわかる。そうすることで犯人が動きだすことを期待していたのですよ」

その話の続きを聞くのが恐かった。結果として静弥の部屋で葉書を見た美崎早音も、櫟心太郎も、葉書の送り主が真夜子であると誤解したことが、あの千曳山での悲劇につながったのである。なぜ、そんな誤解が生まれたのか。それはあの時の櫟の言葉で容易に説明することができる。洲内のもとに送られた葉書を、自分が山口という消印によって殿村からのものであると判断したように、彼らもまた消印によって、葉書が真夜子の住む地区の郵便局扱いであることを知ったのだ。

どうしてそんなことが起きてしまったのか。

——一馬が、故意に……。

そうだとは思いたくなかった。自分にかけてくれるやさしさや愛情と、捜査のために自分を囮《おとり》にしようとした非情さとが、同じ場所にあることを認められるほど、人生に絶望しているわけではない。

「聞いていますか、真夜子さん」

「すみません。少しだけ、別のことを」

殿村の目が、すっと細くなった。その中に同情が見えた気がして、真夜子は心のうちにヤスリをかけられたような気分になった。

「やはり、警察官としては、正しい行動だったのでしょうか」

恐る恐る聞くと、殿村は、

「そうであるなら、今回の事件はもっと救いがあることでしょう。けれどわたしは、こうして話していてさえ、恐ろしい気がしますよ。事件がじゃない、あの遠誉野という町がです」

「すべての原因が遠誉野にあると?」

それから、ゆっくりとした時間がすぎていった。殿村はなにもいわず、真夜子もなにも問い掛けない。話すことを恐れるものと、聞くことを恐れるものとが、ひとつの空間をごく自然に共有している。

「どうですか、この近くにはよい温泉もありますよ。旅の疲れを落としては」

「まだ、疲れたというほどでは」

「けれど、今夜は遅くなりますし、もしかしたら泥で汚れてしまうかもしれない」

「泥で、ですか?」

「まあ、さほどの作業ではありませんが」

殿村の言葉の意味がよくつかみきれなかった。

「ところで、樹来たか子の死に関することですが」

「そうでした。歳を取ると、話に脈絡がなくなっていけない。そうでした、たか子の死を、再構成してみなければならないのでした。けれどここでは再構成までが限度です。本当の答えは今夜わかる」

そういって、冷めてしまった茶を、殿村は飲み干した。

そもそも、たか子の死が自殺ではないといいだしたのは、殿村である。たか子の童謡詩がキリスト教精神を強く受け継いでいる点を指摘し、そうした人物が自殺をするはずがないと教えてくれたのである。

「この事件は、複雑ですね。それもそのはずだ。根源にある樹来たか子の死が、余りに何度も様相を変えているのですから。一般に世間に流布されていたたか子の死。事件当時たまたま当地を訪れていた医学生が、独自の推理力を駆使して突き止めたたか子の死。その遺児であり、事件の記憶を封印したままの青年の心の奥底にしまわれていたたか子の死。これらがすべて違っていたために、二十五年の時を経て、新たな殺人事件を起こしてしまったのです。ですが、よく考えてみてくれませんか。三つのたか子の死を彩る状況、そのどれもが決定的な証拠に欠けているのですよ」

「確かにそうです。キリスト教の精神を作品に生かしているからといって、自殺をしないわけではありませんよね」

「自分であんなことをいっておいてなんですが、キリスト教の神父や牧師のなかにも、自殺をした人は結構いるのですよ。わたし個人は、ひとつの可能性を示したつもりだったのですが、いつのまにかあなたのなかでは、それが決定事項のようになってしまった。言葉が足りませんでした」

「いえ、そんなこと。わたしが早とちりをしてしまっただけです」

「次に、樹来重二郎が殺害したという説ですが、これは櫟医師が推理をしていますね」

「はい。でもよく考えてみると変。返り血を浴びるか浴びないかという点だけで推理をしていて……そこの部分がうまくできているものだから気が付かなかったけれど、やはり決定的な証拠に欠けますよね」

「これもまた、可能性なのですよ。そして樹来静弥犯人説にいたっては、先ほどあなたが指摘したとおり、静弥氏が催眠治療中に洩らした言葉以外に、証明する材料はないのです。こうなると、三つの説のどれが真実なのか、わたしたちは判断することができません」

その時、表から秋月典江が、声をかけてきた。

「浜尾が、お会いしたいと」

「ああ、わかりました。ではこの店を出ましょう。いやあ、実においしい料理でした。いつもいつも浜尾さんには申し訳ない」

殿村が、広い額をぺたりと撫でる。確か、この町にはほかにも有名な詩人がいたのではなかったか。

「どうしたのですか、急に黙りこくって」

「なんでもないんです。なんだか殿村さんを見ていると、どこかでそんなイメージの詩人がいなかったかと……」

「あはは、それならばたぶん、詩人ではなくて俳人でしょう。この町の出身ではないが、近くの小郡に庵を編んでいた種田山頭火」

「ああ、その人です」

「放浪の俳人でしてね。地方で友人の世話になっては大酒を食らい、借金を踏み倒して逃げ歩いた、困った俳人です。ただし、彼の自由句だけは本物だった」

「すみません、そんな人だとは思いませんでした」

「いいんですよ。むしろ光栄です」

その屈託のない笑いが、真夜子にはかけがえのないものに思えて仕方がなかった。


その庭は、月光に照らされて幻想的でさえあった。木々が満月の光を浴びて黒々と影を落としている。

——どうして、こんなにも美しい夜なのに。

かつて、不世出と呼ばれた童謡詩人が、最後の夜を迎えた場所。そこに三つの人影が立っている。街灯などはなくとも、月の明かりだけで、顔はぼんやりと判別できる。けれどあくまでもぼんやりと、だ。更地《さらち》に月明かりでできた影法師が三つ揺らめいていて、見様によっては影法師同士が怪しげな会話を交わしているようにも見えた。

「水琴窟ですか。なつかしい響きですね」

そういったのは、浜尾竜一郎である。

「わたしは、たか子が家を出ることには反対でした。けれどあの子は優しい反面、誰にも屈しない、きつい意志を持ったところもある子でして。それでどうしても出てゆく、伯父さんの意見は聞けんというものだから……。せめてなにか餞別《せんべつ》代わりにというと、庭に水琴窟を造ってくれというのですよ。といっても、わたしにはなにがなにやらわからん。いや、あの当時市内の造園業者のなかでも、水琴窟を作れる職人なぞは、おりはせんかった。仕方がなくて、東京から専門書を取り寄せたりしましてのお。福岡に実物があるちゅうもんだから、職人を連れて見にいったりもしました。どうやら地中に大きな瓶を埋め込み、そこへ一滴一滴水を垂らして、その音を楽しむものらしい。結局は何度も瓶を埋め込んでは、いや小さすぎる、水の量が多すぎると、試行錯誤しまして完成したものなんですが」

「すると、瓶は特別注文ですか」

「はあ。それでも大きさが足りんものだから、口のところを特別に大きく作ってもらいましての」

「ふたつを、重ねあわせたのですね」

「ええ、上になる瓶の底に、最小限の穴を空けると、これがどうしたものだか、本物の水琴窟よりもええ音が響きよるんですわ」

「それは、示唆的だ。実に……示唆的な話ですね」

「ふふふ、けれどこの話はもう一月も前に話したことじゃありませんか」

「おや、そうでしたか」

影法師のひとつが、真夜子をふりかえった。

「このおひとはね、あなたに聞いてほしかったのですよ。だからこの場で、同じ話を繰り返してくれと、頼まれました」

「殿村さん。どうして……？」

「それが、わたしにも話してはくれんのです。どうも学者肌のおひとというのは、隠し事が好きらしい」

老人二人の会話を聞いていると、なにか世間話でもしているように聞こえる。そのうちに、どちらからともなく「はじめますか」と声がかかり、二人は地面の一点に向かってスコップをふるいはじめた。

「あの、なにがはじまるのですか」

「樹来たか子の事件の真実を、掘り返すのですよ」

「たか子殺しの真実？」

「そうです。わたしたちはそれに直面しなければならない。その時期がきているのですよ」

スコップをふるいながらだというのに、殿村の言葉には少しのよどみもない。

「さすがに、ここまでも放っておくと、なかなか……くっ……これが！」

スコップの先をうまく使って、瓦礫《がれき》を外し、また掘り進んでゆく。そのうちに、瓶らしいものの先端があらわれた。周囲を丁寧に掘りすすむと、約半分が地面の外に出てきた。

「さて」と、殿村と浜尾がスコップを止めた。

「ここから先は、老人の仕事じゃない」

自分が指名されたようで、真夜子は驚いた。

「わたし、ですか？」

「いいや。あなたでもない。そろそろ出てきてはどうですか。すぐ近くにきているのでしょう」

殿村の声に、新たな影法師が登場した。

「一馬！　どうしてあなたがここに」

背広姿の洲内一馬が、そこに立っている。

「わたしが今朝、電話でお呼びしたのですよ。まさか、真夜子さんの部屋においでだとは思いもよりませんでしたが」

この幻想的な庭に、あまりに多くの「なぜ」が錯綜している。すべては冗談だよと、どこかで誰かの声がしそうなほどだ。

「一馬くん。これから先の作業はきみの仕事だ」

「どうしてぼくが？」

「掘り進めばわかる」

いつになく堅い一馬の口調が、かつて知り合ったばかりのこの青年の口調を思い起こさせた。誰にも心を開こうとしない、

――そこに、わたしは魅力を感じた。

一馬はそれ以上なにもいわず、殿村からスコップを取り上げた。

「わたしは、こう考えたのですよ」と、殿村が汗を拭きながらいった。

「樹来たか子の死の真相は、もっと別のところにあるのではないか、と。もしかしたら弓沢征吾氏も、同じことを考えたのかもしれない。水琴窟のことが頭から離れなくなってしまったのですよ。やがてわたしには、ひとつの仮説が生まれた。もしかしたら、ある時期から水琴窟は音を奏でることをやめたのではなかろうかと」

「でも、それは季節的なものだと」

「そうです。けれど別の要因があったかもしれない」

背後で黙ったままの浜尾竜一郎を包む空気が、側にいてさえ明らかに変わったことを真夜子は感じた。

「殿村さん！」

「たとえ無限の慈悲の心を持った人であったとしても、ときに鬼になることができるのですよ。それが、他の誰よりも愛しい、子供のためであったとすれば、ね。違いますか浜尾さん、真夜子さん」

瓶の半分ほどが外に現れると、かすかに黴《かび》臭い匂いが、辺りに流れた。

「ねえ、真夜子さん。もしたか子が、静弥の作った罠に気が付いていたとしたら、どう思うでしょうか。所詮は子供の作った罠です。見付けることはたやすく、けれどその殺傷能力に慄然とするのではありませんか。子供が、実の父親に抱いた殺意を、たか子はどんな気持ちで迎えたことでしょうかねえ。わたしは思うのです。愛する子供にそんな酷い決断をさせた男を、たとえ父親であっても許すことはできない、と」

瓶の上半分が割られた。そこに白々と横たわるものがあった。夜目にもそれが何かは明らかだった。

「あれが、二十五年前から姿を消していた樹来重二郎氏です」

浜尾竜一郎が、どのような目でそれを見ているのか、真夜子にははっきりとわかった。かつて自分の使用人であった男。誰よりも愛する姪の夫であり、彼女を絶対に幸福にしなければならない義務を負いながら、まったくその逆の行為を果たした男の、白々とした白骨がそこにある。

「遠誉野という町は、どうしてこんなにも残酷なことを企んだのか」

その言葉の意味が、真夜子にはわからなかった。いや、わかろうとはしなかった。次に洲内一馬の口からこぼれる言葉が、恐ろしくてならなかったのである。

――一馬が静弥の不幸を語ろうとするときの、あの嬉々とした表情はいったいなんだったの。それほどまでに静弥が憎かったの。

どうして樹来たか子の詩が掲載された同人誌が一馬の部屋にあったのか。たか子の童謡詩に共感したからだとばかり思っていた。

――憎んでいたんだ。たか子も静弥も。

その静弥を陥れるためなら、恋人を犠牲にすることだってかまわないと思ったのである。

そして。

一馬が、その一言をいった。

「……父さん」

続いて、なんともいやな響きを持つ、乾いた笑い声が庭に響いた。

「こんなところにいたんだ。あの糞ったれの女に殺されて、二十五年もこの庭に眠っていたんだ。だったら山口なんかにこなければよかったんだ。母さんがよくいっていたよ。山口の家族と縁を切って、東京で親子三人が暮らすにはまとまった金がいる。それを工面してくるといって、出ていったんだってね。だからあんたが帰ってこなくなってからも、あの人はずっと待ち続けていたんだ。それも俺が中学生の時には、終わってしまったけどね」

「でも」といいかけて、真夜子は言葉を失った。たか子もまた、自分の命を絶ったのである。いくら子供のためとはいえ、人を殺害して平然としていられる女性ではなかったのだ。重二郎をどのような手段で殺害したかはわからない。女の力では攻撃的な殺害方法は無理であろうから、農薬かなにかを使ったのでは、とも思う。いずれにせよ、庭を掘り返して水琴窟に重二郎の遺体を隠してから、樹来たか子は自ら命を絶ったのである。

それを一馬に告げたところで、

――今はなんの意味もないことだ。

ただただ、一馬の冷笑めいた笑い声だけが、月下の庭に響くばかりである。

「こんな結末なら……こんな結末なら」

「ないほうがよかったですか」

そういう殿村の言葉には、うまく答えが見つからなかった。

「すべては、遠誉野という空間の悪意ゆえだったのですか」というのがやっとだった。

——遠誉野市。あの町に淀む悪意こそが真犯人。

——ねえ、そうでしょう。

——あんな町さえなければ。

月は、影法師の問い掛けになにひとつ答える気がないように、実にあっけらかんと、白い光を投げ掛ける。

——ねえ。遠誉野が真犯人なのでしょう。

——ねえ。ねえってば。

エピローグ

ここは夢の世界なのだろうか。

樹来静弥はふと思った。周囲の状況を摑むための感覚がなにひとつ正常に働いてはいないようだ。人影があるようだが、顔形も判然としない。

――誰だろうか。母さん？　それとも早音か。

ああ、幸せだと思った。もっとたくさんの出来事が入り交じっていて、人の人生とは決して楽しいことばかりではないはずだと思っていたのに、この充足感はいったいなんだろう。

昨日は早音は訪ねてきてくれたのだろうか。もちろんそうであるに違いない。なぜなら、彼女が訪ねてくれないとすれば、これほど幸せな気持ちでいられるはずがない。

――幸せだ。かつてないほどに幸せだ。

解説

西上心太

早いもので、北森鴻も作家デビュー以来、今年で十年を迎える。

もっともこれは鮎川哲也が編者を務めていた、新人投稿作によるアンソロジー『本格推理①』（一九九三年）に採用された「仮面の遺書」から数えての話である。本格的なデビューはその二年後、奇しくもプレデビューの機会を与えてくれた作家の名を冠した新人賞である、第六回鮎川哲也賞の受賞をまたなければならなかったが。そしてその時の受賞作が明治初年の歌舞伎界を舞台にした歴史ミステリー『狂乱廿四孝《にじゅうしこう》』であった。

この時からわたしにとって、北森鴻は数多い作家の中でも特別の存在となった。というのも、当時鮎川哲也賞の予選委員を務めていたわたしの担当した投稿作の中に、北森作品が入っていたからである。この作品を読んだ時の衝撃的な記憶は『狂乱廿四孝』の文庫版解説にすでに書いたのでくり返さないが、担当した作品が初めて受賞に繫がったという経緯もあり、北森鴻という新人作家に対し、他の作家以上の期待を持ち続けてきたのである。以来八年、まったく期待に違うことなく、北森鴻は数多くの好作、傑作、話題作を連発し、現在に至っている。この間、一九九九年には『花の下にて春死なむ』

で第五十二回日本推理作家協会賞の〈短編及び連作短編集部門〉を受賞するなど、名実ともに一流作家の地歩を固めている。

さて、論理学には二分法という言葉がある。互いに排斥しあう二つの区分肢を並べる論理的区分の方法と辞書には載っている。正式な使い方は知らないけれど、〈二分法もどき〉のことは日常の酒飲み話の中などで、誰もがよくやっている。

「世の中には二種類の〇〇がある。△△と××だ」という例のアレである。

この手を使うと話を進めるのに都合がいい場合が多い。ただし詭弁と紙一重のことが多々あるので注意が肝要であるが。

これを使ってミステリー作家を分類してみると、さっそく二つの分類ができあがる。

「世の中には二種類のミステリー作家がいる。トリック派とプロット派である」

「世の中には二種類のミステリー作家がいる。ある種の〈型〉を踏襲する作家と、それを嫌う作家である」

これを北森鴻に当てはめると、どうやらどちらも後者に該当する作家と思われる。

トリック派とは、密室やアリバイなどのトリックを中心に据え、そこから物語を肉づけしていくスタイルを取る。といってもトリックのみを取り出せば無味乾燥なものであることが多いので、特異な舞台設定やストーリーテリングにより工夫を凝らす努力を怠らない。海外ではジョン・ディクスン・カー、国内では二階堂黎人が代表例だろう。

一方のプロット派は構想派と言い換えたほうがよいかもしれない。細部から全体というトリック派の行き方とは逆に、作品全体の大まかな構図を決め、それから細部を作り込んでいくような作風である。作品の構成そのものに読者を錯誤に導く仕掛けが施されたような作品も多く見られるのが特徴だ。海外の本格派作家ではニコラス・ブレイクがまず思い浮かぶが、ビル・S・バリンジャーやリチャード・ニーリーといったサスペンス派に分類されるような作家に多い。トリックが中心の作品が行き詰まりを見せたころに台頭してきた一派でもある。国内では叙述トリック中心から、多重視点サスペンスものに比重を移した時期の折原一と、北森鴻が第一人者ではなかろうか。

もっとも実際は、このように単純に分類できるわけではない。いざ執筆が始まれば、全体の設計図を引き直したり、細部の手直しをしたり、作品を完成させるまでには、何度も行きつ戻りつしながらの作業が要求されることはいうまでもない。あくまでもその前段階、アイデアを発酵させる時期における作家の考え方や方向性についての話なのである。

もう一つの分類である〈型〉の踏襲である。これはシリーズキャラクターなどを据えて、毎度おなじみの設定を用いることをいう。つまり「水戸黄門」や「フーテンの寅」ではないが、ある程度共通した世界を外枠として作り、その中で新しいアイデアを読者の前に示すような作品のことである。いつも主人公が旅先で事件に巻き込まれるトラベルミステリーで多く見られるパターンなどがそれだ。海外で例をあげれば、E・S・ガードナーのペリー・メイスンシリーズはその最たるものだろう。奇妙な依頼人が登場し、やがて彼（または彼女）が殺人事件の容疑者として逮捕され、メイスンが弁護にあたり法廷で真犯人を指摘する。見事なまでにパターン化されたシリーズだった。国内の最近の作品では、奇妙な館を舞台に連続殺人が起きる綾辻行人の〈館〉シリーズを思い浮かべる人も多いだろう。

北森鴻は出世作となった一匹狼の女性骨董商宇佐見陶子が活躍する『狐罠』『狐闇』、美貌の民俗学者蓮丈那智が登場する『凶笑面』などシリーズキャラクターは何人もいるのだが、〈毎度おなじみのパターン〉を使って作品数を稼ぐことが、どうも嫌いなような気がするのである。唯一、パターンめいたところを拾えば、短編集が、短編の寄せ集めではなく、各短編が独立していながらも、連鎖的に繋がりを持ち、最後には一つの世界にまとまるという、まさに〈プロット（構想）派〉にふさわしい作品集がほとんどを占めるということくらいであろう。

マニアは別にして、〈毎度おなじみのパターン〉作品のほうが、その世界に入りやすく、安心できるという一般読者が多いような気がする。進取の精神に富み、作品ごとに違うミステリー的趣向にチャレンジする北森鴻が、その実力に比して一般的な人気と評価を得ているとは言い難い現実は、微温的な作品に飽き足らず、常に〈読者を安心させない〉作品を産み出そうとする創作姿勢にその原因があるのかもしれない。それだけに

〈すれっからし〉の読者にとって、北森鴻ほど楽しみな作家は稀なのであるが。

本書『闇色のソプラノ』は数ある北森鴻作品の中で、もっとも複雑なプロットを有した長編ミステリーである。

卒業論文のテーマを決めかねていた大学生の桂城真夜子は、ボーイフレンドの部屋で三十年前に発行された一冊の同人誌を見つけた。その雑誌は西條八十が確立した童謡詩の復活を目指したものだったが、真夜子はそこに掲載されていた女性詩人の「生キモノノ謡」と題された詩に衝撃を受け、卒論に取り上げることを決意した。無名の詩人――樹来たか子の残されたデータは少なかったが、昭和四十年前後にわずかな作品を発表しただけで、若くして自殺を遂げていたことが判明した。だが真夜子はその遺児の樹来静弥が同じ市内に住んでいることを知り、強い因縁を感じる。真夜子は調査の過程で大学がある東京郊外の遠誉野市の郷土史研究家・殿村三味と、末期癌患者の弓沢征吾と知合う。弓沢は樹来たか子の「秋ノ聲」という詩に現われる「しゃぼろん、しゃぼろん」という音の響きに魅せられ、その謎めいた響きの正体を見つけようと、病身をおして単身たか子の郷里山口県に赴く。弓沢は病のためかの地で倒れてしまうが、たか子の伯父の浜尾竜一郎と出会い、驚くべき事実を知る。それはたか子の死は自殺ではなく、離婚をめぐり対立していた夫による他殺であるというものだった。帰郷後入院した弓沢を見舞った真夜子と殿村は、弓沢の口からその事実を知らされた。だがその後まもなく、病院を抜けだした弓沢の刺殺死体が発見された。なぜ余命幾許もない人間を殺す必要があったのか。

一方、遠誉野署の刑事、洲内は弓沢の事件を担当することになるが、単なる捜査員という枠を超えた運命を感じるようになる。やがて樹来静弥の同級生高梨が轢き逃げに遭い死亡するという事件が起きる。高梨は死の直前に、山道をドライブ中に遭遇した体験を、怪談仕立てにしてラジオ局に送っていた。轢き逃げ事件とその投書を結びつけるものはなにか。さらに若い女性の失踪を知った洲内は、一連の事件の要に樹来静弥の影を見るのだが……。

本書は夭折した天才詩人に魅せられ、不思議な因果律に搦《から》めとられてしまった人間たちを浮き彫りにする物語である。本書にはいくつもの偶然が登場する。ボーイフレンドの部屋で樹来たか子の詩を発見する真夜子。たか子の遺児が同じ市内に住んでいる事実。自死と思われていたたか子の事件の時、夫による殺人と推理した〈名探偵〉と称する男の意外な関り。さらに終章で明らかになる驚嘆すべき真相、等々。

数多くの偶然と必然が、三十年の時を隔て、山口と東京都下の小都市を結びつけ、運命の歯車を廻し始めるのだ。もっとも、〈偶然〉の多用といっても決してご都合主義的なものではない。それは複雑なプロットの中に消化され、ラストの驚愕の真相に有機的に結びつく極めて意図的な〈偶然〉なのである。このあたりはまさに〈構想派〉の面目躍如というところで、作者の構成力に啞然とするとともに、ミステリーを読む醍醐味を味わわせてくれる。さらに弓沢はもとより、読者であるわれわれも耳について離れない「しゃぼろん、しゃぼろん」という擬音には、「死者の側から作品を書いた」詩人のあらゆる感情が凝縮されており、その秘密が明らかになる過程は、単なる謎解きというレベルや時空すら超えたもろもろの感情が読む者に迫ってくるのである。このことこそ、後述するが、この作品のモデルとなった詩人の人生にもリスペクトが払われているなによりの証拠であると思う。

しかし作者としては〈偶然〉の多用に忸怩《じくじ》たる思いがあったのであろうか、その〈偶然〉を〈必然〉たらしめるために、遠誉野市という歴史から抹殺された沿革を持つ特異な都市を、お得意の民俗学的なガジェットを以って作り上げ、登場人物たちの〈因果律〉に支配される背景を補強しようと試みている。ただし必ずしもこの試みが成功したとは言い難く、今ひとつすっきりしない憾《うら》みがあるが、瞠目すべきプロットを前にすれば、わずかな瑕瑾《かきん》に過ぎないであろう。

思えば北森鴻は、デビュー作の『狂乱廿四孝』に二世河竹新七、後の河竹黙阿弥を登場させた。黙阿弥といえば代表作の『三人吉三廓初買《さんにんきちさくるわのはつがい》』に見られるように、因果に支配され複雑な運命をたどり、最後は悲劇的な死を迎える男女を多く描き続けた歌舞伎作者である。ひょっとすると、作者の頭には黙阿弥が描いた〈因果〉の物語を、現代に復活させせようとした意図があったのかもしれない。また遠誉野市の成立をめぐるアプローチに用いられる民俗学趣味は、先に挙げた『凶笑面』で全面的にフィーチャーされるので、こちらの作品も一読をお薦めする。

蛇足である。

一読すればお分かりの方も多いだろうが、樹来たか子のモデルとなったのは、近年再評価が著しい大正時代末期の童謡詩人、金子みすゞにほかならない。金子みすゞは「童話」や「赤い鳥」などの雑誌に投稿した童謡詩の多くが入選し、西條八十に認められるなど、うら若き天才詩人として一時代を作った女性である。しかし結婚後しばらくしてから夫に詩作を禁じられ、病と離婚問題のトラブルによる疲れからか、昭和五年に二十六歳の若さで命を絶った。創作期間はわずか六年ほどしかなく、その死後はほとんど忘れられた存在となっていた。戦後にいたっては『日本童謡集』（与田準一編、岩波文庫）に「大漁」の一編が収められただけだったのである。

だがその一編の詩が思わぬ波紋を呼ぶ。この詩に出会った、後に童謡・童話作家となる矢崎節夫は強い衝撃を受け、金子みすゞという幻の詩人を追い続けるのである。そしてついに十六年後の昭和五十七年に、金子みすゞの遺族と出会うことができたのだ。この時の顚末を含む金子みすゞの足跡を追った労作が『童謡詩人金子みすゞの生涯』（JULA出版局）である。矢崎氏の調査がなければ、金子みすゞは未だに幻のままだったに違いない。またミステリー作家の北村薫も好エッセイ集『詩歌《しいか》の待ち伏せ　上』（文藝春秋）の巻頭で、やはり『日本童謡集』で金子みすゞと出会った衝撃を「ページが、不思議な色に染まったようでした」と書いている。そしてこの詩人と出会った北森鴻は、彼女をモデルに、奔放な創造力を以って奇跡のようなプロットのミステリーを紡ぎあげたのである。

もう一つ蛇足を。どうも北森鴻という作家は再発見された文学者が好きなのか、『花の下にて春死なむ』では、自由律俳句の俳人で、全国を托鉢行脚の旅に出て生涯を終えた種田山頭火をモデルにした人物を登場させている。山頭火も金子みすゞと同じ山口県の生まれという共通点がある。かの地には北森鴻の作家心を刺激する何かがあるのかもしれない。

ともあれ本書は、凝りに凝ったプロットで読者を眩暈に誘うミステリーの極北である。秋の夜長にじっくりと楽しんでいただきたい。

（ミステリ評論家）

単行本　一九九八年九月立風書房刊

文春文庫

闇色《あんしょく》のソプラノ

定価はカバーに
表示してあります

2002年10月10日　第1刷
2009年 6 月25日　第6刷

著　者　北《きた》森《もり》　鴻《こう》
発行者　村上和宏
発行所　株式会社 文藝春秋
東京都千代田区紀尾井町 3-23　〒102-8008
TEL 03・3265・1211
文藝春秋ホームページ　http://www.bunshun.co.jp
文春ウェブ文庫　http://www.bunshunplaza.com
落丁、乱丁本は、お手数ですが小社製作部宛お送り下さい。送料小社負担でお取替致します。

印刷・凸版印刷　製本・加藤製本

Printed in Japan
ISBN4-16-765643-4

文春文庫　最新刊

ドラママチ　角田光代

栄光なき凱旋　上　真保裕一

モノレールねこ　加納朋子

一応の推定　広川　純

サンショウウオの明るい禅　玄侑宗久

戦争の法　佐藤亜紀

秀吉の枷　上中下　加藤　廣

少し変わった子あります　森　博嗣

飄《ひょう》風《ふう》　車谷長吉

おでんの丸かじり　東海林さだお

宿澤広朗　勝つことのみが善である　全戦全勝の哲学　永田洋光

ぶらぶらヂンヂン古書の旅　北尾トロ

裁判官に気をつけろ！　日垣　隆

おしゃれのベーシック　光野　桃

おしゃれの視線・私のスタイルを探して　光野桃コレクション　光野　桃

朝礼・スピーチに使える座右の銘77　文春文庫編集部編

日本一江戸前鮨がわかる本　早川　光

家庭料理のすがた　辰巳芳子

絢爛たる流離〈新装版〉　長篇ミステリー傑作選　松本清張

誕生日の子どもたち　トルーマン・カポーティ　村上春樹訳

人生のちょっとした煩《わずら》い　グレイス・ペイリー　村上春樹訳

世界のすべての七月　ティム・オブライエン　村上春樹訳

世界は村上春樹をどう読むか　国際交流基金・企画　柴田元幸ほか編